D1033196

S.F.
V.

HUGO VON HOFMANNSTHAL

GESAMMELTE WERKE

IN

EINZELAUSGABEN

LUSTSPIELE

I

1959

S. FISCHER VERLAG

HUGO VON HOFMANNSTHAL

LUSTSPIELE

I

1959

S. FISCHER VERLAG

HERAUSGEGEBEN
VON
HERBERT STEINER

Siebentes bis zehntes Tausend

Satz und Druck: Druckhaus Langenscheidt, Berlin
Einband: Schöneberger Buchbinderei, Berlin
Printed in Germany

LUSTSPIELE

I

FLORINDO UND DIE UNBEKANNTE

Aus »Cristinas Heimreise«, älteste Fassung

Ein Platz in Venedig, der im Hintergrunde an die offene Lagune stößt. Nach links vorne geht eine kleine, enge Gasse mit einem Bogen überwölbt, ebenso geht rechts eine schiefe, schmale Gasse. Im Erdgeschosse eines Eckhauses links ist ein Kaffeehaus, das erleuchtet ist und worin einige Gäste Billard spielen; vor diesem stehen kleine Tische im Freien. Der Platz ist mit Laternen beleuchtet. In einem kleinen Hause, das mit einer Seite in dem Gäßchen rechts, mit einer gegen den Platz heraus steht, ist im ersten Stock ein Zimmer erleuchtet.

An den Tischen sitzen: links Graf Prampero und seine Frau und rechts gegen die Mitte des Platzes Herr Paretti. Weiter rückwärts ein paar Schachspieler, ferner Lavache, ein Mann unbestimmten Alters, in einem dürftigen, bis an den Hals zugeknöpften Mantel, der eifrig schreibt und eine große Menge beschriebenen Papieres vor sich hat. Mehrere Tische sind leer. Benedetto, der Oberkellner, steht bei den Schachspielern. Tofolo, der Kellnerbursche, bedient. Teresa sieht aus dem erleuchteten Fenster des kleinen Hauses, man sieht sie dann ein schwarzes Tuch um die Schulter schlagen.

LAVACHE

Herr Benedetto, darf ich Sie noch um etwas Papier bitten? Sie werden Ihre Großmut nicht bereuen.

BENEDETTO

winkt Tofolo

Schreibpapier dem Herrn Lavache!

GRAF PRAMPERO

ein mit dürftiger Eleganz angezogener, sehr hagerer, alter Mann zu seiner Frau, nachdem er auf die Uhr gesehen

Wünschst du noch zu bleiben oder soll ich –

Die Gräfin, eine sehr blasse Dame, um dreißig Jahre jünger als ihr Mann, zuckt die Achseln und sieht ins Leere.

Der eine Schachspieler läßt eine Figur hinunterfallen. Graf Prampero steht eilig auf und überreicht sie, indem er den Hut abnimmt, dem Schachspieler. Der Schachspieler nickt dankend und spielt weiter. Teresa kommt aus dem Hause, steht in der Mitte und sucht Benedettos Aufmerksamkeit auf sich zu ziehen.

GRAF PRAMPERO

zu seiner Frau

Es ist mehr als eine Woche, daß wir Florindo hier nicht gesehen haben.

Die Gräfin gibt keine Antwort.

GRAF PRAMPERO

Er scheint seine Gewohnheiten geändert zu haben.

Seufzt.

Die Gräfin gibt keine Antwort.

GRAF PRAMPERO

Es kann sein, daß man ihm begegnen würde, wenn man länger bliebe.

Sieht nach der Uhr.

DIE GRÄFIN

Ich denke nicht daran. Warum sprichst du von ihm? Ich möchte wissen, was Herr Florindo uns angeht. Ich gehe fort.

GRAF PRAMPERO

Sofort. Darf ich dich nur um die Gnade bitten, einen Augenblick zu warten, bis ich Benedetto rufe? Benedetto, ich zahle.

Benedetto

zu dem Schachspieler

Sie haben unverantwortlich gespielt, Herr. Man kann Ihnen nicht zusehen.

Geht langsam nach rechts zu Teresa.

Graf Prampero

mit erhobener, aber schwacher Stimme

Benedetto!

Benedetto

Ich komme!

Tritt zu Teresa.

Tofolo bringt Lavache Schreibpapier, stößt dabei dessen Hut herunter. Graf Prampero steht auf, hebt den Hut auf, staubt ihn mit seinem Taschentuch ab und überreicht ihn dem Schreiber.

Lavache

Mein Herr, ich danke Ihnen sehr.

Graf Prampero grüßt höflich.

Die Gräfin sitzt unbeweglich und sieht finster vor sich hin.

Benedetto

Tofolo zurufend

Frisches Wasser dem Herrn Paretti!

Teresa

zu Benedetto

Wie ists mit dem Paretti?

Benedetto zuckt die Achseln.

Teresa

Er will nichts hergeben?

Benedetto

Gib acht, er ist mißtrauisch wie ein Dachs.

Teresa

Also?

Benedetto

Ich habe getan, was ich konnte.

Teresa

Ich bin drinnen schon auf Kohlen gesessen.

Benedetto

Er wollte vom Anfang an nicht.

Teresa

Am Anfang macht er doch immer seine Komödien.

Benedetto

Ich habe den Eindruck, für jeden andern als für Florindo wäre etwas zu machen.

Teresa

Was soll er gerade gegen Florindo haben?

Benedetto

Ich weiß nicht. Eine Laune, ein Mißtrauen. Mit Frauen und mit Wucherern lernt man nicht aus.

Teresa

Wenn er vom Anfang an nicht gewollt hätte, so wäre er nicht gekommen. Er setzt sich nicht ins Kaffeehaus, um kein Geschäft zu machen. Du darfst ihn nicht auslassen.

Graf Prampero

aufstehend

Benedetto!

Benedetto

ohne sich zu regen

Ich komme, Herr Graf, ich bin auf dem Wege zu Ihnen!

Teresa

Wenn er kein Geld gibt, so muß er anderes geben. Juwelen, Möbel, Ware, was immer.

Benedetto

Würde Florindo Ware nehmen?

Teresa

Sehr ungern natürlich, aber man nimmt schließlich, was man bekommt. Und es eilt.

Benedetto

Du bist mir rätselhaft.

Teresa

Du hast mir versprochen, daß du es machen wirst.

Benedetto

Wenn du noch mit ihm wärest – Aber alles für seine schönen Augen?

Teresa

Das verstehst du nicht. Er wird prolongieren müssen, ich werde es vermitteln. Er wird Ware übernehmen müssen, ich werde zu tun haben, sie für ihn zu verkaufen. Er wird zu mir kommen, wäre es nur um seinen Ärger auszulassen.

BENEDETTO

Du verlangst nicht viel.

Graf Prampero macht alle Anstrengungen, Benedetto herbeizuwinken.

BENEDETTO

Gewiß, Herr Graf, ich komme.

Bei Pramperos Tisch

Wir haben also die Mandelmilch der Frau Gräfin und was darf ich noch rechnen?

GRAF PRAMPERO

Sie wissen ja, Benedetto, daß ich abends nichts zu mir nehmen darf.

Gibt ihm eine Silbermünze.

BENEDETTO

Sehr wohl!

Gibt aus einem Schälchen Kupfermünzen zurück, geht dann zu Teresa hinüber.

TERESA

Das wäre was, wenn es einem Menschen wie dir nicht gelingen sollte, einen solch alten Halunken herumzukriegen. Brr, das Gesicht!

BENEDETTO

Ein sehr gutes Gesicht für sein Gewerbe. Sein Kopf ist so viel wert wie ein diskretes Aushängeschild. Er sieht aus wie der wandelnde Verfallstag.

GRAF PRAMPERO

zu seiner Frau

Wenn es dir jetzt gefällig ist, meine Liebste –

Die Gräfin fährt aus ihrer Träumerei auf.
Graf Prampero reicht ihr ihr Täschchen.
Die Gräfin steht auf.

GRAF PRAMPERO

Wird dir der gewöhnliche kleine Rundgang belieben? Ich würde gerne beim Uhrmacher meine Uhr vergleichen. Oder der direkte Weg nach Hause?

DIE GRÄFIN

Es ist mir namenlos gleichgültig.
Graf Prampero grüßt die übrigen Gäste, sie gehen über die Bühne und verschwinden in dem Gäßchen rechts.

BENEDETTO
zu Teresa

Übrigens: Herr Barozzi spielt drinnen und du weißt, daß er es nicht gern hat, wenn er dich hier sitzen oder herumstehen sieht.

TERESA
heftig

Das geht ihn gar nichts an, er hat mir nichts zu verbieten.
Sie setzt sich an einen leeren Tisch, Tofolo bedient sie, Paretti winkt Benedetto. Benedetto schnell zu Paretti.

PARETTI

Wie kommen Sie dazu, dem Menschen das Schreibpapier zu kreditieren? Sind Sie der Wohltäter der Menschheit?

BENEDETTO

Im Ernst, Herr Paretti, es kann das früher nicht Ihr letztes Wort gewesen sein. Daß Herr Florindo –

Paretti

Wenn Sie den Namen noch einmal aussprechen, zahle ich und gehe.

Benedetto

Sehr gut!

Geht zu Teresa

Ich glaube, es wird etwas zu machen sein.

Teresa

Ja, Gott sei Dank! Was hat er gesagt?

Benedetto

Er hat gesagt, wenn ich den Namen noch einmal ausspreche, so zahlt er und geht.

Teresa

Nun, und?

Benedetto

Wenn er mit dem Fortgehen droht, so will er mit sich reden lassen.

Geht zu den Spielern.

Paretti

winkt Benedetto zu sich

Wovon hält der Graf Prampero einen Bedienten? Die Leute haben nicht auf Brot. Was? Die Frau hat einen Liebhaber. Ja? Nein? Wieso nein?

Benedetto

Sie hat keinen, der erste und einzige, den sie jemals hatte, war eben der Herr, dessen Namen auszusprechen Sie mir verboten haben.

Paretti

Der Florindo? Der Mensch ist eine öffentliche Person. Ein

Faß ohne Boden, und da soll ich mein gutes Geld, das heißt meinen guten Namen, meine Verbindungen hineinwerfen?

Eine maskierte Dame, begleitet von einer alten Frau, zeigt sich rechts, mustert die Gäste und verschwindet wieder.

BENEDETTO

Die Geschichte wäre unterhaltend genug, aber ich werde mich hüten, sie Ihnen zu erzählen. Ich fürchte ohnedies, daß Sie meine Stellung in der ganzen Sache sehr falsch auffassen, Herr Paretti. Ich interessiere mich einfach für den jungen Mann, das ist alles.

Geht zu Teresa.

TERESA

ist aufgestanden

Hast du die Maskierte gesehen?

BENEDETTO

Es wird eine Dame gewesen sein, die aus dem Theater kommt.

TERESA

Ah, es ist Florindos Geliebte.

BENEDETTO

Die Schneidersfrau?

TERESA

Kein Gedanke, wo ist die! Es ist die jetzige, ein junges Mädchen aus gutem Hause. Sie heißt Henriette. Sie ist eine Waise und hat einen einzigen Bruder, der in einem Amt ist. Ich freue mich, ich finde das unbezahlbar!

BENEDETTO

Was?

TERESA

Daß er jetzt die auch schon warten läßt.

BENEDETTO

Bestellt er sie hieher?

TERESA

Natürlich. Sie ist pünktlich wie die Uhr und läßt sich immer von derselben alten Person begleiten, die dann verschwindet. Ach Gott, das arme Geschöpf.

Lacht

Bis jetzt war er noch immer der erste und heute bleibt er schon aus. Jetzt hat sie noch vierzehn Tage vor sich, höchstens drei Wochen.

Zwei Herren kommen aus dem Kaffeehaus, gehen zwischen den Tischen durch.

DER EINE

Guten Abend!

TERESA

Guten Abend!

Die Herren gehen nach links ab.

BENEDETTO

steht bei Paretti

Nach einigen Wochen war Florindo der Gräfin überdrüssig. Er hat ein außerordentliches Talent, rasch ein Ende zu machen. Er verschwindet von einem Tag auf den andern. Er ist einfach nicht mehr zu finden. Er hat immer zwei oder drei Wohnungen, die er jedes Vierteljahr wechselt, und in keiner ist er je zu sprechen.

PARETTI

Mit der Bekanntschaft werden Sie sich bei mir nicht beliebt machen.

Florindo ist von rückwärts aufgetreten und kommt langsam nach vorne. Anscheinend jemand suchend. Gleichzeitig treten Prampero und seine Frau aus der kleinen Gasse rechts und stoßen fast mit ihm zusammen, aber Florindo kommt geschickt an ihnen vorbei, indem er sie scheinbar übersieht.

BENEDETTO

weitersprechend

Aber er hatte ohne die unglaubliche Anhänglichkeit gerechnet, die er dem Manne eingeflößt hatte. Der Graf kann einfach ohne Florindo nicht leben. Er hat hier im Kaffeehaus Szenen gemacht: ob er ihn beleidigt hätte? Ob die Gräfin ihn beleidigt hätte? Welche Art Genugtuung er ihm anbieten könne? Da haben Sie das Manöver. Da kommt Florindo und da die Pramperos, ach sehen Sie, er schneidet sie einfach. Gewöhnlich spricht er wenigstens ein paar Worte mit ihnen. Sehen Sie sich die kostbare Miene des Alten an und sehen Sie sich die Frau an. Schnell: wie sie dunkelrot wird. Ich glaube, es ist ihr einziges Vergnügen, sich jeden zweiten oder dritten Tag dieser Beschimpfung auszusetzen. Aber was wollen Sie, das ist wirklich die einzige einigermaßen aufregende Zerstreuung, die ihr Mann ihr bieten kann.

Florindo eilig nach vorne, sich umsehend. Prampero und seine Frau gehen quer über die Bühne rückwärts ab.

TERESA

tritt schnell zu Florindo, flüstert

Das Fräulein war schon da.

FLORINDO

Was?

TERESA

Dort in der Gasse ist sie auf und ab spaziert. Tummeln Sie sich nur.

Die Maskierte und die Alte treten aus dem Gäßchen rechts. Florindo zu ihnen.

FLORINDO

Henriette!

DIE UNBEKANNTE

Ich bin nicht Henriette!

Florindo stutzt.

Aber es ist Henriette, die mich geschickt hat, um Ihnen etwas zu sagen.

Die Alte verschwindet lautlos.

FLORINDO

Henriette ist krank?

DIE UNBEKANNTE

Seien Sie ruhig, sie ist ganz wohl. Aber sie hat es nicht gewagt auszugehen, weil sie fürchtet, daß ihr Bruder heute ankommt.

FLORINDO

Ach, er sollte länger ausbleiben.

DIE UNBEKANNTE

Und Sie sind ärgerlich. Das ist sehr begreiflich. Es wäre peinlich für Henriette, wenn Sie nicht ärgerlich wären. Aber das erklärt Ihnen noch nicht, warum sie mich hergeschickt hat. Es handelt sich um etwas, das man schwer schreibt und noch weniger einer alten Begleiterin anvertraut.

FLORINDO

Sie machen mich recht unruhig.

DIE UNBEKANNTE

Wo kann ich fünf Minuten mit Ihnen sprechen?

FLORINDO

Hier, wenn Sie es nicht vorziehen, mit mir in eine Gondel zu steigen.

DIE UNBEKANNTE

Hier.

FLORINDO

Dann setzen wir uns.

Die Unbekannte zögert.

FLORINDO

Es ist unendlich weniger auffällig, als wenn wir hier stehen und uns unterhalten.

Sie setzen sich.

Sie wollen sich nicht demaskieren?

DIE UNBEKANNTE

Ich weiß nicht, ob ich es soll!

FLORINDO

Ich denke, daß das, was Sie mir zu sagen haben, wichtig ist. Bedenken Sie, um wieviel aufmerksamer ich Ihnen zuhören werde, wenn ich Ihr Gesicht sehe, als wenn ich mir die ganze Zeit den Kopf zerbreche, wie Sie aussehen können.

DIE UNBEKANNTE

Gut! Sie sollen mein Gesicht sehen, aber da ich unvergleichlich weniger hübsch bin als Henriette, so werden Sie so zartfühlend sein, mir kein Kompliment zu machen.

Nimmt die Maske ab.

FLORINDO

Oh, es tut mir so leid, daß Sie mir verboten haben –

DIE UNBEKANNTE

Es ist ein gewöhnliches Gesicht. Aber man hat mir gesagt, es ist eines von den Gesichtern, an die man sich mit der Zeit attachiert.

FLORINDO

Man braucht sehr wenig Zeit dazu. Ein Augenblick genügt.

Küßt ihre Hand.

DIE UNBEKANNTE

entzieht ihm ihre Hand

Bleiben wir bei Henriette. Ich bin Henriettes beste Freundin. Wenn sie Ihnen nicht von mir gesprochen hat –

FLORINDO

O doch. Ich hatte Sie mir nicht so jung gedacht. Denn Sie müssen die verheiratete Freundin sein, von der –

DIE UNBEKANNTE

Ganz richtig!

FLORINDO

Deren Namen sie mir niemals nannte.

DIE UNBEKANNTE

Das war mein Wunsch. Lassen wir mich aus dem Spiel, meine Rolle in eurem Stück ist nicht der Rede wert.

FLORINDO

Es ist die Sache des guten Schauspielers, aus der unbedeutendsten Rolle die erste zu machen.

DIE UNBEKANNTE

Wer sagt Ihnen, daß ich hier diesen Ehrgeiz habe? Jemals haben könnte?

FLORINDO

Ein ganz bestimmtes Gefühl, das ich viel lieber mitteilen als aussprechen möchte.

DIE UNBEKANNTE

Es gibt aber doch keine andere Möglichkeit ein Gefühl mitzuteilen als durch Worte.

FLORINDO

Ach!

Sieht sie an.

DIE UNBEKANNTE

Mein lieber Herr Florindo, ich werde mich meines Auftrages entledigen und Ihnen dann gute Nacht sagen!

FLORINDO

Ich danke Ihnen jedenfalls für dieses kleine Zugeständnis.

DIE UNBEKANNTE

Welches denn?

FLORINDO

Daß Sie mich nicht mehr für einen ganz gleichgültigen Fremden ansehen.

DIE UNBEKANNTE

Wie hätte ich das zugestanden?

FLORINDO

Indem Sie mir mit dem drohen, was vor zwei Minuten die natürlichste Sache von der Welt gewesen wäre: daß Sie fortgehen werden, sobald Sie mir nichts mehr von Henriette zu sagen haben.

DIE UNBEKANNTE

Sie sind sehr rasch bei der Hand, etwas was man Ihnen gesagt hat so aufzufassen, wie es Ihnen passen könnte.

FLORINDO

Das ist der gewöhnliche Kunstgriff, um sich durch das, was der andere spricht, möglichst viel Vergnügen zu verschaffen.

DIE UNBEKANNTE

Ja, bei einer Person, in die man verliebt ist.

FLORINDO

Ganz richtig, oder verliebt zu sein anfängt.

DIE UNBEKANNTE

Mein Gott! Sie kennen mich seit fünf Minuten, seien Sie nicht abgeschmackt.

FLORINDO

Mit dieser Sache hat die kürzere oder längere Zeit absolut nichts zu schaffen.

DIE UNBEKANNTE

Wollen Sie anhören, was ich Ihnen von Ihrer Freundin zu sagen habe?

FLORINDO

Ich warte darauf.

DIE UNBEKANNTE

Sagen Sie mir, wer ist die kleine Person, die hier herumschleicht? Sie macht Ihnen Grimassen, sie horcht auf jedes Wort, das wir sprechen.

FLORINDO

Ach das ist niemand.

DIE UNBEKANNTE

Wie, niemand?

FLORINDO

Das ist Teresa. Es ist die Nichte des Kellners hier. Die guten Leute besorgen alle möglichen Kommissionen für mich. Wollen Sie, daß ich sie Ihnen herrufe?

Winkt Benedetto

Er ist der größte Weltweise unter den Kellnern, den ich kenne.

DIE UNBEKANNTE

Der Dicke da? Es scheint, das Mädchen hat Ihnen etwas zu sagen.

Benedetto tritt an den Tisch.

FLORINDO

Benedetto, ich habe dieser Dame von Ihnen gesprochen!

DIE UNBEKANNTE

Dieser Herr hat eine sehr hohe Meinung von Ihnen.

Florindo ist rasch aufgestanden, geht zu Teresa. Sie sprechen miteinander.

BENEDETTO

Die aber noch nicht an meine Meinung von ihm heranreicht. Denn ich halte ihn geradezu für ein Genie. Freilich gehts ihm wie allen Genies –

Die Unbekannte

Inwieferne?

Benedetto

Daß er schließlich nur zu einer Sache auf der Welt gut ist.

Die Unbekannte

Und welche Sache ist das bei ihm?

Benedetto

Das werde ich mich wohl hüten, mit dürren Worten vor einer Dame auszusprechen, die alle Qualitäten hat, um bei dieser einen Sache sehr in Frage zu kommen.

Florindo

zu Teresa

Hör zu!

Teresa

zu Florindo

Ach, wer dir zuhört, ist betrogen, aber die dich hat, der ist wohl.

Florindo

nimmt seinen Platz an dem Tisch

Wie finden Sie ihn?

Die Unbekannte

Mehr unverschämt als unterhaltend. Er macht mir kein Verlangen nach der Nichte.

Florindo

Das ist ein braves gutes Mädchen. Aber darf ich jetzt wissen, was Henriette –

Die Unbekannte

Diese Person ist Ihre Geliebte gleichzeitig mit Henriette!

FLORINDO

Sie irren sich.

DIE UNBEKANNTE

Lügen Sie nicht!

FLORINDO

Es steht Ihnen sehr gut, wenn Sie zornig sind. Ihre Art, vor Ärger zu erröten, ist ganz persönlich.

DIE UNBEKANNTE

Sie sind unverschämt. Es ist um Henriettes willen, daß mir das Blut ins Gesicht steigt.

FLORINDO

Ich schwöre Ihnen, es ist die unschuldigste Sache von der Welt. Es ist heute absolut nichts zwischen mir und ihr. Ich bin ihr Doyen.

DIE UNBEKANNTE

Was sind Sie?

FLORINDO

Ich bin der älteste ihrer näheren Bekannten.

DIE UNBEKANNTE

Und Sie finden es geschmackvoll, eine solche Bekanntschaft, wie Sie es nennen, ins Unbestimmte fortzusetzen?

FLORINDO

Ich würde es verächtlich finden, sie mutwillig abzubrechen. Ich habe eine reizende Erinnerung. Es ist eine gute und liebe Person.

DIE UNBEKANNTE

Ich denke, es wird richtiger sein, ich entledige mich meines Auftrages. Lassen wir also Ihre Freundin, die in Pantoffeln im Kaffeehaus sitzt. Es handelt sich darum, daß Carlo, Henriettes Bruder, wieder heute nach Venedig zurückkommt.

FLORINDO

Aber ich kenne ja Carlo!

DIE UNBEKANNTE

Sie begreifen, daß es Henriette sehr ängstlich macht, Sie und ihn in derselben Stadt zu wissen.

FLORINDO

Wir waren doch nahezu zeitlebens in derselben Stadt. Wissen Sie denn nicht, daß ich Henriette seit Jahren kenne? In Treviso im Hause ihrer Mutter verkehrt habe?

DIE UNBEKANNTE

Sie mögen zeitlebens in derselben Stadt gewesen sein, aber Sie waren nicht zeitlebens –

FLORINDO

Der Liebhaber seiner Schwester.

DIE UNBEKANNTE

Das wollte ich ungefähr sagen.

FLORINDO

Pah! Ein Bruder ist wie ein Ehemann. Er ist immer der letzte und schließlich –

DIE UNBEKANNTE

Ich glaube, mein Lieber, daß Sie Carlo sehr wenig genau kennen.

FLORINDO

Aber ich kenne ihn wie meinen Handschuh. Es ist sehr viel Ähnlichkeit zwischen Henriette und ihm. Beide sind melancholisch und hochmütig. Beide verachten das Geld und beide leiden entsetzlich darunter, keines zu haben. Es ist übrigens sonderbar: dieselben Züge, die mich an Henriette entzücken, habe ich an Carlo immer unerträglich gefunden. Aber er wird nichts erfahren.

DIE UNBEKANNTE

Er wird es eines Tages erfahren und das wird Ihr letzter Tag sein.

FLORINDO

Er wird mich herausfordern, ich werde in die Luft schießen, er wird mich fehlen. Beruhigen Sie Henriette.

DIE UNBEKANNTE

Aber Sie haben keine Ahnung, wie Carlo ist, wenn ihm wirklich etwas nahekommt. Carlo liebt seine Schwester zärtlich. An dem Tag, wo er es erfährt, sind Sie ein toter Mann, genau wie der Marchese Papafava.

FLORINDO

Wie welcher Herr?

DIE UNBEKANNTE

Ach Gott, die alte Geschichte in Treviso.

FLORINDO

Welche Geschichte?

DIE UNBEKANNTE

Was? Sie werden mir nicht sagen, daß Sie die Geschichte nicht kennen. Die Geschichte von Carlos Tante. Die Geschichte von dem schwarzen Pflaster. Mit einem Wort, die

Geschichte mit dem Duell, das Carlo hatte, als er neunzehn Jahre alt war.

FLORINDO

Vielleicht habe ich sie gehört und wieder vergessen.

DIE UNBEKANNTE

Man vergißt sie nicht, wenn man sie einmal gehört hat. Ich habe übrigens Henriette geschworen, Sie an diese Geschichte zu erinnern.

FLORINDO

Und was soll welche Geschichte immer für einen Einfluß auf meine Beziehungen zu Henriette haben?

DIE UNBEKANNTE

Den, Sie fürs nächste sehr zurückhaltend, sehr vorsichtig zu machen.

FLORINDO

Das müßte eine sonderbare Geschichte sein.

DIE UNBEKANNTE

Es ist eine sehr sonderbare Geschichte. Und jedenfalls werden Sie um Henriettes willen so handeln müssen.

Florindo zuckt die Achseln.

DIE UNBEKANNTE

Hören Sie mir nur zu. Die Tante war noch jung und sehr hübsch.

FLORINDO

Eine Tante von Carlo und Henriette? Ich müßte sie kennen.

DIE UNBEKANNTE

Sie lebt nicht mehr. Sie hatte keine feste Gesundheit. Sie ist an den Folgen dieser Sache gestorben.

FLORINDO

Sie war Witwe?

DIE UNBEKANNTE

So gut als das. Ihr Mann lebt zwar heute noch, aber er hat niemals mitgezählt. Carlo war damals wie gesagt achtzehn Jahre alt und verliebte sich mit aller Leidenschaft einer scheuen verschlossenen Natur in die Tante.

FLORINDO

Die Tante verlangte sich nichts Besseres.

DIE UNBEKANNTE

Ganz richtig. Aber das Bessere war wie so oft der Feind des Guten. Es existierte schon jemand, der seit vier oder fünf Jahren alle Rechte innehatte.

FLORINDO

Die jetzt dem Neffen eingeräumt werden sollten.

DIE UNBEKANNTE

Erzählen Sie oder erzähle ich?

FLORINDO

Sie natürlich, ich wäre in der größten Verlegenheit.

DIE UNBEKANNTE

Der Marchese Papafava, das ist der Herr, um den es sich handelt, war nicht sehr tolerant. Gelegentlich im Hause der Dame äußerte er sich ziemlich scharf über den jungen Menschen und sagte: wäre der Respekt nicht, den er der Hausfrau schuldig sei, so hätte eine gewisse Unbescheidenheit dem Herrn Neffen unlängst eine Ohrfeige von seiner Hand eingetragen. In diesem Augenblick tritt Carlo in den

Salon, und während alle sehr stille sind, sagt er: Ich nehme die Ohrfeige als empfangen an, Herr Marchese.

FLORINDO

Sie gehen miteinander in den Park.

DIE UNBEKANNTE

Nicht so schnell. Sie vergessen, daß die Tante und ein paar andere Menschen den kleinen Dialog mit angehört hatten.

FLORINDO

Man konnte die beiden doch nicht hindern.

DIE UNBEKANNTE

Man versuchte es wenigstens, das heißt, die andern Menschen verschwanden und die Tante blieb allein mit den beiden Herren. Sie weint, sie bittet, sie wirft sich glaube ich vor ihnen nieder.

FLORINDO

Die arme Frau!

DIE UNBEKANNTE

Sie schwört ihnen, daß, wenn einer von ihnen den andern tötet, sie für den Überlebenden weder Liebe noch Freundschaft, sondern nichts als unauslöschlichen Haß hegen werde.

FLORINDO

Wie kann sie das wissen?

DIE UNBEKANNTE

Was wollen Sie.

FLORINDO

Wie kann man wissen, ob man jemand hassen wird? Es ist ebenso töricht, auf Jahre hinaus Haß zu versprechen als Liebe.

Die Unbekannte
Kurz, die arme Tante fiel schließlich ohnmächtig zusammen, ohne es erreicht zu haben. Am nächsten Morgen duellierten sich die beiden. Carlo bleibt unverwundet und läßt den Marchese mit einem Stich durch die Lunge in den Händen der Ärzte. In der gleichen Stunde erscheint Carlo als wenn nichts geschehen wäre –

Florindo
Ihm war ja nichts geschehen.

Die Unbekannte
Im Salon der Tante, die erstaunt ist, auf seiner Wange ein handgroßes schwarzes Pflaster zu sehen. Was bedeutet das, fragte sie, ohne zu lachen, denn es war etwas in seiner Miene, was nicht zum Lachen stimmte. Haben Sie Zahnschmerzen oder was sonst? Ich trage das seit gestern abend, sagte er in einem gewissen Ton. –

Florindo
Sie erzählen sehr gut.

Die Unbekannte
Was machen Sie für ein zerstreutes Gesicht?

Florindo
Ich dachte an den Augenblick, da Sie die Tante und ich Carlo wären, daß wir beide allein in Ihrem Zimmer wären und was jetzt geschehen würde.

Die Unbekannte
Es geschieht gar nichts, als daß er aufsteht, in den Spiegel sieht und sagt: Ja, es kommt mir wirklich etwas groß vor, dann vom Toilettetisch eine Schere nimmt –

FLORINDO

Ah, es war also ein Schlafzimmer, wo sie ihn empfangen hatte, und nicht ihr Salon.

DIE UNBEKANNTE

Schweigen Sie.

FLORINDO

Ich finde das durchaus begreiflich.

DIE UNBEKANNTE

Eine Schere nimmt, das Pflaster herunternimmt, ringsum davon einen kleinen Rand abschneidet und es dann wieder an seine Wange drückt. Wie finden Sie mich jetzt, liebe Tante, sagte er dann. Jedenfalls um eine Kleinigkeit weniger lächerlich als früher, sagte sie.

FLORINDO

Und?

DIE UNBEKANNTE

Der Marchese Papafava wird unverhoffterweise gesund. Carlo fordert ihn zum zweitenmal und verwundet ihn zum zweitenmal, dann zum dritten- und endlich zum viertenmal. Nach jedem Duell schneidet er von seinem Pflaster einen kleinen Rand weg. Es war schließlich nicht mehr viel größer als eine *mouche* –

FLORINDO

Und die?

DIE UNBEKANNTE

Die nahm er an dem Tag herunter, da er die Nachricht bekam, daß der Marchese an einem Rückfall seines Wundfiebers gestorben war.

FLORINDO

Und die Tante?

DIE UNBEKANNTE

Ihre Gesundheit war nie sehr stark gewesen, sie konnte die Sache nicht aushalten.

Eine kleine Pause

FLORINDO

Ich sage, daß ich diese Handlungsweise hinter einem Menschen wie Carlo nie gesucht hätte, und daß er mich jetzt mehr interessiert als früher.

DIE UNBEKANNTE

Sie werden mir Ihr Wort geben, Henriette von jetzt an nur zu den Stunden und an den Orten zu sehen, die sie selbst Ihnen vorschlägt; vor allem keinen Versuch zu machen, eine Begegnung zu erzwingen, wenn eine solche durch Tage, vielleicht durch Wochen unmöglich sein sollte.

FLORINDO

Ach, wie können Sie oder wie kann Henriette das verlangen. Sie muß mich für einen ausgemachten Feigling halten.

DIE UNBEKANNTE

Aber zum Teufel, mein guter Mann, es handelt sich nicht allein um Sie, es handelt sich vor allem um Henriette. Sie kennen Henriette ebensowenig, als Sie Carlo kennen.

FLORINDO

Ich kenne Henriette nicht? Sie überraschen mich.

DIE UNBEKANNTE

Ein Mann kennt niemanden weniger als eine Frau, die zu rasch seine Geliebte geworden ist. Henriette, daß Sie es wissen, ist genau aus dem gleichen Holz geschnitten wie Carlo.

Wenn Sie und Carlo aneinandergeraten, so sind Sie ein verlorener Mensch. Aber noch vorher wirft sich Henriette aus dem Fenster.

FLORINDO

Was soll ich machen?

DIE UNBEKANNTE

Mir Ihr Wort geben, daß Sie sie, wenn es notwendig wird, in diesen nächsten Wochen sehr wenig sehen werden.

FLORINDO

Gut, ich gebe es, aber unter einer Bedingung.

DIE UNBEKANNTE

Die wäre?

FLORINDO

Daß ich dafür Sie sehr oft sehen werde.

DIE UNBEKANNTE

in unsicherem Ton

Mich? Was soll dieser Unsinn?

FLORINDO

zwischen den Zähnen

Es ist ernst!

DIE UNBEKANNTE

lehnt sich zurück

Sie sind ein sonderbarer Mensch. Ich weiß wirklich nicht, was ich aus Ihnen machen soll.

FLORINDO

Demnächst Ihren Liebhaber ganz einfach.

DIE UNBEKANNTE

steht auf

Abgesehen davon, daß Sie sehr unverschämt sind. – Es würde Sie also nichts kosten, ein Wesen wie Henriette, das ihr Götzenbild aus Ihnen gemacht hat, zu betrügen. Mit mir, die Sie zum ersten Male sehen, mit der kleinen Person dort, mit wem immer!

FLORINDO

steht auf

Mit wem immer natürlich nicht.

DIE UNBEKANNTE

Jetzt begreife ich allerdings, daß Sie Henriette nicht heiraten. Ich war recht naiv, mir darüber den Kopf zu zerbrechen.

FLORINDO

Ich habe Henriette sehr lieb.

DIE UNBEKANNTE

Arme Henriette!

FLORINDO

Ich sage Ihnen, daß ich Henriette liebhabe.

DIE UNBEKANNTE

Sind Sie ernsthaft?

FLORINDO

Ich bin sehr ernsthaft und ich frage Sie sehr ernsthaft, was entziehe ich Henriette von dem Maße von Glück, das ich ihr zu schenken fähig bin, wenn ich heute, jetzt, hier, wo ich nicht so viel für Henriette tun kann, Sie sehr liebenswürdig finde?

DIE UNBEKANNTE

Was Sie da reden ist ja monströs!

FLORINDO

kalt

Finden Sie? Dann haben Sie in gewissen Dingen wenig erlebt, oder über das, was Sie erlebt haben, sehr wenig nachgedacht. Sie wiederholen entweder gedankenlos eine Allerweltsheuchelei oder –

DIE UNBEKANNTE

Oder?

FLORINDO

Oder Ihre Natur wäre sehr arm, sehr dürftig.

DIE UNBEKANNTE

Und wenn sie weder arm noch dürftig ist, wenn sie es nicht ist?

FLORINDO

dicht an ihr

Da sie es nicht ist –

BENEDETTO

hat sich Florindo genähert

Herr Paretti, mit dem Sie zu sprechen wünschen.

FLORINDO

Später!

BENEDETTO

Er will nicht länger warten.

FLORINDO

Später!

Benedetto geht ab.

FLORINDO

fortfahrend

Da Sie weit davon entfernt sind, eine karge und dürftige

Natur zu sein, so brauchen Sie nur den Halbschlaf verschnörkelter Begriffe abzuwerfen, um mir zuzugestehen –

DIE UNBEKANNTE

Niemals werden Sie mich dazu bringen, Ihnen das zuzugestehen. Wenn Sie das, was wir nun einmal Liebe nennen, jeder Verpflichtung gegen das andere Wesen entkleiden, so ist es eine recht gemeine kleine Pantomime, die übrigbleibt.

FLORINDO

Verpflichtung? Ich kenne nur eine: das andere Wesen so glücklich zu machen als in meinen Kräften steht. Aber in der kleinen Pantomime, die, wie Sie sagen, dann übrigbleibt, verehre ich auf den Knien das einzig wahrhaft göttliche Geheimnis, den einzigen Anhauch überirdischer Seligkeit, den dieses Dasein in sich faßt. Liebhaben, das ist wenig? Glücklich machen, im Atem eines geliebten Wesens die ganze Welt einsaugen, das ist die verächtliche kleine Pantomime, vor der Sie das Kreuz schlagen? Arme Frau! Ich möchte nicht Ihr Mann sein.

DIE UNBEKANNTE

Lassen Sie meinen Mann aus dem Spiel, wenn ich bitten darf.

FLORINDO

Aber ist es nicht über alle Begriffe wundervoll, daß uns diese Kraft gegeben ist, diese Zauberkraft von Geschöpf zu Geschöpf? Gibt es etwas Zweites so Ungeheueres als den Blick des Wesens, das sich gibt! Ist denn nicht die geringste unbeträchtlichste Erinnerung an eine Gebärde der Liebe stark genug, uns in den Tagen der Stumpfheit und Verzweiflung durch die Adern zu fließen wie Öl und Feuer? Wie? Hören Sie mich an! Es gibt eine Frau, die einmal ein paar Wochen lang meine Geliebte war –

Die Unbekannte

Es muß kurzweilig sein, auf Schritt und Tritt seinen Ariadnen zu begegnen.

Florindo

Diese Frau –

Die Unbekannte

Und noch kurzweiliger, selber eine davon zu sein.

Florindo

Diese Frau –

Die Unbekannte

Unbegreiflich genug, daß sich immer wieder ein Wesen findet –

Florindo

Diese Frau –

Die Unbekannte

Wenn alle Frauen Sie sehen würden, wie ich diesen Augenblick Sie sehe!

Florindo

Diese Frau war nicht sehr schön und nicht geschaffen, ein reines dauerndes Glück weder zu geben noch zu empfangen.

Die Unbekannte

Um so besser für die Frau in diesem Falle.

Florindo

Sie irren sich. Man ist um so viel beneidenswerter als man fähig ist, rein und stark zu fühlen. Aber dieser Frau war eines gegeben, sie verstand zu erröten. Ihre verworrene Natur hätte nie das entscheidend süße Wort, nie den völlig hingebenden Blick gefunden. Aber das dunkelglühende Erröten ihres blassen Gesichtes, wenn sie mich ins Zimmer treten sah, werde ich niemals vergessen, und wenn die Erinnerung daran in mir aufsteigt, so liebe ich diese Frau mit einer schrankenlosen Zärtlichkeit.

DIE UNBEKANNTE

Indessen haben Sie diese Frau den Hunden vorgeworfen, und wenn Sie sie in einem Salon oder auf der Straße begegnen, kehren Sie ihr den Rücken, das wette ich.

FLORINDO

Seien Sie gut, Sie werden sehen, es ist nicht häßlich, meine Geliebte gewesen zu sein.

DIE UNBEKANNTE

Sie sind unverschämt.

FLORINDO

Es ist Ihnen übrigens seit langem bestimmt, es zu werden. Sie selbst –

DIE UNBEKANNTE

Was?

FLORINDO

Sie selbst, in dem Sie nicht wollten, daß Henriette mir Ihren Namen sage . . . – Was war das anderes als eine versteckte Zärtlichkeit, ein leises Sichannähern im Dunkeln? Und heute dieses Herkommen, dieses verliebte Lauern in der Ecke dort drüben –

DIE UNBEKANNTE

Ich habe für heute genug von Ihnen, gute Nacht!

FLORINDO

hält sie an den Handgelenken, lachend

Nicht so schnell! Wer gute Nacht sagt, muß auch guten Morgen sagen.

Die Unbekannte

Sie sind frech und zudem irren Sie sich sehr.

Florindo schüttelt den Kopf.

Die Unbekannte

Und wenn Sie sich nicht irrten – Was sollte denn das alles?

Florindo

Die Frage verdient keine Antwort.

Die Unbekannte

Im Augenblick, wo man weiß –

Florindo

Wollen Sie dem Geist der Natur Vorschriften machen? –

Die Unbekannte

– daß es doch so schnell endet.

Florindo

Der uns glühen macht und uns, wenn wir erkaltet sind, wieder zur Seite wirft? Sind Sie so stumpf und kennen nicht den Unterschied zwischen erwählten und verworfenen Stunden? Wenn es endet! Wenn es da ist, daß es da ist! Darüber wollen wir uns miteinander erstaunen! Daß es uns würdigt, einander zum Werkzeug der ungeheuersten Bezauberung zu werden!

Die Unbekannte

So ist es nicht, lassen Sie mich. Es kann sein, daß Sie mir gefallen. Ich will nicht ableugnen, aber Sie sind nicht so verliebt in mich, wie Sie es sagen. Sie wollen mich haben, das ist alles. Ihnen ist nicht, als wenn Sie sterben müßten, wenn ich dort hinter der nächsten Ecke verschwinde.

FLORINDO

Das weiß ich, aber ich weiß, daß es deinesgleichen gegeben hat, und niemand sagt dir daß sie schöner waren als du, die aus mir einen Menschen machen konnten, der sich mit geschlossenen Augen wie ein Verzückter ins Wasser oder ins Feuer geworfen hätte, wenn das der Weg in ihre Arme gewesen wäre. Einen Menschen, der über die Seligkeit eines Kusses weinen konnte wie ein kleines Kind, und wenn er in dem Schoß der Geliebten einschlief, von seinem Herzen geweckt wurde, das vor Seligkeit zu zerspringen drohte.

DIE UNBEKANNTE

eifersüchtig

In Henriette waren Sie so verliebt? Ich glaube es nicht!

FLORINDO

Was kümmert uns jetzt, ob es Henriette war oder eine andere. Wer sagt dir, daß du nicht heute nacht hierher gekommen bist, um es mich aufs neue erleben zu machen.

DIE UNBEKANNTE

Ich fühle, daß Sie mich nicht so liebhaben, wie Sie es sagen.

FLORINDO

Ich fühle nichts, als daß eine göttliche Empfindung mir sehr nahe ist. Und da du es bist, die vor mir steht, so wird wohl nicht die leere Luft daran schuld sein. Sage, daß du jetzt mit mir gehen wirst.

DIE UNBEKANNTE

sich zusammennehmend

Nein, du hast mich nicht lieb genug.

FLORINDO

Sie sind eine sonderbare Frau.

DIE UNBEKANNTE

Gar nicht. Worüber beklagen Sie sich? Eben war ich ja ganz nahe daran, den Kopf zu verlieren. Kommen Sie, gehen wir zu den Leuten. Dort hinüber. Nein, sehen Sie nur den alten Mann! Den alten Abbate da! Sehen Sie doch den Menschen.

Sie nimmt Florindos Arm.

FLORINDO

ärgerlich

Was finden Sie an ihm so Besonderes?

DIE UNBEKANNTE

Sehen Sie doch nur seine Augen an. Wie er da herumgeht, wie ein Heiliger! Wie ein Mensch aus einer ganz anderen Zeit.

Sie bleiben stehen.

Der Pfarrer ist von rückwärts aufgetreten und steht schon seit einer Weile unschlüssig vor dem Kaffeehaus.

TERESA

geht auf den Pfarrer zu, knixt vor ihm

Suchen Sie etwas, Herr Abbate? Kann ich Ihnen mit etwas dienen?

DER PFARRER

grüßend

Sie sind sehr gütig, gnädige Frau. Allerdings suche ich jemand, an den ich mich wenden kann, um eine Auskunft zu erbitten.

TERESA

Vielleicht kann ich sie Ihnen geben.

Die Unbekannte

gleichzeitig zu Florindo

So werden Sie nie aussehen, auch wenn Sie noch so alt werden.

Der Pfarrer

zu Teresa

Nämlich ob das Passagierschiff, die Barke meine ich, die nach Mestre fährt, wirklich hier an diesem Platze anlegt.

Florindo

zur Unbekannten

Ich verzichte darauf.

Teresa

zum Pfarrer

Hier, Herr Abbate, jeden Morgen pünktlich um sechs Uhr.

Der Pfarrer

Ich danke sehr, und wenn ich mir noch eine Frage erlauben dürfte: die Barke befördert doch mehrere Personen?

Teresa

Vier oder fünf ganz leicht, wenn sie nicht zu viel Gepäck haben.

Die Unbekannte

zu Florindo

Niemals werden einer Frau die Tränen in den Hals steigen über den Ausdruck Ihrer Augen!

Der Pfarrer

nachdenklich

Wenn sie nicht zu viel Gepäck haben! Es handelt sich um meine Nichte und eine dritte Person, die Magd meiner Nichte, eine sehr brave Magd. – Da kann ich also hoffen, daß alles in

Ordnung gehen wird. Aber gnädige Frau, Sie stehen, während ich mich mit Ihnen unterhalte. Verzeihen Sie meine Ungeschliffenheit.

Führt sie an einen der Tische, beide setzen sich.

Es ist nämlich schon fünfunddreißig Jahre her, daß ich Venedig nicht betreten habe. Ich bin der Pfarrer von Capodiponte, einem kleinen Dorf im Gebirge, und heute bin ich gekommen, um meine Nichte abzuholen, die sich hier in Venedig einige Wochen aufgehalten hat.

Teresa knixt.

Der Pfarrer

Da werden Sie mir gewiß auch sagen können, gnädige Frau, ob diese Zetteln, die mir heute morgen der Barkenführer gegeben hat, Ihnen richtig ausgestellt und verläßlich scheinen.

Teresa

erstaunt

Ah, Sie haben also schon mit dem Barkenführer gesprochen?

Der Pfarrer

Ja gewiß! Er hat mir genau die Stelle gezeigt, wo seine Barke anlegt, ganz dieselbe, die Sie so gütig waren mir zu zeigen, und hat mir die Stunde der Abfahrt aufgeschrieben. Hier, sehen Sie, sechs Uhr und hier wieder sechs Uhr.

Hält ihr die Scheine hin

Und er hat mir auch versichert, daß er mein Gepäck und das meiner Nichte mühelos in seiner Barke unterbringen wird.

Die Unbekannte

gleichzeitig zu Florindo

Er hat Augen wie ein Kind, ich finde ihn unaussprechlich

rührend. Er ist auf der Reise und er ist sicherlich sehr arm. Ich möchte ihm etwas schenken.

FLORINDO

Wo denken Sie hin?

DIE UNBEKANNTE

Ja, ich möchte ihm etwas schenken. Wenn ich nur Geld bei mir hätte.

Der Pfarrer verabschiedet sich mit abgezogenem Hut von Teresa.

FLORINDO

zieht seine Börse

Da nehmen Sie so viel Sie wollen, aber Sie werden ihn beleidigen.

DIE UNBEKANNTE

Ich wette, er nimmt es, wie ein Kind es nehmen würde.

Tritt auf den Pfarrer zu

Herr Abbate –

Der Pfarrer nimmt den Hut ab.

DIE UNBEKANNTE

Dieser Herr dort und ich haben eine Wette miteinander gemacht, und ich hoffe, Sie werden mir helfen sie zu gewinnen.

DER PFARRER

Ganz gewiß, gnädige Frau, wenn ich etwas dazu tun kann.

DIE UNBEKANNTE

Dann habe ich schon gewonnen, denn Ihr guter Wille entscheidet. Nicht wahr, Sie sind auf der Reise, Herr Abbate, und das Reisen ist eine unbequeme Sache? Es gibt die Postillons und die Schiffsleute und die Wirte und die Kellner und was nicht noch alles. Es schwirrt einem der Kopf davon.

DER PFARRER

Sie haben sehr recht, gnädige Frau.

DIE UNBEKANNTE

Sehen Sie, man gibt sein Geld aus, man weiß nicht wie.

DER PFARRER

Sie sind gewiß schon sehr viel gereist, gnädige Frau.

DIE UNBEKANNTE

Es geht, aber sehen Sie, wie ich da vor Ihnen stehe, habe ich heute eine kleine Summe im Spiel gewonnen. Ein paar Goldstücke, nicht der Rede wert, aber die mir doch sehr zustatten kämen, wenn ich gerade eine Reise vor mir hätte.

DER PFARRER

Sicherlich, man verbraucht sehr viel Geld, wenn man reist.

DIE UNBEKANNTE

Nicht wahr! Und da ist nun das Ärgerliche, ich reise nicht. Gerade die nächste Zeit werde ich kaum über Venedig hinauskommen; da habe ich mir gedacht, ob Sie nicht so liebenswürdig sein wollten, die kleine Reise, für die diese Goldstücke nun schon einmal bestimmt waren, an meiner Stelle zu tun.

DER PFARRER

Ich verstehe Sie nicht ganz. Sie wünschen mir einen Auftrag zu geben?

DIE UNBEKANNTE

Der Auftrag bestünde darin, daß Sie mir den Gefallen erweisen müßten, und da Sie ohnehin reisen, geht es ja in einem, diese paar Münzen hier unter die Leute zu bringen.

DER PFARRER

Diese Münzen?

DIE UNBEKANNTE

Indem Sie sie ausgeben, an Postillons, Schiffsleute, Wirte und Kellner, ganz nach Ihrer Bequemlichkeit.

DER PFARRER

Aber wofür?

DIE UNBEKANNTE

An Vorwänden, Ihnen Geld abzunehmen, wird es den Leuten schwerlich fehlen.

DER PFARRER

Ah, jetzt verstehe ich Sie, meine Dame. Sie sind sehr gütig, meine Dame, aber diesen Auftrag auszuführen, bin ich ein zu ungeschickter Reisender. Verzeihen Sie mir, meine Dame.

Nimmt den Hut ab, grüßt auch noch gegen Teresa hin und geht links vorne ab.

DIE UNBEKANNTE

zu Florindo

Laufen Sie ihm nach, bitten Sie ihn, mir meine Unüberlegtheit zu verzeihen. Schnell, Florindo. Ich habe nicht den Mut, es zu tun.

DER PFARRER

tritt von links wieder auf und geht auf sie zu, indem er den Hut abnimmt

Ich komme zurück, denn ich habe Sie um Verzeihung zu bitten, meine Dame.

DIE UNBEKANNTE

Ich bin es, mein Herr, die Sie um Verzeihung bitten muß.

Der Pfarrer

Das sagen Sie nur, um mir eine verdiente Verlegenheit zu ersparen, aber ich muß Sie bitten, mir die Ungeschicklichkeit eines Landbewohners zugute zu halten. Sie haben unstreitig aus der Dürftigkeit meines Auftretens darauf geschlossen, daß meine Gemeinde arm ist. Und wirklich, es gibt unter meinen Pfarrkindern sehr arme, sehr dürftige. Es war an mir, gnädige Frau, die geistreiche Form zu verstehen, um diesen Bedürftigen durch mich eine Wohltat zu erweisen, die ich mit dankbarem Herzen annehme.

Die Unbekannte

Sie beschämen mich, mein Herr.

Der Pfarrer

Da sei Gott vor, gnädige Frau.

Florindo

leise

Jetzt müssen Sie ihm mehr geben. Schnell, nehmen Sie, nehmen Sie alles.

Die Unbekannte

strahlend

Wir haben unsere Wette fortgesetzt und durch Ihr Zurückkommen haben Sie mich das Vierfache gewinnen lassen.

Gibt ihm das Geld.

Paretti, der von seinem Platz aus gespannt zusieht, fährt zusammen.

Der Pfarrer

Wir werden Ihrer Güte in vielen Gebeten gedenken. Sie werden in vielen Familien unseres kleinen Dorfes die unbekannte Wohltäterin heißen.

DIE UNBEKANNTE

Das verdiene ich nicht.

Verneigt sich.

Der Pfarrer geht ab.

DIE UNBEKANNTE

Haben Sie je etwas Ähnliches gesehen? Ich glaube, das ist der einzige Mensch, der mir je begegnet ist, der des Namens eines Christen würdig ist.

Florindo küßt ihr beide Hände.

PARETTI

indem er seinen Stock nimmt und den Stuhl, auf dem er gesessen ist, umstößt

Das ist ein Verrückter! Das ist ein Dieb! Mit diesem Menschen will ich nichts zu tun haben.

Benedetto sucht vergeblich ihn zu beruhigen.

FLORINDO

Sie waren entzückend!

DIE UNBEKANNTE

Ich war gerührt und war vergnügt, daß ich freigebig sein durfte wie eine große Dame.

FLORINDO

Sie haben mein Herz klopfen gemacht.

DIE UNBEKANNTE

Und ich habe meinen Kopf wiedergefunden.

FLORINDO

Was soll das?

DIE UNBEKANNTE

Still, mein Lieber. Wir spielen nicht mit gleichen Einsätzen. Sie waren niemals in Gefahr, den Ihren um meinetwillen zu verlieren.

FLORINDO

Ah!

DIE UNBEKANNTE

Und ich werde Ihnen jetzt gute Nacht sagen und sehr vergnügt und glücklich nach Hause gehen.

FLORINDO

Das dürfen Sie nicht!

DIE UNBEKANNTE

Das muß ich, mein Lieber. Ich bin allzu sehr überzeugt, daß Sie ein reizender Liebhaber sein können.

FLORINDO

In welch traurigem Ton Sie das sagen.

DIE UNBEKANNTE

Es wäre unverantwortlich von mir, wenn das Beispiel der armen Henriette –

FLORINDO

Was heißt das?

DIE UNBEKANNTE

Henriette ist allzu rasch Ihre Geliebte geworden, und ich wie Henriette bin keine von denen, um derentwillen Sie sich ins Wasser oder ins Feuer stürzen.

FLORINDO

Wie können Sie das wissen?

Die Unbekannte

Pst! Alles was mir übrigbleibt, ist, Sie an mich zu binden, durch das einzige, was Ihnen meinen Besitz ein wenig kostbar machen kann: die Mühe, die Sie aufwenden müssen, um ihn zu erlangen, und die kleinen Schmerzen, die hoffentlich mit dieser Mühe verbunden sein werden. Sie werden mich vielleicht einmal von einem Tag auf den andern verlassen, aber Sie sollen mich nicht von einem Tag auf den andern gehabt haben. Adieu!

Will gehen.

Florindo

Ich werde Sie begleiten!

Allmählich haben sich die Tische und das Kaffeehaus geleert. Benedetto und der andere Kellner verschließen mit Holzladen die Türe und die Fenster.

Die Unbekannte

Das werden Sie nicht tun. Sie werden mir Ihr Wort geben, mir weder nachzugehen, noch sich zu kümmern, wo ich in meine Gondel steige. Jetzt werden Sie mir Adieu sagen und sich dort in das Kaffeehaus setzen.

Florindo

Sie sehen, man hat es eben geschlossen.

Die Unbekannte

Dann werden Sie mir den Rücken kehren und nach dieser Richtung dort fortgehen.

Florindo

Nicht einmal Ihren Namen soll ich wissen?

Die Unbekannte

Sehen Sie, ob niemand hersieht, und dann geben Sie mir schnell einen Kuß.

Florindo

Niemand!

Die Unbekannte

tritt schnell zurück

Doch! Dort im Dunkeln ist jemand. Das ist ja wieder diese Person. Was will sie noch?

Florindo

Sie wohnt in diesem Hause, ganz einfach.

Die Unbekannte

Das ist kein Grund, auf der Schwelle herumzulungern.

Florindo

Ich kann mir denken, was sie will, aber –

Die Unbekannte

Ah! Sie sind also in einem ununterbrochenen Kontakt mit ihr?

Florindo

Es ist weiter nichts, als daß das arme Geschöpf darüber traurig ist, weil sie mir Geld verschaffen wollte und nichts daraus geworden ist. Aber hören Sie –

Die Unbekannte

Geld? Diese Person Ihnen?

Florindo

Ja, von einem alten Herrn, der dort saß. Einem Wucherer, um das Kind beim Namen zu nennen.

DIE UNBEKANNTE

Geld Ihnen?

FLORINDO

Ja! Sie hören doch. Aber es handelt sich –

DIE UNBEKANNTE

Wie? Sie sind nicht reich?

FLORINDO

Ich?

DIE UNBEKANNTE

Wie alle Welt behauptet.

FLORINDO

Ärmer als die Möglichkeit. Aber ich gewinne zuweilen oder ich verschaffe es mir auf andere Weise. Aber nicht davon –

DIE UNBEKANNTE

Und Sie haben mir eine solche Summe geschenkt, um mich eine kindische Laune befriedigen zu lassen?

FLORINDO

Ich beschwöre Sie, verderben Sie nicht alles, indem Sie davon sprechen. Es gibt nichts Widerlicheres, als über Geld zu sprechen.

DIE UNBEKANNTE

Wem sagen Sie das? Mein Mann spricht nie von etwas anderem.

FLORINDO

Sie sind entzückend.

DIE UNBEKANNTE

Ach, ich sehe schon, ich werde Sie nicht los. Bitte, rufen Sie mir die kleine Person dort her.

Florindo

Ich? Hierher?

Die Unbekannte

Ja, Ihre Freundin dort! Die Dame mit den Pantoffeln. Ich möchte mit ihr sprechen. Es wäre mir sehr leid, wenn Sie mir doch nachgingen und mich dadurch zwängen, anzunehmen, Sie hätten keine Diskretion – für die Zukunft. Bitte rufen Sie mir Fräulein Teresa her. Wie? Sie wollten mir wirklich diesen Gefallen nicht tun?

Florindo geht hin, Teresa ziert sich, endlich kommt sie, knixt.

Die Unbekannte

zu Teresa

Sie sind sehr gefällig für den Herrn Florindo!

Teresa

Es ist darum, weil er so gut ist. Er ist das einzig gute Mannsbild, das ich kenne. Sie werden sehen, gnädige Frau.

Die Unbekannte lacht.

Teresa

Oder wahrscheinlich wissen Sie es schon.

Florindo geht zu Benedetto, sagt ihm etwas. Benedetto schließt noch einmal die Türe des Kaffeehauses auf, geht hinein. Florindo wartet vor der Türe auf ihn.

Die Unbekannte

schnell zu Teresa

Wenn Sie ihn liebhaben, wie können Sie es ertragen, daß er jeden Monat eine neue Geliebte hat?

Teresa

Mein Gott! Ich kenne ihn so lange, und dann, was kann ich

da machen? Nehmen Sie an, Sie haben ein Kind, das Sie recht liebhaben, und es macht sich alle Augenblicke schmutzig. Werden Sie es darum weggeben? Es bleibt doch Ihr Kind und Sie werden es ihm immer wieder verzeihen. Und wenn er dann wieder einmal zu mir kommt –

DIE UNBEKANNTE

Ah! Er kommt doch zuweilen?

Benedetto ist herausgekommen, zählt Florindo Geld auf, das dieser zu sich steckt.

TERESA

O weh! Wenn Sie wüßten, wie selten. Es ist nicht der Rede wert.

DIE UNBEKANNTE

Armes Ding, und Sie sind wirklich sehr hübsch.

TERESA

Das sagt die gnädige Frau nur so, um schmeichelhaft zu sein. Aber dann ist er wirklich so gut, so gut. Wenn man ihn unter vier Augen hat, kann er einem nichts abschlagen. Sie werden sehen.

Florindo tritt zu ihnen.

TERESA

Man spricht so gut mit der gnädigen Frau. Man möchte ihr alles sagen.

FLORINDO

Das finde ich auch.

Benedetto und der Kellnerbursche sind abgegangen.

DIE UNBEKANNTE

halblaut zu Florindo

Sie werden jetzt mit ihr da hineingehen. Da wo sie wohnt.

Das verlange ich zu meiner Sicherheit. Ich werde nicht eher von hier fortgehen, bis Sie mit ihr im Hause sind. Nicht wahr, Teresa, Sie haben dem Herrn Florindo verschiedenes zu sagen?

FLORINDO

Aber –

DIE UNBEKANNTE

Gehen Sie, es handelt sich um Ihre kleinen Geschäftsangelegenheiten.

FLORINDO

Aber Sie –

DIE UNBEKANNTE

Gehen Sie jetzt. Was tut es Ihnen, für fünf Minuten in dieses Haus zu gehen?

Florindo fügt sich.

DIE UNBEKANNTE

Schnell, schaffen Sie ihn fort.

Florindo und Teresa gehen ins Haus, erscheinen gleich darauf am Fenster.

DIE UNBEKANNTE

Teresa, machen Sie die Fensterladen zu! Ich will nicht, daß er sieht, wohin ich gehe.

Florindo wirft der Unbekannten einen Kuß zu. Teresa drängt ihn vom Fenster weg.

DIE UNBEKANNTE

hinaufsprechend

Ach, und was soll ich Henriette sagen?

Florindo wirft ihr über Teresa weg noch einen Kuß zu.

DIE UNBEKANNTE

Ich werde sie jedenfalls sehr beruhigen.

Teresa schließt den Fensterladen.

Die Unbekannte geht nach rückwärts ab, indem sie ein Liedchen summt.

DIE BEGEGNUNG MIT CARLO

Aus einer Komödie in Prosa

Vorsaal in einem Gasthof. Rückwärts und links münden Gänge, die nach den Gastzimmern führen. Rechts gehts zur Treppe. Übergang von der Nacht zum Morgen.

Carlo kommt von rechts die Treppe herauf, völlig angekleidet.

FLORINDO

in Schuhen und im Hemd, darüber einen Mantel, drückt sich in eine Ecke

Himmel, tu dich auf! Carlo! Carletto! Henriettens Bruder! Welcher Teufel bringt den hierher? Was kann er hier anders suchen als mich, und wenn er mich sucht – so heißt das soviel als: er weiß alles. Aber ich habe ja selber nicht vorausgewußt, daß ich mit diesen Leuten reisen werde. Nun, ganz einfach: er ist mir eben nachgefahren von Ort zu Ort und hier hat er uns eingeholt. Und das mitten hinein in diese namenlose, jeden Nerv auflösende Seligkeit! Nun, machen wirs nicht immer so mit den Hirschen und Auerhähnen? warum solls der da droben nicht einmal mit uns so machen?

Carlo geht langsam über die Bühne.

FLORINDO

Er scheint mein Zimmer nicht zu wissen. Diese Stunde noch ihm entkommen! Das Letzte noch trinken aus dem süßesten Gefäß, mit dem das Leben jemals diese Lippen gestreichelt hat, und dann in Gottes Namen zwischen zwei Gartenmauern vor seine Pistole. Es haben auch Brüder schon daneben geschossen.

Carlo scheint unschlüssig, seine Augen suchen einen verlorenen Gegenstand auf dem Boden.

FLORINDO

Könnt ich mit Anstand um die Ecke!

Taucht sein Taschentuch in einen Krug, der neben ihm steht, macht sich eine Kompresse, die sein Gesicht verdeckt, ergreift die Türklinke hinter ihm und will in sein Zimmer verschwinden.

CARLO

der ihn schon früher fixiert hat

Ja, ich irre mich nicht. Sie sinds, Florindo. Sie hier?

FLORINDO

wirft die Kompresse weg

Warum so überrascht? da Sie mich ja doch gesucht haben.

CARLO

Wie käme ich dazu, Sie zu suchen?

FLORINDO

sich fassend

Natürlich – wie kämen Sie dazu? Außer daß man Ihnen gestern abends hier im Gasthof sehr wohl meinen Namen gesagt haben könnte.

CARLO

Ja, dann allerdings hätte ich Sie aufgesucht, lieber Florindo.

FLORINDO

vor sich

Lieber Florindo!

CARLO

Aber Sie haben Kopfschmerzen, und dazu hat man Sie Unglücklichen auch wegen der Diligence geweckt, die nach Mestre gehen soll! Beruhigen Sie sich, die Diligence geht erst in zwei Stunden. Man hat also die Wahl, sich nochmals zu

Bett zu legen, oder die zwei Stunden hier auf und ab zu patrouillieren.

FLORINDO

Ich werde allerdings vorziehen, mich zu legen.

CARLO

Glauben Sie mir, Sie werden mit einem noch schlimmeren Kopf aufwachen.

FLORINDO

Jedenfalls können wir nicht hier bleiben. Wir würden die anderen Passagiere stören.

CARLO

Hier wohnt sonst niemand.

FLORINDO

Wie? ich dächte doch.

CARLO

Ich weiß es: niemand als ein durchreisender Pfarrer, der mir schon auf der Treppe begegnet ist, und ein junges Ehepaar, dort weit drüben.

FLORINDO

beunruhigt

Dort drüben?

CARLO

Ja, dort hinten. Sonderbar genug, daß wir einander auf diese Art wieder begegnen. Aber es freut mich, daß ich Sie sehe, Florindo. Nein, es freut mich mehr als Sie glauben. Ich habe – ich muß Ihnen nicht gerade freundlich erschienen sein, dieses letzte Jahr, in Treviso im Haus meiner Mutter. Ich habe Ihnen das abzubitten.

Florindo verlegen.

CARLO

O Sie ahnen nicht, was ich durchgemacht habe, mein guter Florindo. Meine Unart – meine ewige Verstimmung – ich will nichts davon beschönigen; es ist eine Hypochondrie, die ich nicht loswerde – aber glauben Sie mir, es ist keine leere eingebildete Hypochondrie, es ist eine berechtigte. Armut ist ein Zustand, ein unerträglicher Zustand, verschämte Armut ist der unerträglichste, und Sie ahnen nicht, wie arm wir sind, wie arm wir schon damals waren. Wissen Sie, warum meine Mutter und meine Schwester meistens Ihren Nachmittagsbesuch nicht annehmen konnten?

Florindo verlegen mit Verbindlichkeit.

CARLO

Weil sie kein Kleid auf dem Leib und keines im Kasten hatten. Weil das einzige Kleid, das jede von ihnen besaß, Sonntags vor der Messe ausgelöst wurde und nachher wieder ins Leihhaus wanderte.

FLORINDO

Mein Gott!

CARLO

Das haben Sie nicht geahnt. Und ich war der Mann, ich war das Oberhaupt der Familie, meine Sache war es, Rat zu schaffen. Verstehen Sie, daß man allmählich lernt, sich zu verachten dafür, daß man nicht die Kraft hat, die Erlösung aus dem Boden zu stampfen, und daß einen diese Selbstverachtung noch untüchtiger macht, noch ungeschickter, noch unerfreulicher.

FLORINDO

Ich habe Ihnen nie etwas nachgetragen.

CARLO

Nein, nein. Lassen Sie mich. Ich habe das Bedürfnis, einmal so zu Ihnen zu sprechen.

Florindo beherrscht seine Ungeduld.

CARLO

Es war Ihnen gegenüber, gerade Ihnen gegenüber doch nicht bloß diese hypochondrische Verstimmung, die mich kaum mehr höflich, kaum mehr erträglich sein ließ. Es war noch etwas anderes. Ich bitte Sie, mich davon sprechen zu lassen, ich will es einmal ausgesprochen haben. Es war – ich hatte den Argwohn, Florindo – ich habe ihn nicht mehr, wie Sie sehen –, daß Ihr Verkehr für meine Schwester Henriette gefährlich sein könnte. Dies ist ja eher schmeichelhaft als verletzend für Sie, und zudem –

FLORINDO

treuherzig

Zudem haben Sie ihn ja nicht mehr.

CARLO

Meine Schwester hat ihn mir genommen. Ich hatte mit ihr ein langes Gespräch, es war kurz bevor wir uns trennten – ich weiß nicht, ob Sie wissen, daß Henriette jetzt im Haus entfernter Verwandten lebt –

FLORINDO

Ich habe davon gehört.

CARLO

In diesem Gespräch hat mir Henriette einen Aufschluß gegeben – wie reizend sind Frauen, wenn sie von diesen Geheimnissen einmal zu sprechen gewillt sind –, sie hat es mir mit wenig Worten erklärt, wie ein Mensch Ihrer Art auf Frauen wirkt.

FLORINDO

Ich –?

CARLO

Ja. Sie wirken, ohne es zu wollen, ohne es zu wissen. Es ist ein Fluidum, eine Kraft, ein Zauber. Auch auf Frauen, um die Sie sich gar nicht kümmern. Auf diese vielleicht am stärksten.

FLORINDO

Auf Henriette – auf Ihre Schwester doch eben nicht, wie Sie sehen.

CARLO

O ja. Aber indem sie die Gefahr kennt, weiß sie sich ihr zu entziehen.

FLORINDO

Dann –

CARLO

Oh, es gibt nicht viele, die gewitzigt genug sind, sich selber zu durchschauen, eh es zu spät ist.

Florindo stumm.

CARLO

Im Augenblick, wo Henriette mit so viel Unbefangenheit davon sprach, und der Stachel von Argwohn und Sorge mir aus dem Herzen genommen war, konnte ich das Gefühl des Mädchens für Sie geradezu teilen. Ich kann verstehen, daß ein Mensch Ihrer Art, indem er nur ins Zimmer tritt, eine Macht ausübt. Die Wahrscheinlichkeit des Erfolges macht ihn sicher, kühn und liebenswürdig. Man freut sich seiner, man freut sich mit ihm, es ist ein Etwas, das uns ihm entgegendrängt. – Wie sollte die Frau, die von Natur hingebend ist, dem widerstehen? Wenn man ein Mann ist, könnte man in die Versuchung kommen, Sie zu beneiden. Aber ich ziehe es vor, seitdem mit einem recht warmen Gefühl an Sie zu denken, einem recht herzlichen Gefühl – von dem Sie freilich noch nichts bemerkt haben werden. Aber Sie sagen kein Wort – Sie wissen nicht, was Sie sich aus dieser etwas unerwarteten Erklärung machen sollen – vielmehr, Sie machen sich eben nichts aus ihr, und ich hätte sie besser für mich behalten.

FLORINDO

Wie können Sie denken!

CARLO

Sie haben so recht, mein Bester.

FLORINDO

Ich bitte Sie –

CARLO

Ich muß Sie unvergleichlich gelangweilt haben.

FLORINDO

Sie wissen nicht –

CARLO

Der beständig Einsame, der chronisch Unglückliche ist das ödeste Geschöpf der Welt.

FLORINDO

Lieber Freund! lieber Carlo –

CARLO

Nein, nein, vergeben Sie mir meine Ungeschicklichkeit, das ist alles, um was ich bitte. Ich habe diese Nacht nicht geschlafen, meine Nerven sind überspannt, ich habe es verlernt, mich mit Menschen zutraulich zu unterhalten. – Vergeben Sie mir und vergessen Sie diese Minute.

FLORINDO

umarmt ihn

Das ist meine Antwort auf alles, was Sie so gut waren, mir zu sagen. Und nun lassen Sie mich die Wahrheit gestehen, lieber guter Carlo: Unser Gespräch auf dieser Stelle hier ist nicht länger möglich. Ich brenne darauf, es fortzusetzen, morgen, jeden andern Tag, in Venedig – ich werde glücklich sein – aber hier – ich habe hier ganz nahe – es wohnt hier im Haus eine Dame – die mich auf ihrem Zimmer erwartet!

CARLO

Die Sie – jetzt –

FLORINDO

Mit der ich schon den früheren Teil der Nacht verbracht habe, und zu der ich jetzt zurückkehren werde.

CARLO

Um aller Heiligen willen, auch das noch! Wie konnte ich so unglücklich sein! Herr Gott – ich möchte ja in den Boden sinken.

Man hört eine Tür gehen und schleichende Schritte sich nähern.

Eilen Sie doch, laufen Sie doch, Adieu!

FLORINDO

Bleiben Sie.

CARLO

Was ist?

FLORINDO

Bleiben Sie jetzt bei mir.

CARLO

Warum?

FLORINDO

Weil ich Schritte höre, weil irgend jemand hier vorübergehen

wird und weil es weniger auffallend ist, wenn zwei miteinander sprechen, als wenn ich jetzt allein hier gesehen werde.
Ein alter Herr, in Nachtmütze und Pantoffeln, erscheint und schleicht langsam über die Bühne, indem er eine Kerze, die er trägt, mühsam vor dem Luftzug zu schützen sucht.

FLORINDO
gleichzeitig
Sprechen wir miteinander. Der Greis scheint neugierig zu sein.

CARLO
Wie steht es mit Ihrem Kopfschmerz?

FLORINDO
Ich habe nie Kopfschmerzen. Es war nichts als ein Einfall, um mich vor einem solchen Vorübergehenden zu maskieren.

CARLO
Er schleicht dort hinüber. Sie können gehen.

FLORINDO
späht dem alten Herrn nach
Im Gegenteil. Gerade dort drüben ist er mir im Wege. Auch wird er gleich zurückkommen. Warum sagen denn auch Sie, daß Sie keine Minute geschlafen haben?

CARLO
Mein Zimmer steht durch den Kamin in Verbindung mit einem andern, in welchem, wie gesagt, ein junges Ehepaar wohnt. Die beiden waren sehr glücklich miteinander.

FLORINDO
Sie Ärmster. Durch den Kamin! Welche Tantalusqualen! Aber vielleicht ist sie häßlich wie die Nacht.

CARLO

Ihrer Stimme nach das lieblichste Geschöpf unter der Sonne!

FLORINDO

Sie wenden vier Tage daran, bleiben hier und spielen den Kuckuck im fremden Nest.

CARLO

Ich habe keine vier Tage, um sie an ein Abenteuer zu wenden.

FLORINDO

Sie haben sie, zum Teufel, und wenn Ihr Vorgesetzter in Venedig darüber das Gallenfieber kriegen müßte. Sind Sie ein Geizhals? Man muß seine Zeit ebenso wohl zu vergeuden wissen als sein Geld.

CARLO

Selbst dann würde sich die junge Frau den Ersatz schwerlich gefallen lassen.

FLORINDO

Sagen Sie sich so lange das Gegenteil, bis Sie davon überzeugt sind, und der Rest ist ein Kinderspiel.

CARLO

Die beiden waren selig miteinander. Dieser Mann –

FLORINDO

zeigt nach der Richtung, wo der Alte verschwunden ist

Der! der war es! ich wette um was Sie wollen. Sie haben zu viel Phantasie, mein Lieber.

CARLO

Niemals. Es ergoß sich aus diesem Kamin über mich wehrlos Daliegenden eine solche Fülle von Glück, daß ich mich aufsetzte und stundenlang dasaß in meiner gräßlichen Einsamkeit und vor mich hinstierte.

FLORINDO

Ich verstehe. Sie dachten sich mit einer gewissen Person an die Stelle der beiden. Glauben Sie mir, eine solche Stunde ist kaum ärmer als die Wirklichkeit. Man muß zuweilen auch aus diesem Glas zu trinken verstehen.

CARLO

Nein. Ich hatte keine, mit der ich mich an die Stelle der beiden gedacht hätte. Ich habe so etwas nicht. Ohne den Gegenstand zu kennen, den er beseligte – denn dieser Mann beseligte diese Frau, er machte sie abwechselnd lachen und weinen vor Seligkeit –, ohne den Gegenstand zu kennen, empfand ich die wütendste Eifersucht gegen den Mann da neben mir. Er machte eine Frau namenlos glücklich. Das war mir genug, ihn glühend zu beneiden. Nicht so sehr um das was er empfing, aber um das was er gab; ich konnte etwas in ihrer Stimme fühlen, ein Umkippen, ein Hinsterben, – es gab Momente –

FLORINDO

Es ist eine Gemeinheit, in einem Wirtshaus solche Kamine zu legen!

CARLO

Sie haben recht. Ich fing auch an, mich zu schämen. Ich wollte nicht länger auf Töne lauern, die zu hören das ausschließliche Vorrecht dessen ist, der sie hervorgerufen hat. Ich zog mich an. Ich zündete ein Licht an, ich begann einen Brief zu schreiben, mit einer elenden Feder auf erbärmlichem Papier versuchte ich, einen hartherzigen verhaßten Onkel in gewundenen Ausdrücken um ein Darlehn zu bitten. Das Kratzen der Feder übertäubte auch wirklich eine Zeitlang –

FLORINDO

Aber Sie schrieben nicht lange.

CARLO

Nein. Die abscheulichsten Gedanken drängten sich zwischen jeden Federstrich und den nächsten. Die Überflüssigkeit, die Inhaltlosigkeit meines Lebens widerten mich an. Meine Jugend erschien mir abgeschlossen, verzehrt in kraftlosen, vergeblichen Anstrengungen. Jetzt, sagte ich zu mir selber, vermag ich noch einen Unbekannten zu beneiden. Noch darf ich mich über das Schicksal beklagen, daß es mich nicht an seine Stelle gesetzt hat. Aber ich zittere davor, allmählich einer solchen Möglichkeit unwürdig zu werden. Ich werde vertrocknen, meine Kraft zu lieben wird absterben, wie jede menschliche Kraft abstirbt, wenn sie nicht genutzt wird.

FLORINDO

Ihre Gedanken könnten mir verhaßt werden. Mir wäre lieber, mit einem alten Weib die Werke der Liebe üben, als mich in solchen Hypochondrien abquälen.

CARLO

Und heute? – fragte ich mich, und jetzt? in dieser Stunde? wäre ich denn auch würdig, die Stelle jenes Menschen einzunehmen? Wer weiß es! Er ist von einem entzückenden Humor, mitten unter den Gewittern einer Zärtlichkeit, die mich durch die Mauern mit elektrischen Strömen durchzuckte, spricht er kleine Worte, über die sie laut auflachen muß – er weiß sich zu mäßigen, denn noch hat kein zu lautes Wort mir den Klang seiner Stimme verraten, er ist sicherlich treu, eine solche schrankenlose Hingabe, ein solches Ineinanderschmelzen zweier Wesen ist nicht die Frucht der ersten

Nacht, auch nicht der zweiten, sie sind seit Monaten miteinander verheiratet, vielleicht seit einem Jahr.

FLORINDO

Bravo! Sie legen Ihrer Phantasie keinen Zügel an.

CARLO

Und wie gut, wie gut begreife ich es, daß man in der Ehe, gerade in der Ehe –. Es sind brave Leute, nicht eben reich, aber glücklich und zufrieden.

FLORINDO

Woher wissen Sie nun das wieder?

CARLO

Es ist unschwer zu erraten. Der Mann ha eine Reise tun müssen, nach Mailand, nach Venedig, wohin immer, und da ist ihm die junge Frau eine Tagereise weit entgegengekommen.

FLORINDO

Sie dichten einen Roman!

CARLO

Ich wette, es ist die Wahrheit. Ich habe ein kleines gelbes Landwägelchen unten stehen sehen. Mit dem ist sie gekommen – und nun fahren sie zusammen ins Gebirg hinein, und haben vielleicht daheim schon ein erstes Kind, dem die heutige Nacht das Geschwister schenkt. Herr Gott, wie kann man glücklich sein auf dieser Welt – wenn bloß die Umstände es wollen, bloß die Umstände!

Der alte Herr geht vorbei, verschwindet nach der Seite, von der er früher gekommen ist, nicht ohne die beiden kopfschüttelnd ins Auge gefaßt zu haben.

FLORINDO

dem Alten nachsehend

Wird diese Nachtmütze endlich verschwinden!

Zu Carlo

Wie sagten Sie?

CARLO

seufzend

Ich sagte nichts.

FLORINDO

Sie sind geschaffen, eine Frau glücklich zu machen.

CARLO

Das ist sehr die Frage. Dazu muß man wahrscheinlich aus anderem Stoff sein. Er ja – mein Nachbar, der hat mirs bewiesen. Dem glaube ichs aufs Wort, daß er der Mann dazu ist.

FLORINDO

Ich möchte Ihnen schwören, er hatte nicht die Absicht, es gerade Ihnen zu beweisen.

CARLO

Immerhin. Einem Menschen wie diesem würde ich meine Schwester zur Frau geben.

FLORINDO

Sagen Sie das nicht! nein! sagen Sie das nicht.

CARLO

Was haben Sie?

FLORINDO

schon ungeduldig, zu gehen, kann nicht umhin, dies noch zu sagen

Und während Sie sich diesen kleinen Roman ausdachten, da gingen Sie fortwährend auf und ab, auf und ab.

CARLO

Ja – aber woher –

FLORINDO

Wir konnten nicht begreifen, wer da unermüdlich auf und ab ging wie ein gefangener Tiger.

CARLO

Sie?

FLORINDO

Die Dame und ich.

CARLO

Sie?

FLORINDO

Ja. Der Kamin leitet auch nach der andern Seite, natürlicherweise.

CARLO

Sie!

FLORINDO

Da haben Sie Ihren braven Bürger und Ehemann.

CARLO

Sie!

Eine Pause

Florindo, Sie haben mir eine gute Lektion erteilt.

FLORINDO

auf dem Sprung

Und ich habe dabei einen sehr liebenswerten Menschen kennengelernt.

CRISTINAS HEIMREISE

Komödie

PERSONEN

DON BLASIUS, der Pfarrer von Capodiponte
CRISTINA, seine Nichte
PASCA, deren Magd
FLORINDO
TOMASO, ein Schiffskapitän, aus Hinterindien zurückgekehrt
PEDRO, ein Mischling, dessen Diener
ANTONIA, eine leichtfertige Person
TERESA, ihre junge Schwester
DER WIRTSSOHN
DER HAUSKNECHT } im Gasthof zu Ceneda
EIN KÜCHENMÄDCHEN
EIN BEDIENTER
EINE BÜRGERSFRAU
ROMEO, ein altes Faktotum
EIN FREMDER ALTER HERR
EINE JUNGE DAME, seine Begleiterin
EIN PFERDEKNECHT IN CRISTINAS DIENST
Mehrere alte Weiber, mehrere halbwüchsige Buben, Musikanten, ein Barkenführer und dessen Gehilfe, Reisende

ERSTER AKT

Ein offener Platz in Venedig, der rückwärts an die Lagune stößt. Seitengäßchen links und rechts. Eines der kleinen Häuser rechts hat einen Balkon. Gegen Abend, es dämmert. An einigen Fenstern ist Licht.

Pedro kauert nach Art der Orientalen vor dem Hause rechts unter dem Balkon und kaut an Nüssen, die er aus seiner Tasche holt. Er ist europäisch gekleidet, in eine Art Livree. Aber seine Gesichtsfarbe und namentlich sein Haar wirken sehr fremdartig. In der Ecke links steht ein kleiner Bub, der aufpaßt.

Von rechts kommt ein altes Weib auf einen Stock gestützt über den Platz geschlürft. Sie schiebt sich mißtrauisch vorwärts mit Seitenblicken auf Pedro. Der kleine Bub winkt ihr: alles in Ordnung. Teresa, ein Geschöpf von fünfzehn Jahren, lehnt sich aus dem Fenster neben dem Balkon des kleinen Hauses vor und betrachtet, aus einem Teller essend, Pedro.

DIE ALTE
zu dem kleinen Buben

Für wen wartest du hier?

BUB

Für den Herrn Florindo doch.

DIE ALTE
schlägt ihn mit dem Stock

Du sollst keinen Namen in den Mund nehmen.

BUB

Aber zu dir, Großmutter!

DIE ALTE

Lern den Mund halten. Für wen wartest du hier?

Hebt den Stock.

BUB

Für niemanden, ich steh nur so da.

DIE ALTE

Marsch jetzt, klopf ans Fenster, gib 's Zeichen!

Sie verschwinden beide links um die Ecke.

DON BLASIUS

tritt aus dem Gäßchen rechts auf und spricht zurück nach der Richtung, von wo er gekommen ist

Hier? Dieses Haus? Über dem Platz? Die andere Ecke? Diese Ecke? Danke! Wie? Das erste Haus, wenn ich mich links umdrehe. Ist dieses da gemeint? Eine sehr umständliche Bauweise herrscht in dieser Stadt. Das erste Haus, wenn ich mich links umdrehe. Das mag dieses sein oder dieses, oder das dort. Da ist jemand.

Pedro ist aufgestanden, hat den Rest der Nüsse aus dem Hut in seine Rocktasche gebracht, sich abgeputzt, den Hut etwas in den Nacken aufgesetzt und steht jetzt da, jeder Zoll ein Europäer, verbindlich und bereit, sich in ein Gespräch einzulassen.

DON BLASIUS

Könnte der Herr mir vielleicht sagen –

Der Schein der Laterne fällt auf Pedros seltsames Gesicht, der mit Schwung den Hut abgenommen hat.

DON BLASIUS

fährt zurück

Was ist denn das?

PEDRO

Das ist Signor Don Pedro, ein junger ausländischer Europäer, in Erwartung auf seinen großen Freund, den großen Kapitän Tomaso, da innen.

Zeigt nach rückwärts

Nur herein, Hohe Würde. Sie sind sichergewiß oben erwartet. Ihre Sprüche sind sichergewiß benötigt, damit alles gut vonstatten geht. Mein Kapitän wird Sie mit brüllender Freude begrüßen.

DON BLASIUS

Dein Kapitän? Mein Sohn, ich habe in meinem ganzen Leben nichts mit einem Kapitän zu schaffen gehabt.

PEDRO

Ich werde Sie geehrt, nicht Du, Hohe Würde!

Er lacht zufrieden

Nicht Diener, europäischer Begleiter, Sekretär, Freund.

Er nimmt ein Lorgnon an die Augen

Schon lange keinen katholischen Vater in zutraulicher Weise gesprochen. Meine heiligen Erzieher waren Väter, heilige Gesellschafter Jesu. Drüben. Zu Hause. Java. Sie haben gehört?

DON BLASIUS

Schön, schön, mein lieber Sohn. Aber ich suche hier ein Haus –

PEDRO

verbindlich

Häuser in Menge. Ein Stück Haus, zwei Stück Haus, drei Stück Haus!

DON BLASIUS

Ich suche ein bestimmtes Haus, in welchem ehrbare Leute wohnen, bei denen meine Nichte zu Gaste ist. Ein junges Mädchen vom Lande, das ich abzuholen komme.

PEDRO

Schönes junges Mädchen! Weiß, ganz weiß! Hier zur Stelle.

Zeigt auf das Haus mit dem Balkon.

DON BLASIUS

zweifelnd

Meine Nichte Cristina, die Tochter meiner verstorbenen Schwester.

PEDRO

Hier ist es, sichergewiß. Eine Wenigkeit von Minuten und sie wird liebevollen Gruß mit Ihnen tauschen.

DON BLASIUS

Weiß, ob sie weiß ist? Natürlich hat sie keine bunten Wangen, ist ja kein Vogel.

PEDRO

Hier! Ich eile zu melden.

Ruft nach oben

Hoh, hoh. Nichte von Ehrwürdigkeit!

Sieht nochmals den Pfarrer erfreut und blinzelnd an

Schön für meinen Kapitän, ich laufe, ich melde.

Bleibt stehen, reibt sich die Hände.

DON BLASIUS

Wie? Was? Nochmals, mein lieber Sohn, was habe ich mit Ihrem Kapitän zu schaffen? Was ist schön für Ihren Kapitän?

PEDRO

Geistliche Verwandtschaft. Gut. Gesund ist das für meinen Kapitän.

DON BLASIUS

für sich

Ich werde gut tun, mich diesem Fremden aus dem Weg zu

halten. Kein Mensch, der mir Auskunft geben könnte. Und doch hat man mir gesagt, es wäre auf diesem Platz.

Ruft aufs Geratewohl

Cristina! Cristina!

PEDRO

an seiner Seite, wichtig

Mein Rat: eine Wenigkeit von Minuten abwarten. Vielleicht besser.

Er lacht bedeutungsvoll.

DON BLASIUS

Mir scheint, ich höre jemand.

PEDRO

immer an seiner Seite, während der Pfarrer immer ängstlich seinen Platz wechselt

Sie kennen den Herrn Florindo? Wie? Nicht den Herrn Florindo hier? Schönen großen Herrn Florindo? Er ist es, der uns bekannt geführt hat mit der achtenswerten Nichte. Aufeinander geführt. Er ist ein großer Freund von meinem Kapitän. Oft zusammen gespielt, zusammen getrunken. Auch mein großer Freund. Ich habe ihn vor kurzem dort in ein Haus gehen sehen. Nicht allein.

Vertraulich

Florindo und ein Stück Frau jede Nacht, das ist eine Wenigkeit. Vielleicht zwei Stück Frau jede Nacht.

Lacht vergnügt.

DON BLASIUS

ängstlich nach oben lauschend

Mir ist, als hätte ich ihre Stimme gehört.

PEDRO

Sichergewiß.

DON BLASIUS

Wäre es doch richtig? Mein Gott, sie ist ja hierher gekommen, um sich zu verheiraten. Warum sollte es nicht ein Kapitän sein? Wenn er nur sonst ein braver, rechtlicher Mann ist.

PEDRO

Heute sind wir zum erstenmal bei ihr.

Don Blasius sieht ihn an.

PEDRO

mit den Augen zwinkernd

Auf Besuch.

DON BLASIUS

Wie denn? Wie denn?

PEDRO

Wie denn?

Freut sich.

DON BLASIUS

Ich kann mir nicht denken, daß meine Nichte zu so später Stunde –

Auf das Haus zu.

PEDRO

hält ihn ab

Besser warten.

DON BLASIUS

Mein Sohn! In Kürze: Was hat Ihr Herr dort oben zu schaffen?

PEDRO

beruhigend, wichtig

Mein Kapitän weiß, wie es zu tun ist. Mein Kapitän ist ein reicher Kapitän und ein guter Kapitän. Er weiß so gut hier in Europa wie in einem anderen Lande. In einem anderen Lande ist es schneller. Auf den Inseln drüben ist es oft sehr schnell. Bei Häuptlingsfrauen kann es sehr schnell sein. Aber hier in Europa ist es mit vielen Vorschriften. Man muß wissen, die achtungsvollen Komplimente, die vorgeschriebenen Geschenke, die Ehrenbezeugungen, zuerst die kleinen Küsse – so und so.

Er küßt affektiert seine Hand.

DON BLASIUS

sehr erschrocken

Was macht Ihr Herr dort oben?

PEDRO

Mit der schönen, jungen Dame, Nichte von Ihrer Würden, meinen großen Freund, Nachtmahl verzehren und dann in hochachtender Weise anbeginnen die sehr gute Sache.

DON BLASIUS

Ich verstehe Sie nicht. Ich verstehe Sie nicht. Da sei Gott vor, daß ich Sie verstünde.

PEDRO

Sichergewiß.

DON BLASIUS

Da sind höllische Künste im Spiel, ich muß hinauf.

PEDRO

ärgerlich, heftig, hält ihn auf

Später die Segenssprüche! Mein Kapitän wird brüllende Freude empfinden über Ihre Segenssprüche, aber nachher.

Don Blasius

Lassen Sie mich. Ich schreie um Hilfe! Mein Gott, es muß doch hier im Ort einen Nachtwächter geben.

Pedro

Was könnte der helfen? Warum so aufgeregt?

Wirft seinen Mantel auf die Stufen vor dem Haus und drückt den Pfarrer mit sanfter Gewalt auf diesen Sitz nieder

Es ist Weisheit, seinen achtenswerten Sitz zu gebrauchen in der Stunde der Überraschung.

Don Blasius

ohnmächtig, sich seiner zu erwehren

Ich unbrauchbarer alter Mann.

Ringt die Hände.

Teresa erscheint wieder am Fenster, neugierig.

Pedro

erblickt sie, erfreut, eifrig

Da! Hoh! Ein Stück Onkel sind angekommen. Schnell kommen Sie herunter, kleines Fräulein, einen Salaam zu machen dem hochehrwürdigen Onkel. Eilig! Eilig!

Er klatscht in die Hände.

Teresa oben vom Fenster weg.

Don Blasius

der mit verdrehtem Kopf, da Pedro ihn nicht aufstehen läßt, hinaufgesehen hat

Ganz und gar ist dieses junge Mädchen nicht meine Nichte Cristina. Ist es diese, von der Sie gesprochen haben? Ist es diese, bei der Ihr Kapitän zu Besuch ist? Sagen Sie mir das, werter Herr, und ich will Sie dankbar in mein Gebet einschließen.

PEDRO

hält ihn

Schwester Ihrer Nichte, sichergewiß. Oben zwei Stück schöne weiße Mädchen.

DON BLASIUS

Meine Nichte Cristina hat keine Schwester.

Entspringt ihm.

PEDRO

Schade! Oh, mein Kapitän wäre munter wie ein Floh über achtenswerte Verwandtschaft.

Hält ihn am Rock.

DON BLASIUS

Lassen Sie mich meines Weges gehen.

Reißt sich los.

PEDRO

läßt ihn

Oh, vielmals schade. Sie dürfen achtenswerten Irrtum nicht übelnehmen. Ich wünsche Ihnen zudringlich alles Gute.

Verbeugt sich hinter dem abgehenden Pfarrer her.
Pfarrer verschwindet links um die Ecke.
Teresa aus der Haustüre.

PEDRO

sich brüstend, sein Lorgnon am Auge

Mein Freund! Nummer eins heiliger Mann, Nummer eins starker Zauberer für Segenssprüche. Nicht von Ihrer Verwandtschaft? Vielmals schade! Ich war im Irrtum!

Teresa amüsiert sich über ihn.

PEDRO

mit gekrümmtem Zeigefinger auf sich zeigend

Signor Don Pedro, der junge, ausländische Europäer von gestern abend. Des Kapitäns dort oben sein treuer Freund.

Teresa platzt heraus.

PEDRO

für sich

Sie ist für meinetwillen herunter gekommen, sichergewiß. Sie hat zugehorcht und meine Gestalt und meine freundliche vorlaute Art, als ich mit dem heiligen Vater sprach, hat sie gewärmt. Sie lacht auf mich, sie macht einladende Blicke auf mich!

Sich ihr nähernd wie ein Pfau, den Hut im Nacken, das Lorgnon vor der Nase, mit umständlicher Beredsamkeit

Ein Stück Haus, ein Stück Haus, ein Stück Haus. Eine Wenigkeit sind davon zu dieser Stunde, wo nicht ein Stück Mann mit ein Stück Frau hochachtungsvoll beisammen.

Er nähert sich ihr mit Grazie und Entschiedenheit. Teresa schüttelt ihn ab.

PEDRO

für sich

Nicht leicht der europäische Anfang. Oh!

Mit einem neuen Anlauf zur Beredsamkeit

Mein großer Freund, der sehr reiche Kapitän, ist zu dieser Stunde achtenswert verheiratet. Da hier bei.

Zeigt aufs Haus

Mein Freund, der Herr Florindo, ist zu dieser Stunde achtenswert verheiratet. Da hier bei.

Zeigt nach dem Gäßchen links.

TERESA

schnell

Was ist? Wie?

PEDRO

Nur bloß armer ausländischer Signor Don Pedro bis zur Stunde ungeheiratet.

TERESA

neugierig

Wie ist das mit dem Herrn Florindo? Was ist mit ihm?

Pedro zeigt hinter sich.

TERESA

Dort?

PEDRO

Zwei Stück Haus hinter der Ecke. Ich kann zeigen, ich will gerne zeigen.

TERESA

Da ist die hübsche Schneidersfrau. Du hast ihn zu ihr hineingehen sehen?

PEDRO

nickt lebhaft

Sie hat ihn gewartet am Fenster, versteckt, versteckt. Er ist gekommen, Nummer eins leise, leise, brüllend froh, daß ihn niemand sieht. Ich bin sogleich vorgegangen und habe ihn zudringlich gegrüßt als sein großer Freund. Er hat gesagt, er kann sich mit mir nicht aufhalten zu seinem brüllenden Leidwesen. Der Grund ist ein hochachtungsvolles Geheimnis. Ich habe ihm zu verstehen gegeben, daß ich weiß, was das Geheimnis ist. Er hat gesagt, ich bin Nummer eins gescheiter, vornehmer junger Mann und er gibt mir silbernes Geld, damit nicht über meine Zunge springt, daß ich ihn dort gesehen. Ich habe das Geld genommen, ich habe noch gesagt, ich bin ein europäischer Gentleman, er muß sich mit mir die Hand schütteln, niemals daß es werde über meine Zunge springen. So hat er sich mit mir geschüttelt, wie zwei europäische Herren es sich immer machen, und ist sehr erleichtert von mir mit seiner schönen weißen Freundin ins Haus gegangen, anzubeginnen das gleiche,

Er grinst

was ich mir wie ein verdursteter Affe wünsche mit meiner jungen, weißen, mager-fetten Schwester hochachtungsvoll anzubeginnen hier zur Stunde.

Verbeugt sich.

TERESA

Du wärst mir der rechte!

Halb für sich

Geht er jetzt richtig mit der Schneidersfrau? Das muß meine Schwester erfahren. Es gibt nichts, was sie so ärgern könnte.

Will gehen.

PEDRO

der durchaus nicht gewillt ist sie fortzulassen

Jetzt nichts von achtenswerter Schwester!

TERESA

macht sich frei

Freilich, gleich komme ich wieder.

PEDRO

Sichergewiß?

TERESA

Ganz bestimmt!

Will hinein.

PEDRO

Ich gehe mit!

TERESA

Wo denkst du hin? Wo dein Herr oben ist! Du wartest schön hier.

Läuft ins Haus.

PEDRO

Und du kommst gleich? Ich bin vielmals in Erwartung.

Er bereitet aus seinem Mantel eine Lagerstätte an der Mauer. Befriedigt

Vielmals schwer der europäische Anfang. Aber nur im Anfang. Dann ist alles wie bei uns. Sie wird bringen Süßigkeiten und hochachtendes Fußbad, anzubeginnen die Zärtlichkeiten mit ihren süßen Freund Don Pedro. Ich will bereit sein.

Er zieht seine Schuhe aus

Hier kommen ihre achtenswerten Füße die Treppe herunter.

Er sitzt mit gekreuzten Beinen auf dem Mantel und wiegt sich vor Vergnügen und Erwartung.

Der Kapitän, dessen breitbeinige schwere Tritte die hölzerne Wendeltreppe erdröhnen ließen, tritt wuchtig aus der Tür und stolpert über den Dasitzenden.

PEDRO

springt in großer Enttäuschung auf

Hoh!

Kapitän, der ohne Hut und Mantel ist, stampft mit zorndunklem Gesicht auf und nieder. Sein Fuß verwickelt sich in Pedros Mantel, er schleudert ihn mit Wut zur Seite.

PEDRO

sieht sich ängstlich nach der Treppe um

Hoh! schlecht gewählte Zeit für mich. Eine Wenigkeit von Minuten früher wäre besser gewesen.

Er geht dem Kapitän nach, grinst verbindlich

Wer genossen hat, worauf sein Herz hochachtungsvoll war gerichtet, dem ist Glück zu wünschen und seine ergebenen Freunde müssen zudringlich erfreut sein, bis in die Tiefe ihrer Eingeweide.

Kapitän, der nicht bei Laune ist, gibt ihm kurzweg einen Tritt.

PEDRO

zurückspringend

Hoh! Mein Glückwunsch war zu früh.

Indem er mit Bedauern seine Schuhe wieder anzieht, zum Kapitän, wissend und wichtig

Der europäische Anfang ist vielmals schwere Kunst, ich weiß, wie werde ich es nicht wissen! Ich sitze hier vor einer Wenigkeit von Minuten im Gespräch mit meinen großen Freund, eine geistliche Hohe Würde, und werde zudringlich geehrt von schöne, junge weiße Schwester-Mädchen. Ich nehme ihre Anträge mit Sanftmütigkeit entgegen, wodurch sie fällt in ein Außersich von Stolz hinein. Und in ihren Stolz – was soll bedeuten? – muß sie sich weglaufen und alles zuerst von sich geben in die Ohren von achtenswerter Schwester, bevor sie sich mit mir heiratet?

Schüttelt vielmals bedauernd den Kopf

Nummer eins umständliche Gebräuche. Sichergewiß auch bei meine Kapitän ein ähnliches Hindernis angekommen.

KAPITÄN

horcht auf

Was? Das steckt hinter dem Getuschel? Das Kind hat sich über dich zu beschweren gehabt! So beträgst du dich in meinem Vaterlande! Dazu habe ich diesen gelben Unflat mit mir übers Meer geschleppt?

Ein Fußtritt, der sein Ziel nicht ganz erreicht

Wo dem Fräulein oben das Kind wie ein Heiligtum ist! Da möchte sich das mißratene, schlecht getaufte Schwein daran vergreifen! Ja wer hält mich denn ab –

PEDRO

Ich schwöre meinen heiligen Schutzpatron –

Er hat sich auf den Prellstein gesetzt

Ich schwöre, sie hat den Anfang gemacht. Sie ist für meinetwillen herunter gekommen. Sie hat auf mich gelacht. Sie hat ihre Arme so um Pedros Hals gemacht. – Pedro war brüllend in Verlegenheit von ihrer affenmäßigen Liebesanzeigung.

KAPITÄN

Verdamm mich Gott, verdamm mich Gott, verdamm mich Gott!

Stampft auf.

Teresa aus dem Haus.

PEDRO

schleicht sich an sie

Jetzt nicht, jetzt keine Zeit für uns!

TERESA

Wer will was von dir, häßlicher Teufel?

Schmeichelnd

Herr Kapitän, ich weiß mir ja gar nicht zu helfen.

Pedro zieht sich gekränkt zurück, frißt Nüsse.

Kapitän mit zornigem Gesicht kehrt ihm den Rücken.

TERESA

schleicht sich an ihn wie ein Kätzchen

Herr Kapitän, das ist nicht schön von Ihnen, daß Sie Ihren Ärger an mir auslassen wollen. Ich dächte, es ist eine andere Person, die sich schandbar gegen Sie benimmt.

Kapitän brummt etwas Unverständliches.

TERESA

tückisch

Mitten unterm Essen, wie Sie gerade recht gemütlich werden wollten – Ihnen so zu begegnen! Nur, daß sie Ihnen nicht geradezu die Türe gewiesen hat. Wo Sie das schöne Nachtmahl und alles im voraus bezahlt haben! Und das um eines Menschen willen, der sich nicht so viel aus ihr macht, nicht so viel, das kann ich Ihnen sagen.

KAPITÄN

Verdamm mich Gott, wenn ich weiß, was in Ihr liebenswürdiges Fräulein Schwester gefahren ist. Verdamm mich Gott! verdamm mich Gott! verdamm mich Gott!

TERESA

Sie wissen es nicht? Daß mir das hat passieren müssen! Denk ich denn an so was? Ich komme hinauf um eine Krachmandel, und wie ich hineinkomme, merke ich an Antoniens Gesicht, daß ich doch gestört habe, und in der Verlegenheit, wie man nur so was spricht, erzähl ich, daß der Herr Florindo, Ihr Bekannter, der Sie bei meiner Schwester eingeführt hat, heut da drüben dem Schneidermeister, na kurz und gut, Sie verstehen mich. Ist da so was Schlechtes dabei? Mein Gott, hätt sie mich nur nicht hereingelassen.

KAPITÄN

Verdamm mich Gott, das hätte sie mögen. So war es nicht wegen des Burschen da? Nun verdamm mich Gott, Geschichten müssen Sie erzählen und gerade im rechten Augenblick.

TERESA

Wo sie einen Freund hat wie Sie, Herr Kapitän, braucht sie da der Schneidersfrau neidisch zu sein! Aber wenn man bloß des Menschen Namen nennt, das fährt ihr in die Glieder wie Rattengift. Hören Sie sie da droben herumrumoren? Und er – was meinen Sie? Luft ist sie für ihn. So treibt sies jedesmal, wenn sie hört, daß er gewechselt hat. Das ist so ungefähr alle zwei Monate. Und das um eines Menschen willen, der sich nicht so viel aus ihr macht.

Leise

Der schon, wie er ihr Liebhaber war, jedesmal wenns dunkel auf der Treppe war, mir nachgeschlichen ist.

Antonia am Fenster oben, verstohlen horchend.

Wenn ich dächte, daß sie gehört hätte, was ich gesprochen habe, brächten mich nicht zehn Pferde ins Zimmer hinauf. Ich weiß nicht, was ich hab, daß ich gerade zu Ihnen so aufrichtig sein muß, Herr Kapitän.

Kapitän glotzt sie an.

ANTONIA

abermals ans Fenster tretend

Komm hinauf, du, ich brauch dich.

TERESA

Wenn sie mir was tut, werden Sie mir zu Hilfe kommen, Herr Kapitän?

KAPITÄN

Schon gut. Die Neuigkeit, die den Herrn Florindo betrifft, geht mich nichts an. Aber sie hätte zu einer passenderen Stunde dem Fräulein Schwester ins Ohr gesagt werden mögen, sage ich.

ANTONIA

oben scharf

Kommst du?

TERESA

läuft ins Haus

Herr Kapitän!

Gleich darauf hört man im Hause Lärm. Man hört einzelne Worte von

ANTONIAS STIMME

sehr scharf

Meine Sache . . . in den Mund nehmen, was? Du hast es nicht getan, was?

Dazwischen

TERESAS STIMME

Laß meine Haare, laß mich aus!

Kapitän eilt ins Haus. Pedro horcht zu, amüsiert sich. Tanzt einen Tanz, der die Vision des Waldes hervorruft. Um die Ecke links kommt die Alte, spähend, sehr rasch. Verschwindet vorne links. Darauf kommt Florindo mit der Schneidersfrau, die an seinem Arm hängt und sich ein schwarzes Tuch übers Gesicht zieht. Pedro hält inne, nimmt eine sehr unbefangene Miene an, als hätte er keinen Augenblick die Haltung eines wohlerzogenen Europäers verlassen, lehnt an der Haustüre. Oben wird es stiller.

DIE SCHNEIDERSFRAU

flüstert

Noch ein Stück begleit ich dich, Schatz.

FLORINDO

Ich sollte dirs nicht erlauben, du weißt, wie die Nachbarn böswillig sind.

PEDRO

tritt grüßend aus dem Dunkel

Guten Abend, Herr Florindo!

Die Schneidersfrau schreit auf, klammert sich an Florindo. Schon abgeendigt Ihre angenehme Stunde mit der schönen Freundin? Pardon! Es ist Ihr ergebener zudringlicher Freund Don Pedro, der sich die Ehre gibt, Sie zu begrüßen.

FLORINDO

Zum Teufel mit dir!

Zu der Frau

Sei doch ruhig.

Zu Pedro

Verzieh dich, olivenfarbiges Scheusal!

PEDRO

Ich werde Sie geehrt, Herr Florindo. Ich bin traurig, daß Sie sich vergessen gegen einen Gentleman Ihrer eigenen Farbe.

DIE SCHNEIDERSFRAU

Fühl, wie mein Herz klopft. Bis in den Hals hinauf.

Pedro ist bereit, sich davon zu überzeugen.

FLORINDO

stößt ihn weg

Vieh! Hast du nicht Geld bekommen, damit du verduftest, damit man deine Visage nicht mehr sieht?

PEDRO

geht lebhaft gekränkt zurück

Hoh! Ich will mir aufmerken in mein Notizbuch: Nummer eins, böser Laune sind europäische Herren nachher so wie vorher. Wieso?

Oben anschwellender Zank, auch die Stimme des Kapitäns, der Frieden stiften will. Die Schneidersfrau, nach einem Kuß, läuft ab. Florindo sieht ihr nach, zieht dann seinen Mantel fest um sich, will quer über die Bühne. Pedro tut, als sähe er ihn nicht, schaut angelegentlich mit dem Lorgnon nach der anderen Seite.

TERESA

fährt wie eine aus dem Rohr geschossene Kugel aus der Haustür und wirft sich an Florindos Brust

Ah! wer immer Sie sind, mein Herr, nehmen Sie sich einer armen Waise an, die von ihrer leiblichen Schwester grausam behandelt wird – ah! Sie sind es, Herr Florindo?

Knixt

Oh, mein Gott, hätte ich geahnt, daß Sie es sind. Nein, was für ein Zufall! Da muß ich mich ja zu Tode schämen. Lieber hätte ich alles stillschweigend ertragen, als gerade Ihnen –

Sie weint.

Antonia aus dem Hause, hinter ihr der Kapitän, der jetzt seinen Hut auf dem Kopfe und seinen Mantel um hat. Er hält eine Kerze in der Hand, die er nach einer Weile an Pedro gibt.

ANTONIA

indem sie die Hand auf Teresas Schulter legt

Du gehst ins Haus.

FLORINDO

Was ist mit dem Kind?

ANTONIA

stößt Teresa fort, finster

Was immer es ist, dich wirds nichts angehen, denk ich.

FLORINDO

Muß sie sich vor dir auf die Gasse flüchten?

ANTONIA

etwas näher zu ihm tretend

Verliebt in dich ist der Balg, bis über die Ohren. Deswegen

hat sie die ganze Komödie aufgeführt. Hinter der ihre Schliche komm ich noch.

FLORINDO

Die Kleine? In mich?

Wirft einen langen Blick auf Teresa, die sich kokett an der Haustür herumdrückt

Sie ist größer und voller geworden. Sie sieht gut aus.

ANTONIA

Meinst du vielleicht, ich kümmere mich, was du anstellst und mit Gott weiß welchem Weibsbild du dich herumziehst, und wenns auch im nächsten Hause um die Ecke ist? das kümmert mich nicht so viel. Bist du fertig mit mir, so bin ich noch früher fertig mit dir.

Dreht sich um, jagt Teresa ins Haus.

FLORINDO

Häßlich bist du, ganz häßlich, wenn du so zornig bist. Schade um dich. Ich beneide deinen jetzigen Liebhaber nicht. Ist es der dort hinten?

ANTONIA

Was hast du mit meinem Liebhaber zu schaffen? Wer heißt denn dich da in meine Sache die Nase zu stecken? Meinst du, ich wäre ein Fressen für jeden solchen säbelbeinigen, hinterindischen Branntweinsäufer, den du mir präsentieren tätest?

FLORINDO

Was, der Herr Kapitän, der fünfunddreißig Jahre nicht in Europa war?

Pedro beleuchtet eifrig den Kapitän.

KAPITÄN

vortretend

Jawohl, ich bin es. Guten Abend, Herr Florindo!

FLORINDO

Was, und mit einem solchen Herrn, mit meinem Freund, dem Kapitän Tomaso, getraust du dich so umzuspringen? Das ist ja –

KAPITÄN

Herr Florindo, wenn ich Sie eines bitten darf, nur keine harten Worte um meinetwillen. Ich konnte allerdings nicht früher als bis vor einer Viertelstunde ahnen, daß ich dem Fräulein mißliebig wäre.

FLORINDO

Was? Bis vor einer Viertelstunde katzenfreundlich zu ihm und mit einem Male so? Das sieht dir gleich.

KAPITÄN

Ich konnte bis dahin das Beste hoffen.

PEDRO

Sichergewiß! Wir waren in der Hoffnung.

Kapitän stößt ihn weg.

FLORINDO

Weißt du, daß ich mich dem Herrn Kapitän verantwortlich fühle? Und wäre ich nicht auf dem Nachhauseweg und dazu hungrig, daß mir blau vor den Augen ist, so hätte ich gute Lust, dir meine Meinung zu sagen.

ANTONIA

Gegen mich kommt keiner auf, auch du nicht. Ich kann ja so zornig werden, so zornig, daß es mich schmeißt nach links und rechts, wenn es über mich kommt.

FLORINDO

gedämpft

Weibsbild, das du bist! Mit einem schönen, engelhaften Leib, wie du ihn hast, geschaffen, einen ordentlichen Kerl um den anderen glücklich zu machen! Wenn ich denke –

ANTONIA

Wenn du sonst nichts für mich übrig hast als deine Gedanken, so laß mich in Frieden.

FLORINDO

zornig

Ja! Ja! Ja! Scheusälige Disharmonien greifen auf einem gottgegebenen Instrument fort und fort, daß einen das Grausen angeht.

Teresa erscheint auf dem Balkon.
Pedro macht ihr viele Zeichen, die sie nicht beachtet.
Antonia kehrt sich verstockt weg.

FLORINDO

sieht auf Teresa, halb für sich

Wie dafür das Geschöpf dort aufgeblüht ist. Von weitem noch hager und in der Nähe schon üppig wie eine junge Ente. Jetzt erst tritt mirs vor die Seele. Sie muß jetzt das sein, was die damalige war. Ewige entzückende Überraschungen.

ANTONIA

Was willst du? Hat mich vielleicht ein anderer zu dem gemacht, was ich bin?

Bringt ihr Taschentuch an die Augen, das sie lange gesucht hat.
Tritt näher an ihn

Der Balg da droben hat kein Herz! Die wird die Männer um den kleinen Finger wickeln.

FLORINDO

Himmel Herrgott – was du bist? Das ist eine Infamie! Meine Geliebte warst du, dafür bitt ich mir Respekt aus –

ANTONIA

War ich! War ich! Brauchst mirs nicht ins Gesicht zu schrein, daß es vorbei ist damit.

FLORINDO

– Respekt aus, so als wenns die Gegenwart wäre.

ANTONIA

O Gott, o Gott!

Zu Teresa

Daß du mir verschwindest!

Teresa verschwindet.

Bringt abermals ihr Taschentuch an die Augen.

KAPITÄN

benützt diesen Moment, um näher zu treten

Herr Florindo, ich werde mich nun nach alledem auf den Heimweg machen. Ich empfehle mich Ihnen.

FLORINDO

Was? Das Feld räumen wollen Sie jetzt, wo ich auf dem besten Weg bin, Ihnen für eine Furie ein gutes, liebes Mädchen in die Hand zu spielen? Wo ich mich abmühe, hungrig wie ich bin –

KAPITÄN

Sie nehmen um meinetwillen mehr auf sich, Herr, als gebührlich ist.

FLORINDO

Das mag sein, aber das bekümmert Sie nicht. Sie haben sich mir anvertraut. Ich bin es Ihnen schuldig, daß Sie einiges

Vergnügen finden, wie Sie es nach meinem Reden zu erwarten berechtigt waren.

KAPITÄN

Unsere Bekanntschaft ist jung, Herr. Ich glaube, Herr, Sie irren sich in mir. Es kommt mir nicht so sehr auf das an, was Sie meinen.

FLORINDO

Was denn, Kapitän? Sie mögen das Mädchen nicht? Zum Teufel mit Ihnen, Kapitän, wenn Sie nicht wissen, was Sie wollen.

KAPITÄN

Ich will sie wohl, Herr, aber ich will sie nicht wider ihren Willen. Es kommt mir, verdamm mich Gott, beiläufig mehr auf ihre gute Laune an als auf alles andere.

FLORINDO

Lassen Sie das meine Sache sein.

KAPITÄN

Ich bin Ihnen dankbar für Ihren guten Willen. Aber Sie müssen wissen, alle Gewalt geht mir wider den Strich. Überredung ist auch Gewalt. Sehen Sie, Herr, seit meinem vierzehnten Lebensjahr bis auf den heutigen Tag habe ich mich unter halben und ganzen Bestien herumgetrieben. Ich habe Gewalt gelitten und Gewalt geübt. Bei Tag und Nacht, fünfunddreißig geschlagene Jahre, Herr! Aber ich bin darüber nicht zum Vieh geworden, verstehen Sie mich, Herr? Ich hatte, verdamm mich Gott, auf das Mädchen in einer anderen Weise ein Aug geworfen.

ANTONIA

Verhandel du mit dem, was du willst. Ihr habt die Rechnung ohne den Wirt gemacht.

Will gehen.

FLORINDO

dreht sich um

Du bleibst da, wenn ich bitten darf.

KAPITÄN

Ich möchte Sie bitten, Herr, lassen Sie das Mädchen. Das Mädchen ist im Grunde ein gutes Mädchen, das ist mir wohl bewußt. Wenn sie lacht und freundlich ist, geht einem das Herz auf. Es verdrießt mich, daß ich nicht mit ihr umzugehen verstehe. Aber ich nehme es ihr nicht für übel. Sie hätte das früher sagen mögen, daß ich ihr nicht passe.

FLORINDO

zu Antonia

Da! Da! Eine Seele von einem Menschen! Bewahre mich Gott vor engherzigen Halunken.

Er schlägt dem Kapitän auf die Schulter. Zu Antonia

Wirst du niemals lernen, Qualität in einem Mann zu spüren?

KAPITÄN

Herr, mir ist bewußt, daß was dahinter ist hinter einem Menschen. Der ist ein Vieh, der nur bis an die Haut sieht und nicht weiter. Vor dem spucke ich aus. Unter solchem Viehzeug war ich fünfunddreißig Jahre lang, verdamm mich Gott, aber ich habe mir eine Sorte von Seele im Leibe bewahrt. Meinen Sie, es geschieht um nichts und wieder nichts, Herr, wenn einer nun solch ein Geschöpf da mit sich herumschleppt? Wenn ich Ihnen sage, daß sich mir in diesem gelben Schlingel in der bösesten Stunde meines Lebens der lebendige Herrgott leibhaftig geoffenbart und mir mit den Pfoten dieses Affen da ein Messer zugeworfen hat, welches mir sehr nottat, da an jeder meiner Gliedmaßen ein malaiischer Seeräuber hing und sich bemühte, mich ins Jenseits zu befördern – verdamm mich Gott!

Florindo

noch während der Kapitän spricht, zu Antonia, indem er sie etwas nach links genommen hat, halblaut

Mißfällt er dir?

Ohne die Antwort abzuwarten

Ist nicht wahr! Redst dirs ein. Ein Kerl wie Gold: Fünfunddreißig Jahre hat er mit Geschöpfen vorliebnehmen müssen, wos ihm das Herz zusammenkrampfte, sooft er der Natur den Tribut darbrachte. Könntest ihn selig machen und mit ihm glücklich sein. Schmelzen an selbstentzündetem Feuer: lerns von den Ehefrauen. Über was fauchst du? Daß ichs nicht bin? Wär ich noch der von damals? Pah! Bist dus vielleicht noch? Ist nicht heute die Kleine dort oben mehr als du selber? Aber in dir hast du heute zehnmal mehr wie damals. Weil eins nach vorwärts lebt und nicht nach rückwärts, das weiß ich aus mir. Halsstarrig, boshaft dich verkrampfen in dich selber. Eine Gemeinheit ist es. Ein Wüten gegen die eigene Seele, mir das aufzuspielen! Wo ich weiß, wie du sein kannst –

Sanfter, er streichelt mit den Fingerspitzen ihre Wange. Sie weint.

Oder weiß ichs vielleicht nicht? Weil es aufgehört hat – darüber weinen! Ein schöner Grund. Daß es da war, daß es uns gewürdigt hat, einander zum Werkzeug der namenlosen Bezauberung zu werden. Mich für dich, dich für mich. Darüber sollst du mir staunen –

Antonia

leise

Sei still. Die dich erhört, die ist schon betrogen. Aber die dich hat, der ist wohl.

Seufzt.

FLORINDO

Betrogen? Heißt mich dein Gedächtnis einen Betrüger?

ANTONIA

mit getrockneten Tränen, verändert

Bist hungrig, armer Kerl. Hat dir die Person nicht einmal ein Nachtmahl gegeben. Ich hab ein schönes Essen droben. Wein, Kerzen. Komm hinauf.

FLORINDO

Wenn ichs tu, so geschiehts dem Herrn zuliebe. Wird er dich lachen sehen?

ANTONIA

Du machst einen taumelig mit Reden.

FLORINDO

bereit, hinaufzugehen

Wir wären unser vier, wir könnten lustig sein.

ANTONIA

Das nicht! Die soll nicht dabei sein!

FLORINDO

Wir werden sehen.

ANTONIA

heftig

Ich will nicht, daß du kommst, wenn es um des Mädels willen ist.

Sie zieht ihn mit sich.

FLORINDO

Wärst erst recht nur du, was ich bei ihr suchte. Kommen Sie nur mit, Herr Kapitän.

Ins Haus mit Antonia, die Tür fällt zu.

Pedro

eilt an die Tür

Die Klinke geht nicht. Es ist ein künstlicher Verschluß. In Europa alles sehr künstlich. Oh!

Klopft und rüttelt.

Kapitän

Rüttel nicht an der Tür. Klopf nicht.

Pedro

Mein Kapitän muß hinein. Der Herr Florindo hat hochachtend eingeladen.

Kapitän

Laß ihn machen. Zeit muß er haben, der gute, muntere Bursch. Er ruft mich schon, wenn die rechte Zeit ist.

Pedro

Er hat gesprochen: Kommen Sie mit, Herr Kapitän, sichergewiß.

Kapitän

Kommen Sie nach, war der Sinn davon, und das nicht zu schnell. Lassen Sie mir Zeit, Kapitän, Ihnen das Mädchen vollends gut zu machen, und Sie sollen Ihre Freude erleben.

Pedro

Das hab ich nicht gehört.

Kapitän

Das will ich dir glauben, daß dus nicht gehört hast. Meinst du, wir Europäer brauchen einander alles wörtlich in die Zähne zu schleudern wie ihr in eurer gottverdammten Affen- und Tigersprache? Hier bei uns liegt das Feinste und Schönste zwischen den Wörtern. Armes Vieh! Wie soll das in deinen Schädel?

Wie zu einem Kind

Er ist mein Freund, der da droben. Dafür hab ich ihm nichts gegeben. Das kauft sich nicht um Geld oder Tauschware. Sympathie heißt das Wort. Merk dirs. Und er will, daß wir es gut haben, verstehst du? Daß die Mädchen freundlich auf uns lachen, verstehst du?

Pedro grinst.

KAPITÄN

Warum will er das? Weil ihm wohl wird, wenn er sieht, wie andern wohl wird. Weil er ein guter Mann ist. Weil er kein enges, neidisches Herz hat. Verdamm mich Gott, hab ich den muntern Burschen liebgewonnen.

Geht auf und ab.

PEDRO

nach oben, freudig hüpfend

Oh, es ist noch nicht aus für uns heute. Ist noch nicht jeden Tag sein Abend heute abend!

KAPITÄN

auf und ab

Europa! Es möchte einer die alten Steine küssen, mit denen dein Boden bepflastert ist. Du bist das Wunderland, nicht die gottverdammten giftigen Sümpfe da drüben.

PEDRO

zu ihm, dicht bei ihm, leise, angelegentlich

Ich sage: werden wir abermals lange zu warten haben auf sehr gute Sache?

Kapitän

aufgeräumt

Je länger, je besser wirds. Meinst du, es sei eine Kleinigkeit, ein Weibsbild vom Weinen wiederum zum Lachen bringen? Was für ein Vieh ist unsereins gegen einen solchen leichten, geschickten, liebenswürdigen Burschen. Aber dann! Gesellig soll es zugehen da oben, und ich will alles bezahlen. Verdamm mich Gott, wenn ich den braven, generösen Burschen nur eine Flasche Wein mir halbieren lasse.

Singt vergnügt

Im Dunkeln geht das Vieh auf seinen Fraß
Und seine Lust,
Trübselig, finster und allein,
Wir aber sollen bei der Kerzen Schein
Mit munterm Sinn und froher Brust
Die unsrige mit unsern Freunden teilen,
Auf daß Gott Bacchus und der Grazien Schar
Mit Anstand unter uns verweilen.

Es soll immer besser werden, je weiter wir landeinwärts kommen. Da, sperr die Nüstern auf, zieh die Luft ein: die kommt von drüben. Da sind Wiesen, Berge, Dörfer. Da sind wir zu Haus. Geschöpf, ich will nicht vergessen, daß wir aneinandergedrückt wie zwei zitternde Büffelkälber, gerüttelt von Fieber und Todesangst ihrer fünfzig greuliche Nächte miteinander verbracht haben. Ich will gut sein zu dir im Lande meiner Väter.

Pedro sieht ihn zwinkernd an.

Tut das Warten dir an? Sind deine Augen zu leer? Ist dein Hirn zu arm, um sich mit Gedanken wach zu halten? Geh nach Haus oder leg dich indessen. Da leg dich.

Pedro wickelt sich in den Mantel, legt sich auf den Boden, schläft sofort ein.

Kapitän

geht behaglich auf und ab, halblaut singend

Auf, auf, du Bootsmann, und auf, du Jung,
Auf nach Bilbao!
Kathrinchen hat von uns genung,
Auf nach Bilbao!
Sie mag nicht den Gestank von Teer,
Auf nach Bilbao!
Sie nimmt sich einen Schneider her,
Auf nach Bilbao!

Pedro stöhnt aus dem Schlaf.
Florindo öffnet oben das Fenster, sieht heraus.

Kapitän

stellt sich ins Licht, vergnügt

Hier zur Stelle, hier zur Stelle!

Florindo

Sie hätten mitkommen müssen, Kapitän!

Verschwindet.

Es wird oben finster, man hört das Lachen einer Frauenstimme und das Zuschlagen einer Tür.

Kapitän

erwartungsvoll, dann verdutzt

Nichts mehr?

Stille.

Sie hätten mitkommen müssen. Das soll wohl heißen: jetzt ist es zu spät, Sie brauchen sich nicht mehr heraufzubemühen. Ich will nicht hoffen, lieber Herr! Ich will nicht hoffen!

Er rüttelt, pocht gemäßigt

Das wäre wider die Abrede.

TERESA

an dem anderen Fenster, aus dem Dunkeln den Kopf vorsteckend

Alter Seeräuber, pack dich nach Hause. Da hättest du früher aufstehen müssen.

Wirft das Fenster zu.

KAPITÄN

zornig

Was?

Pocht stärker

Still, da kommen Leute.

Cristina und Pasca kommen von rechts. Vor ihnen ein halbwüchsiger Bursche mit einer Laterne. Cristina trägt die Tracht eines reichen Bauernmädchens mit goldenen Ohrringen und vielen silbernen Nadeln im starken Haar. Pasca ist bäurisch, aber einfach gekleidet.

PASCA

im Auftreten

Gehen wir nur schnell. Gewiß ist der hochwürdige Herr noch wach und wartet auf uns.

CRISTINA

bleibt stehen

Siehst du, ich hab dirs gesagt. Der eine liegt auf der Erde und der andere will da ins Haus. Gewiß um einen Arzt. Frag doch.

Pedro stöhnt.

CRISTINA

halblaut

Hörst du? Wenn du nicht fragst, frage ich. Sie haben ein Unglück da, Herr? Schließt man Ihnen denn nicht auf? Können wir Ihnen helfen?

KAPITÄN

Hier ist nichts, was Sie bekümmern dürfte, Fräulein.

Er nimmt den Hut ab.

PASCA

Siehst du, jetzt komm schnell, es wird ein Betrunkener sein.

Zum Kapitän

Entschuldigen Sie unseren Irrtum, mein Herr.

Will weg mit Cristina.

KAPITÄN

den Hut in der Hand

Sie sind nicht aus dieser Stadt, Fräulein?

CRISTINA

Freilich nicht. Wir sind vom Land. Aus dem Gebirge sind wir her. Mein Onkel, der Herr Pfarrer, ist eben heute angekommen, uns nach Hause zu holen.

PASCA

Komm! Komm!

Pedro stöhnt abermals.

CRISTINA

erschrickt

Was hat er denn?

KAPITÄN

Nichts. So wenig als ein Jagdhund, wenn er hinterm Ofen liegt. Seien Sie ruhig.

Stößt Pedro mit dem Fuß

Auf, zeig dich, rühr dich!

Pedro hebt sich auf mit dem Mantel, der ihm noch über den Kopf hängenbleibt. Stöhnt stärker.

KAPITÄN

Er hat lebhafte Träume, weiter nichts. Auf mit dir, wach, wach.

Zieht ihm den Mantel ab. Man sieht Pedros recht befremdliches Gesicht. Pasca stößt einen Schrei aus und flüchtet mit hochgehobenen Röcken nach links. Der Bursche mit der Laterne entspringt, Cristina tritt schnell nach rechts hinüber.

CRISTINA

Mein Gott und Herr!

KAPITÄN

Nichts, nichts. Der beste Bursche von der Welt. Ein harmloser Malaie! Sein Vater war ein Europäer wie Sie und ich.

PEDRO

auf Pasca zu, noch halb im Traum

Nicht laufen, soll Pedro dich fangen? Oh!

Pasca schreit abermals.

Kapitän faßt Pedro beim Halskragen wie einen Hund. Pedro will trotzdem Pasca nachlaufen.

Mir geschenkt, für mich gekommen! Mein schönes weißes Mädchen!

CRISTINA

ruhig näherkommend

Siehst du denn nicht? Es ist ein ausländischer Mann, weiter gar nichts.

PASCA

Der leibhaftige Teufel ist es.

PEDRO

betrachtet Cristina

Meinen Kapitän sein bekommenes Geschenk. Oh! Oh!

Bewundernd.

CRISTINA
neugierig

Was sagt er?

PASCA

Zu mir jetzt, oder ich laß dich allein.

CRISTINA
gleichmütig

Komm ja schon.

KAPITÄN

Oh, mein Fräulein –

CRISTINA
bei Pasca links

Wenn man einmal eine Merkwürdigkeit zu sehen bekommt –

PASCA

Ist nicht die anständigste Gelegenheit. Daß du das nicht selber fühlst.

CRISTINA

Geh du, geh du, der gutmütige alte Herr.
Sie wenden sich zum Gehen.

PEDRO
ihnen nachsehend, äußerst enttäuscht

Wohin die beiden?

KAPITÄN
ihnen nachsehend, die um die Ecke verschwunden sind

Ja, wohin?

PEDRO

Ich muß zurückholen! Eilig! eilig! Hallo! Unsere Mädchen.

KAPITÄN

reißt ihn derb zurück

Vieh, was ist in dich gefahren? Soll ich dir Wasser über den Schädel gießen?

Stößt ihn nach hinten. Vor sich

Aus dem Gebirge! Das will ich glauben, das ist nicht gelogen. So trug sich meine selige Mutter, mit solchen silbernen Nadeln im Haar. Das Mädchen vergesse ich nicht, und wenn ich sie bis an mein Totenbett nicht wiedersehe.

PEDRO

Mein Traum war vielmals schön. Herr Florindo ist gekommen auf uns gegangen und bringt an jede Hand eine Frau für uns beide. Das habe ich geglaubt anzubeginnen mit die zwei Damen vorüber. Ich war hochachtungsvoll in Erwartung. Vielmals schade.

KAPITÄN

ohne auf ihn zu hören

Eine Jungfrau ist sie, das steht ihr im Gesicht geschrieben. Was geht das mich an? Aber, verdamm mich Gott, wenn ich woanders sterben will als in einem der sechs oder sieben Dörfer dort droben, wo die Frauen ihr Haar mit genau solchen silbernen Nadeln an ihren Kopf stecken.

PEDRO

schleicht sich um ihn herum, sucht ihm ins Gesicht zu sehen

Oh! Mein Kapitän Nummer eins traurig. Kapitän, da hinauf! Herr Florindo ist in Erwartung.

Rüttelt an der Tür.

KAPITÄN

vor sich

Ich will heim und ein niedriges, unbescholtenes Frauenzimmer ehelichen. Verdamm mich Gott! Und wäre es keine bessere als die Figur da, die als Begleiterin hinter dem schönen jungen Geschöpf daherkreuzte. Und wenn ich mit der einen Buben gemacht habe, der soll ein anderer Kerl werden wie ich und einmal ein solches Geschöpf zur Frau kriegen. Verdamm mich Gott, das soll er, wenn ich längst im Grabe liege.

PEDRO

zupft ihn

Wir müssen rufen. Wir müssen unsere Gegenwart zudringlich in Erinnerung bringen.

KAPITÄN

Nichts da, wir gehen heim.

PEDRO

traut seinen Ohren nicht

Heim?

KAPITÄN

Schlafen, hab nichts zu suchen da droben. Ich wünsch dem muntern Burschen einen vergnügten Abend und ein fröhliches Erwachen. Wir reisen morgen. Ich will mich nach der Gelegenheit erkundigen, dort hinein, landein, bergauf. Dort wollen wir begraben sein, mein alter Affe.

Singt

Auf, auf, du Bootsmann, und auf, du Jung,
Auf nach Bilbao!

Geht breitbeinig ab nach rechts.

PEDRO

nimmt seinen Mantel auf, seufzt

Ich sage: Es hat vielmals schwer, in Europa richtig anzubeginnen die sehr gute Sache.

Zwischenvorhang fällt vor, hebt sich gleich wieder, es ist heller Tag, früher Morgen. Cristina und Pasca sowie ein halbwüchsiger Bursche kommen aus dem Gäßchen links und bringen nach und nach ihr Reisegepäck, das sie aufschichten: es sind Reisesäcke, Körbe, Taschen und Päcke in bunten Tüchern, zuoberst ein Vogelbauer mit einem lebendigen Vogel.

CRISTINA

So ziehe ich in Gottes Namen ab, ledig wie ich gekommen bin.

Lacht.

PASCA

Ist deine Schuld.

CRISTINA

Schuld? Und wenn! Ist denn vielleicht Heiraten gar so was Schönes?

Pasca zieht ein Gesicht.

Die mich hätten haben wollen, die haben mir nicht gepaßt, und die mir gepaßt hätten –

PASCA

Nun?

CRISTINA

Das ist mir nur so aus dem Mund gegangen. Kein einziger hätte mir gepaßt.

PASCA

Erbsenprinzessin. Der hübsche Lelio, wie er hinter dir her war!

CRISTINA

Wird schon eine andere finden. Der nimmt jeden Docht, wo ein Öl dran ist. Einen Zaunstock so gut wie mich. In Gottes Namen, das Vogelfutter vergessen! In der Gewürzlade droben. Holst dus?

PASCA

Ich hols schon. Verschmudel dir das schöne Kleid nicht, sonst wärs noch besser im Koffer gewesen. Die werden lachen zu Haus, wenn du ankommst im Staatsgewande und ohne Bräutigam!

Geht ab.

CRISTINA

Sollen! – Wären jeder zu Tod froh, wenn ich ihrer einen nähme, die groben Klötz.

Kniet nieder, macht sich um das Gepäck zu schaffen.

FLORINDO

ohne Rock, mit offenem Haar, stößt ein Fenster auf und sieht hinaus

Was ist das für eine Stimme? Das ist die Stimme eines Engels. Sie wühlt mich um und um, diese Stimme.

Cristina dreht sich um, bemerkt ihn, setzt sich auf den Koffer, streift ihr Kleid zurecht. Da Florindo den Blick nicht von ihr abwendet, dreht sie sich um, macht sich mit dem Vogel zu tun, dem sie den Finger hinhält, und schließlich drückt sie die Lippen an das Gitter des Käfigs. Florindo springt vom Fenster weg und kommt sogleich unten zur Tür herausgelaufen, mit unordentlichem Haar, seinen Mantel übergeschlagen, den er mit beiden Händen zusammenhalten muß. Er bleibt vor Cristina stehen, verzehrt sie mit den Blicken.

FLORINDO

Der Vogel hat zu viel! Das unvernünftige Tier verdient nicht dieses Übermaß von Glück. Ich will nicht, daß Sie ihn vor meinen Augen küssen.

Läuft ins Haus zurück.

Cristina errötet bis über die Ohren. Pasca kommt.

PASCA

Was stehst du denn so da? Ist was passiert?

CRISTINA

schnell

Ach, gar nichts. Nein, was das Schiff lange ausbleibt. Du, wer wohnt denn eigentlich in dem Haus da?

PASCA

Wie soll ich das wissen?

CRISTINA

Spaßiges Leben in der Stadt. Da hat man drei Wochen gewohnt und weiß nicht einmal, wer um die Ecke der Nachbar war.

PASCA

Was kümmerts dich? Siehst wahrscheinlich die Stadt nie wieder, geschweige das Haus da.

CRISTINA

Freilich. Es hat halt einer herausgesehen – und weißt du, was ich glaube? Daß er mit dem gleichen Schiff fährt wie wir. Wie käme denn sonst so ein Herr dazu, so früh aufzustehen. Wart, ich muß –

PASCA

Was, Teufel?

CRISTINA

– schaun, ob ich die Haare ordentlich hab. War stockfinster, wie ich mich frisiert hab.

Läuft ab nach links.

Florindo mit Teresa am Fenster.

FLORINDO

Die, die! Jetzt ist sie dort ins Haus!

TERESA

Er hat schon wieder eine ausspioniert!

ANTONIA

unsichtbar hinter ihnen

Die ist nicht für dich.

FLORINDO

Was sagt sie? Ich habe nicht lange Zeit.

TERESA

Das ist die Pfarrersnichte aus dem Gebirge.

Pasca sieht hinauf.

FLORINDO

leiser

Was sucht die hier?

TERESA

Einen Mann.

FLORINDO

Und hat keinen gefunden? Die?

TERESA

Weiß nicht! Sie soll eine Waise sein und viertausend silberne Dukaten Mitgift haben. Dazu auch noch ein Wirtshaus, das jahraus, jahrein hundert Dukaten trägt.

FLORINDO

Wäre sie bettelarm und die Nichte des Schinders –

ANTONIA

erscheint hinter ihm

Da laß du deine Hand davon. Das sind anständige Leute.

Geht weg.

Florindo

indem er sich jäh zu ihr umdreht

Und was bin ich?

Teresa

Wenn du nur den Mund aufmachst –

Florindo

Meinst du, ich kann nicht so gut den Ehrenmann spielen als einer von den braven, soliden Schmierfinken, die alle vierzehn Tage ihr Hemd wechseln? Meinen Rock, meinen Mantel, ich hab jetzt Eile!

Teresa schlägt die Hände über dem Kopf zusammen. Beide weg vom Fenster.

Cristina

kommt langsam zurück zu Pasca

Da kommt 's Schiff, und der Onkel noch nicht da.

Die Barke legt rückwärts an.

Pasca

Er kommt noch zehnmal.

Cristina

Und der junge Herr auch, willst du wetten?

Pasca

Ja, der wird gerade auf dich warten!

Cristina

zornig

Mußt du mir Kleie in mein Mehl mischen? Mußt? Mußt? Ist er nicht da, so kann er noch kommen.

Singt halblaut

Ist er nicht da, er kommt schon noch,
Hab ihn doch eingeladen!
Und will er nicht kommen, so denk ich an ihn,
Das wird ihn schon zu mir herziehn,
Als wie an einem Faden.

Verschiedene Reisende kommen mit Gepäck, das von einer alten Frau und einem Burschen geschleppt wird. Das Gepäck wird neben dem Gepäck der anderen abgeladen. Cristina bringt ihren Vogel in Sicherheit.

FLORINDO

an dem zweiten Fenster, wird von Teresa frisiert

Schnell, Kleine, mach schnell, kriegst was dafür.

TERESA

Sei ruhig, sonst dauerts noch länger.

Cristina hält sich abseits der Leute, geht auf und ab. Trällert ihr Liedchen.

BARKENFÜHRER

kommt nach vorne

Wer sind die drei Personen, die ihre Plätze vorausbezahlt haben? Ein geistlicher Herr und zwei Frauenzimmer.

CRISTINA

eifrig

Das sind wir! Der geistliche Herr ist mein Onkel. Er ist gegangen, die Messe zu lesen. Er wird gleich zurück sein. Das hier sind unsere Sachen.

Der Barkenführer nimmt einen Teil von Cristinas Gepäck, trägt es nach rückwärts. Die abreisende Familie ergreift ihre Gepäckstücke und eilt auf die Barke zu, sich Plätze zu sichern. Pasca desgleichen, einen großen Pack tragend. Man sieht, wie sie sich um die Plätze streiten. Florindo, ohne Hut und Mantel, aber frisiert und vollständig angekleidet, kommt rasch aus dem Haus heraus und läuft zu den Streitenden hin.

CRISTINA

hält sich abseits links vorne und summt ihr Liedchen vor sich hin

. . . als wie an einem Faden.

BARKENFÜHRER

geht auf Cristina zu, zieht die Mütze

Ich soll sagen, daß die Barke für das Fräulein und ihre Begleitung reserviert bleibt. Der Herr dort hat alle übrigen Plätze bezahlt.

FLORINDO

vor dem Hause, ruft hinauf

Teresa! Meinen Hut, meinen Mantel, sofort!

TERESA

am Fenster

Sie läßt mich nicht.

ANTONIA

am Fenster

Ich lasse sie nicht. Du kommst herauf. Das tust du mir nicht an.

Florindo kehrt dem Hause ohne Antwort den Rücken.

CRISTINA

zu Pasca, die von rückwärts zu ihr kommt

Nun, hab ich recht?

FLORINDO

tritt schnell zu ihr

Worin recht, schönes Fräulein?

PASCA

Daß sie ein hübscherer junger Mann sind als alle ihre Verehrer, die sie in Venedig gehabt hat.

CRISTINA

versucht ihr den Mund zuzuhalten

Hat dich die Tarantel gestochen, du Hexe?

FLORINDO

Warum, schöne Cristina, sind Sie böse darüber, daß ich es erfahren soll, wenn ich Ihnen ein wenig gefallen habe, während ich vieles darum geben würde, Sie wissen zu lassen, wie reizend ich Sie finde?

CRISTINA

zu Florindo

Erstens, woher wissen Sie meinen Namen, mein Herr? Wir haben einander doch nie gesehen, und zweitens –

FLORINDO

einen Schritt näher

Zweitens?

CRISTINA

– zweitens ist von all dem gar nicht die Rede, sondern es kann nur davon die Rede sein, daß wir Ihnen sehr verbunden sein müssen,

Knixt

dafür, daß Sie uns die Reisegesellschaft vom Hals geschafft haben, und hauptsächlich wird Ihnen mein Onkel, der Herr Pfarrer von Capodiponte, sehr verbunden sein, denn er verträgt das Fahren auf dem Wasser schlecht. Aber es ist sicherlich eine große Unbescheidenheit, wenn wir es auf uns beziehen, denn natürlich sind Sie es gewöhnt, bequem zu reisen, und haben es um Ihrer selbst willen getan. Und Sie möchten uns wohl gerne auch los sein.

Antonia und Teresa auf dem Balkon.

ANTONIA

angstvoll

Ruf ihn um alles in der Welt, ruf ihn.

TERESA

nicht sehr laut

Florindo! Geh, Florindo!

FLORINDO

ohne es zu beachten, erwidert auf Cristinas Rede

Erstens glauben Sie selbst kein Wort von dem, was Sie da sagen, und zweitens –

PASCA

die vorkommt

Herr, ich glaube, man ruft Sie.

FLORINDO

ohne sich umzudrehen

Nicht im geringsten.

Fortfahrend zu Cristina

Zweitens habe ich die Barke sicherlich nicht zu meiner Bequemlichkeit gemietet, denn ich fahre gar nicht mit.

Cristina stampft zornig auf.

Und dafür wollen Sie mir zürnen, weil mir jedes Mittel recht war, das mir die Möglichkeit gab, mich Ihnen zu nähern? Ich stehe da oben und glaube zu träumen – und mich verzehrt das Verlangen, zu wissen: wer ist sie, wo kommt sie her, wo fährt sie hin?

CRISTINA

zu Pasca, die indessen einen Gang gemacht hat und nun wieder nach vorn kommt

Pasca, er fährt nicht mit.

Kehrt sich ab, macht sich mit ihrem Vogel zu schaffen.

FLORINDO

zu Pasca

Ich sehe, das Fräulein würdigt mich keiner Antwort. Aber Sie, gute Frau, werden um so viel menschlicher sein, als Sie älter und erfahrener sind. Ich höre, das Fräulein ist vom Lande hereingekommen, um sich zu vermählen. Vielleicht hätte ich »gnädige Frau« sagen müssen? Nein? Aber verlobt? Wie? Und ihr Bräutigam nicht da, um sie zu begleiten? Er muß krank sein, auf den Tod krank, der arme Mensch –

Cristina lacht.

FLORINDO

Spannen Sie mich nicht auf die Folter, liebe gute Frau, denn wenn ich annehmen dürfte, sie wäre frei –

CRISTINA

Was hat es für einen Zweck, wenn wir Ihnen noch so viel Fragen beantworten, da wir doch nach fünf Minuten Abschied nehmen und einander voraussichtlich nie im Leben wiedersehen werden? Und da kommt auch schon der Onkel.

Läuft dem Onkel entgegen, in die Gasse links.

PASCA

bemerkt, daß der fremde Bursche im Begriff ist, eines ihrer Gepäckstücke fortzutragen, stürzt ihm nach

Heda, Bursche! Das Stück da gehört zu unserem Gepäck. Paß auf, bevor du fremder Leute Sache auf deinen Karren lädst.

FLORINDO

sieht Cristina nach

Ich habe fünf Minuten vor mir. Grenzenlos. Man könnte mir geradesogut sagen, ich habe noch fünf Minuten zu leben. Ich fasse das eine ebensowenig wie das andere. Jetzt ist sie um die Ecke. Jetzt schiebt sich etwas dazwischen. Eine Mauer, ein Haus, der Tod, die Hölle, das blödsinnige Chaos. Ich kann nicht aushalten, sie nicht zu sehen.

Deckt sich die Augen mit der Hand.

Teresa tritt aus der Haustür mit Florindos Hut und Mantel. Hinter ihr Antonia, in unordentlichem Morgenanzug, das Haar in Papilloten.

ANTONIA

angstvoll

Wie er der Kreatur nachsieht! Er wird doch nicht – er wird doch nicht!

TERESA

Er wird, da sei du sicher.

FLORINDO

reißt die Hand von den Augen

Da ist sie wieder – wie sie alles anstrahlt – der alte Mann neben ihr sieht aus wie ein Heiliger – es könnten einem die Tränen in den Hals steigen über den letzten Straßenbettler, woferne er neben ihr ginge.

ANTONIA

flüsternd

Jetzt ist er allein. Geh doch hin. Fällt dir denn nichts ein, daß man ihn aufhalten kann? Eine Ausrede, ein rechter Streich? Tereserl, mein goldenes Tereserl, fällt dir denn gar nichts ein?

TERESA

Jetzt bin ich dein goldenes Tereserl. Sonst haust du mich fürs gleiche.

PASCA

bei Florindo, leise

Sie haben Bekanntschaft dort!

FLORINDO

Nicht der Rede wert. Es sind Verwandte, zwei Waisen.

PASCA

Man möchte mit Ihnen sprechen, scheints.

FLORINDO

Ich war früher zu Besuch bei ihnen. Von Zeit zu Zeit such ich sie auf. Christenpflicht! Im Vertrauen, liebe Frau, die eine davon ist krank.

PASCA

Krank?

FLORINDO

zeigt auf seinen Kopf

Beachten Sie sie gar nicht.

PASCA

Ja, an ihrem Blick ist etwas nicht richtig. So was seh ich gleich.

FLORINDO

Sie hat viel Unglück mit Männern gehabt.

PASCA

Ah, sie ist Witwe?

FLORINDO

zerstreut

Ja, fortwährend.

PASCA

Wie?

FLORINDO

Bitte sehen Sie gar nicht hin, das ist das Beste.

Er geht rasch auf Teresa zu, und indem er den Hut und Mantel sehr schnell an sich nimmt, flüstert er ihr scharf und in einem Ton, der keinen Widerspruch verträgt, zu

Und nun verschwindet ihr, schleunig, schleunig.

Dann geht er Cristina und dem Pfarrer entgegen, die im gleichen Augenblick von links auftreten.

Teresa drängt ihre Schwester ins Haus und schließt die Türe.

DER PFARRER

kommt mit Cristina von links, nimmt vor Florindo den Hut ab

Gnädiger Herr, ich habe Ihnen sehr zu danken.

FLORINDO

Hochwürdiger Herr, ich sehe, daß Sie mich für einen Edelmann halten. Aber ich bin einfach Schreiber bei einem Advokaten. Ein bescheidener, bürgerlicher Mensch.

CRISTINA

Ach, da bin ich aber sehr froh!

DER PFARRER

Warum bist du darüber froh, mein Kind?

PASCA

Nun, sie meint wohl, daß der Unterschied zwischen einem Advokatenschreiber und der Tochter eines reichen Pächters kein gar so großer sein wird.

Cristina

wird sehr rot

Schweig doch! Ganz einfach: ich bin nicht gerne in Gesellschaft von Leuten, die sich für mehr halten als ich bin. Nur so beiläufig gesagt. Denn ich weiß wohl, daß man auf der Reise mit allen möglichen Menschen zusammenkommt.

Der Pfarrer

Ja, meine liebe Cristina, wie du siehst, hat ja auch dieser Herr sich freigebig und großmütig uns gegenüber benommen, ohne zu wissen, wer wir sind.

Antonia und Teresa wieder am Fenster.

Cristina

ohne auf sie zu achten

Nun weiß ich doch, für was ich nach Venedig gegangen bin.

Pasca sieht sie an.

Cristina

Paß nicht auf, was ich rede.

Der Pfarrer

zu Florindo

Nein, wirklich, mein Herr, es geht nicht.

Florindo

Es geht nicht? Da es nur von einer Entscheidung abhängt, die Sie im Augenblick zu treffen die volle Freiheit haben?

Der Pfarrer

So kommt es Ihnen vor, junger Herr. Man ist niemals so frei, als es den Anschein hat. Auch in den unscheinbaren Dingen gibt es eine göttliche Ordnung, die man nicht ungestraft –

FLORINDO

Die Sie doch sicherlich nicht verletzen, wenn Sie Ihr Fräulein Nichte hier lassen. Im Gegenteil. Insofern Sie sich vorgesetzt hatten, durch den Aufenthalt des Fräuleins in der Stadt ein gewisses Ziel zu erreichen, so verletzen Sie ja selbst die von Ihnen selbst gesetzte Ordnung dieser Angelegenheit, wenn Sie diesen Aufenthalt so einrichten, daß er seinen Zweck unmöglich erfüllen kann.

DER PFARRER

Sie haben durchaus recht, mein Herr –

FLORINDO

Nun also, Herr Pfarrer, nun also!

DER PFARRER

Da wir aber nun einmal –

FLORINDO

Wie, Herr Pfarrer? Wo ich Sie in Gedanken so einsichtig, so weitherzig finde, sollte ich denken, daß Sie im Praktischen ein Starrkopf wären? Daß Sie diese übereilte Abreise nicht aufschieben werden, mir nicht die Ehre erweisen werden, in Gesellschaft der jungen Dame mit mir zu speisen?

DER PFARRER

Mein Herr –

FLORINDO

Erlauben Sie mir, daß ich Leute rufe, die im Fluge Ihre Koffer in Ihr Logis zurücktragen. Heda!

DER PFARRER

– mein lieber, junger Herr –

FLORINDO

Es wird sogleich geschehen.

Eine alte Frau anrufend, die herumlungert

Du sollst Leute herschicken, bist du taub?

ANTONIA

am Fenster hinter Teresa

Was tut er denn, was geschieht denn?

DER PFARRER

sanft abwehrend

Die kleinen Entscheidungen des Lebens, mein Herr, die kleinen, unscheinbaren Entscheidungen: da gilts jedesmal den Rubikon zu überschreiten, da heißt es: Hier ist Rhodus, hier springe. Aber wer sollte sich anmaßen, immer das Rechte zu treffen?

FLORINDO

Sag ich es nicht? Ihr Onkel ist ein Weiser, mein Fräulein! Ich hole selber Leute her! Dieser Koffer –

DER PFARRER

Halt, halt, mein Herr. Da eben gilt es: da gilts wie beim braven gehorsamen Pferd, den letzten Anzug des Zügels zu fühlen. Denn eine Hand am Zügel ist immer da. So lassen Sie uns nur gewähren, mein Herr, in unserer bescheidenen Ordnung oder Unordnung, und wenn es diesem guten Kinde bestimmt ist, auf der Heimreise den Gebieter ihres Lebens zu finden, so wird sie ihn auf der Heimreise finden, und vielleicht auch wird er eines schönen Tages aus dem Nachbardorfe auftauchen oder gar aus unserem eigenen Sprengel. Nicht wahr, Cristina?

Cristina

küßt ihm die Hand

Du hast in allem recht, Onkel, was du tust!

Der Pfarrer

Geh nur, mein Kind, unterhalte dich mit diesem Herrn. Ich will mich umsehen, ob alles in Ordnung ist. Im letzten Augenblick wollen wir dich rufen.

Geht mit Pasca zu der Barke.

Cristina

Der Onkel hat ganz recht. Was würde denn auch anders werden, wenn wir gleich ein halbes Jahr hier blieben? Haben mir nicht meine Bekannten alle gesagt, daß sie entzückt von mir sind, und jetzt hat nicht einmal ein einziger um fünf Uhr früh aufstehen wollen, um mir Lebewohl zu sagen.

Florindo

Pfui über den Lumpen, der Worte in den Mund nimmt, deren inneren Gehalt er nicht Manns genug ist, einmal im Leben durch und durch zu fühlen. Wenn ich entzückt bin – so wie ich mich

Einen halben Schritt näher, ganz nahe

an Ihnen entzücken könnte, einzig schönste Cristina –

Er hält inne

so fährt mir das Wort – das Wort allerdings nicht über die Zähne –

Er hält wieder inne.

Antonia

am Fenster hinter Teresa

Schau hin, was tut er denn? Er redet in sie hinein.

Teresa

Kneif mich nicht, kneif mich nicht!

Antonia

Erst sinds die Ohren. Rührt er ihre Hand an? –

Teresa

Au!

Stößt Antonia weg.

Florindo

wirft einen wütenden Blick über die Schulter nach den Mädchen, dann hüllt sein Blick Cristina ganz ein

– Aber die Essenz davon, das Ding selber, wovon das Wort nur die Aufschrift ist, die kocht und gärt in meinen Adern, die kann mich gelegentlich aus dem aufrechten Stehen hinwerfen, als wären mir die Bänder der Knie gelähmt, die macht aber vielleicht dafür einen Menschen aus mir, der mit geschlossenen Augen, wie ein Verzückter, ins Feuer oder ins Wasser läuft; einen Menschen, Cristina, der über der Seligkeit eines Kusses weinen kann wie ein kleines Kind, und wenn er im Schoß der Geliebten einschläft, von seinem Herzen geweckt wird, das vor Seligkeit zu zerspringen droht; der wie ein Nachtwandler über die abscheulichsten Abgründe des Lebens hin springt und nicht eine Sekunde eher in den schlaffen, erbarmenswerten Zustand der Wirklichkeit zusammensinkt, als bis –

Er schließt die Augen.

Cristina

Als bis er sein Ziel erreicht hat, meinen Sie doch? Aber Sie haben es ja noch nie erreicht, dieses Ziel. Also müssen Sie noch nie von einer Frau so sehr entzückt gewesen sein.

FLORINDO

Wie? Wie meinen Sie das?

CRISTINA

Nun, wenn Sie vom Ziel reden, da meinen Sie doch wohl nicht nur so mit einer beisammen sein und ihr den Hof machen, sondern Sie meinen doch das letzte Ziel.

FLORINDO

Allerdings meine ich das letzte, süße Cristina!

CRISTINA

Jetzt bin ich irre. Was verstehen Sie denn darunter?

FLORINDO

Muß ich Ihnen das sagen, Cristina? Ich denke, Sie verstehen mich sehr gut ohne Worte. Nicht wahr?

CRISTINA

Nun ja freilich, was könnten Sie auch anders meinen?

FLORINDO

Nicht wahr, zwischen dem Wesen, das entzückt, und dem Wesen, das fähig ist, Entzückung zu fühlen –

CRISTINA

Freilich, zwischen Mann und Frau, das ist doch ganz klar.

FLORINDO

Ich denke wohl, es ist klar. Wollten Sie ihm einen Namen geben?

CRISTINA

Nun, eine ordentliche Trauung in der Kirche, mit Zeugen und allem, wie es sich schickt.

FLORINDO

tritt zurück

Allerdings.

Er ist stumm.

CRISTINA

munter

Sehen Sie, jetzt wird Ihnen die Zeit mit mir schon lang, und die Bootsleute sind immer noch nicht fertig unten. Da dürfen Sie nichts über junge Herren sagen, die mir doch durch vierzehn Tage den Hof gemacht haben.

FLORINDO

Die Affen die, die Schmachtlappen!

CRISTINA

Sie schimpfen auf sie und kennen sie gar nicht. Wie würden denn Sie es machen?

FLORINDO

flüsternd

Fragen Sie mich das? Sind Sie wirklich dieses Kind? Worte sind gut, aber es gibt was Besseres.

Er faßt ihre Hand

Ich will das nicht reden.

CRISTINA

entzieht ihm die Hand wieder, ohne Heftigkeit

Natürlich. Es hat keinen Zweck, daß Sie mir das erzählen. Das verstehe ich schon, daß es was anderes ist, ob man was tut oder davon redet. Ach ja!

Der Pfarrer hinten ist beschäftigt, sich durch den Gehilfen des Barkenführers Geld wechseln zu lassen.

Florindo

vor sich

Der erste, der einzige sein. Ungeheuer!

Cristina

Aber sehen Sie, mein guter Onkel ist noch immer beschäftigt. Sagen Sie es mir doch immerhin, wie Sie es machen würden. Ich habe dann etwas, woran zu denken mich unterhalten wird.

Florindo

Meinst du, es käme mir ein, dazu einen Plan zu fassen? Wo ich ersticke in Rauch und Flammen, da finde ich den Weg zur Dachluke, und müßte ich wie die Katze mit den Nägeln eine lotrechte Wand hinauf. Bei dir sein, an dir hängen von früh bis Abend, von Abend bis Morgen – warum? Weil mein Leben wäre in dieser Sklaverei, mein Leben in dieser Eifersucht, denn ich wäre eifersüchtig, verstehen Sie mich, Cristina, zu eifersüchtig, zu maßlos begehrlich wäre ich, um Ihnen einen Atemzug zu erlauben, dessen Zeuge ich nicht wäre!

Der Pfarrer

kommt zu Cristina vor

Mein gutes Kind, hast du daran gedacht, dieser guten alten Frau, die dein Zimmer besorgt hat, ein kleines Geschenk zu machen? Ich sah sie dort stehen.

Cristina

Ich habe ihr gegeben, vielleicht gib du ihr noch etwas.

Zu Florindo, schnell

Sprechen Sie nur weiter.

Florindo

Ich würde mich an Sie klammern. Verstehen Sie, was das heißt?

Mit den Augen Ihre Augen suchen, bei Tag und bei Nacht.

DER PFARRER

kommt abermals

Meinst du, daß so viel genügen wird?

Zeigt Cristina einige Münzen in der hohlen Hand.

CRISTINA

O ja, Onkel, sicherlich.

FLORINDO

Bei Tag und bei Nacht.

CRISTINA

O weh, Herr! Wenn Ihre Geliebte Sie so reden hören könnte.

FLORINDO

Ich rede doch und bin sicher, Sie haben einen Freund.

CRISTINA

heftig

Nein!

FLORINDO

Vielleicht nicht hier, vielleicht zu Hause. Aber das schreckt mich nicht ab – ich könnte Sie in seinen Armen wissen und Gott danken, woferne ich nur wüßte, daß er Sie grenzenlos glücklich macht.

Der Pfarrer und Pasca sind eingestiegen.

PASCA

ruft

Cristina!

Cristina

Ich werde gerufen, ich muß gehen.

Florindo

Kann der Himmel so etwas zulassen? Sollen wir so aneinander vorbei?

Cristina

Was ist das für Sie! Aus den Augen, aus dem Sinn!

Florindo

Jedes Wort, jeder Blick bleibt da!

Er preßt seine Hand auf sein Herz.

Cristina

Ich weiß kein Wort von allem, was Sie geredet haben. Ich habe Sie immer nur angeschaut.

Florindo

nimmt ihre Hand

Süßer Engel! Wirst du mir schreiben?

Cristina schüttelt den Kopf.

Florindo

Nein? Keine Zeile, kein liebes, zärtliches Wort? Hartherzige! Pfui! Jetzt erkenne ich Sie. Kokett und prüde! Alles nehmen, nichts geben!

Der Pfarrer

in der Barke

Cristina, es ist die höchste Zeit!

Cristina

Geben? Ich möchte Ihnen alles geben, was ich habe. Ich komme schon, lieber Onkel, ich komme.

Florindo

Alles? Ja? So schreibe nur, und ich schreibe wieder.

Cristina

Capodiponte heißt das Dorf, über Ceneda kommt man hin.

Florindo

Du schreibst mir, Süße! Meine Adresse! Da!

Will hastig ein Blatt aus seinem Notizbuch reißen.

Cristina

O weh!

Florindo

Du willst nicht, böses Herz?

Cristina

Mein Gott!

Florindo

Sag ja!

Preßt ihre Hand an die Lippen.

Cristina

Küssen Sie nicht die Hand, sie ist es nicht wert. Sie hat nicht gelernt zu schreiben. Ich werde fort sein und dann auch ganz fort. Wie wenn ich tot wäre.

Florindo nagt die Lippen vor Zorn.

Cristina

Ein letztes gutes Wort!

Nach rückwärts

Ich komme!

FLORINDO

Ich habe vor dieser Stunde nicht gewußt, was es heißt, ein Wesen liebhaben. Ich laß dich nicht.

CRISTINA

reißt sich los

Und ich könnte Sie recht liebhaben, wenn Sie mein Mann wären.

Reißt sich los, läuft zum Boot.
Florindo ihr nach, bietet ihr die Hand zum Einsteigen.

ANTONIA

am Fenster, hinter Teresa

Steigt er zu ihr ins Boot? O mein Gott, dann hat er sie auch. Ich weiß doch, wie wir sind.

Beide gehen vom Fenster weg.

Florindo behält Cristinas Hand, solange es möglich ist. Dann, wie das Schiff sich längs des Ufers hinschiebt, berührt er noch, auf dem Boden knieend, vornübergebeugt, den Rand des Schiffes. Als ihm auch dieser entgleitet, kauert er noch eine halbe Sekunde wie betäubt. Dann rafft er seinen Mantel zusammen, drückt seinen Hut in die Stirn, und ohne sich nochmals umzuwenden, will er fort, nach rechts hin. Antonia und Teresa treten aus dem Hause. Antonias Blick ist unverwandt auf Florindo gerichtet.

FLORINDO

wie er sie sieht, wirft ihr einen halb zerstreuten Blick zu und wechselt die Richtung, ihr auszuweichen. Dann kehrt sich sein Blick wieder ganz nach innen. Er wiederholt vor sich

Ihnen alles, was ich habe –

und drückt sich in Wut den Hut tief in die Stirne. Ein Bube kommt gelaufen mit einem Brief von links her, geradewegs auf Florindo zu.

Bube

Da finde ich Sie endlich, Herr Florindo. In der ganzen Stadt laufe ich Ihnen nach. Von einem Spielsaal, einem Kaffeehaus in das andere.

Florindo beachtet ihn gar nicht.

Alle Leute habe ich nach Ihnen gefragt. Überall haben wir Vermutungen angestellt, wo Sie könnten übernachtet haben. So nehmen Sie doch meinen Brief. Er ist von der Dame, Sie wissen schon, von welcher.

Florindo

Ich weiß von keiner Dame.

Er blickt sich zweimal jäh nach dem Meer und der Barke um.

Bube

Bei der Sie bis vor zwei Wochen fast jeden Vormittag verbracht haben, wenn unser Herr, der Advokat, bei Gericht zu tun hatte.

Florindo

Ich weiß von keiner Dame.

Bube

Das ist stark. Bin ich es nicht selber, der Ihnen immer die Türe aufmachte?

Florindo

höhnisch

So?

Er nimmt den Brief.

Bube

Nun also!

Florindo schmeißt ihm den Brief vor die Füße.

Soll ich das ausrichten?

FLORINDO

Du kannst ausrichten, daß ich mich empfehlen lasse und daß ich im Begriffe bin, abzureisen.

BUBE

Gut! Schön! Sie sind im Begriffe, abzureisen! Meinetwegen! Aber Sie haben eine Zeit vor sich. Sie reisen nicht in dieser Stunde ab.

Er hebt den Brief auf und präsentiert ihn aufs neue.
Florindo will fort, der Bube hängt sich an ihn.

FLORINDO

packt ihn an der Schulter

Wer sagt dir, daß ich nicht in dieser Minute abreise?

Er wirft den Buben zu Boden, reißt sich den Hut vom Kopfe, winkt damit gegen die Barke hin und schreit

Achtung!

ANTONIA

Was macht er denn?

Versteht seine Absicht und schreit auf.
Florindo nimmt einen kurzen Anlauf und springt.

TERESA

zu Antonia

Was schreist du? Du wirst es doch wissen, daß der einer hübschen Person nichts abschlagen kann.

Antonia kehrt ihr Gesicht gegen das Meer.
Aufschreie in der Barke.

TERESA

sieht hin

Er ist drin! Was weiter! Der kommt schon wieder!

Vorhang.

ZWEITER AKT

Vorsaal im Gasthof zu Ceneda. Der Hintergrund offen auf die Treppe. Rechts zwei Zimmertüren. Links mündet ein Korridor, der zu anderen Gastzimmern führt. In der Mitte des Saales eine lange Wirtstafel, gedeckt für zehn oder zwölf Personen. Vorne links ein kleiner Tisch an der Wand, nicht gedeckt.

Abendstunde, kurz vor dem Lichteranzünden. Der alte Romeo und ein Bursche tragen die aus dem ersten Akt bekannten Gepäckstücke nach links hin. Sie kommen später wieder zurück.

FLORINDO

gefolgt von dem Hausknecht, tritt von rückwärts auf. Eilig

Den Gartensalon mag ich nicht! Ihr hattet doch immer noch ein nettes Zimmer, wo ich immer mit meinen Gästen zu Abend aß.

HAUSKNECHT

Wie soll ich wissen, wo Sie immer –

FLORINDO

sieht sich um

Dort, richtig!

Öffnet die Tür weiter rückwärts rechts

Ausräuchern da! Die Fenster aufmachen! Einen ordentlichen Spiegel hinein!

WIRTSSOHN

ist unterdessen von rückwärts eilig gekommen

Wenn Sie gehört hätten, Herr Florindo, wie der Vater sich gefreut hat –

FLORINDO

Eure besten Möbel. Euer bestes Tischzeug. Vier Gedecke! Kerzen, soviel Ihr Leuchter auftreiben könnt.

Hausknecht zeigt auf die Wirtstafel, brummt etwas.

WIRTSSOHN

halblaut

Wie der Herr Florindo befiehlt, so wirds gemacht.

Hausknecht zuckt die Achseln.

FLORINDO

Dieses Zimmer daneben nehme ich für mich.

Geht hinein, wirft seinen Mantel ab, kommt gleich wieder heraus.

Der alte Romeo und der Bursche sind dazugekommen. Auch noch andere Hausburschen. Möbel werden aus dem rückwärtigen Zimmer heraus und andere in dasselbe hineingeschleppt, Spiegel, Stühle usw.

FLORINDO

Wasser, ich will mir die Hände waschen.

HAUSKNECHT

übellaunig

Wasser gibts in jedem Zimmer.

FLORINDO

zum Wirtssohn

Welches Zimmer habt Ihr dem Herrn Abbate gegeben?

WIRTSSOHN

Wie Sie befohlen haben, das Eckzimmer dort hinten im Korridor. Das schöne Fräulein, seine Nichte, hat das Zimmer gegenüber.

FLORINDO

tritt zurück, sieht hin, dann den Hausknecht packend

Ein Waschbecken hierher.

Hausknecht geht in das vordere Zimmer, bringt ein Waschbecken und ein Handtuch. Florindo läßt es ihn halten, wäscht sich die Hände.

WIRTSSOHN

indessen

Wenn Sie gehört hätten, Herr Florindo, wie der Vater sich gefreut hat, daß Sie uns wieder einmal beehren. Wenn ihn etwas gesund machen könnte, hat er gesagt, so wären es solche Gäste. Und was denn diesmal für schöne Damen in Ihrer Begleitung wären, hat er gefragt. Und hat sich halb totlachen wollen, wie ich ihm gesagt habe, daß es ein Landgeistlicher und seine bäurische Verwandtschaft ist, für die Sie das Souper mit Champagner und Fasanen geben. Wenn Sie weiter keine Befehle hätten, so würde ich unterdessen den Wein aus dem Keller holen.

FLORINDO

trocknet sich die Hände

Gut, oder vielmehr, warten Sie. Wie macht Ihr hier den Salat?

WIRTSSOHN

Sie werden nicht unzufrieden sein.

FLORINDO

Nichts, Sie sind mir zu jung. Das Küchenmädchen will ich sehen, die den Salat macht. Herauf mit ihr.

Hausknecht trägt indessen das Waschzeug ab, kommt sogleich wieder.

Wirtssohn

Sofort!

Läuft ab.

Florindo

zum Hausknecht

Musik brauche ich. Ein Quartett, das sich hören lassen kann.

Hausknecht steht stocksteif.

Der alte Romeo, einen großen Spiegel auf dem Rücken, hat sich diensteifrig genähert, hört zu.

Florindo

zum Hausknecht

Vier Musikanten brauche ich! Setze dich in Bewegung.

Schüttelt ihn.

Hausknecht

Gibts hier nicht!

Der alte Romeo

Lassen Sie mich die Musikanten besorgen. Lassen Sie mich die Ehre haben, Sie zu bedienen. Ich kenne Ihren Geschmack in jeder Beziehung. Sie haben hoffentlich die Güte, sich des alten Romeo zu erinnern?

Florindo

Was, du bist ja der Vater der drei hübschen Mädchen?

Romeo

Zu dienen. Lassen Sie mich die Ehre haben. Ich bringe Ihnen das Quartett zusammen.

Lädt unversehens dem mürrisch dastehenden Hausknecht den Spiegel auf den Rücken

Der sonst die erste Violine spielt, ist allerdings krank. Aber meine älteste Tochter Lucretia steht unter der Protektion eines herrschaftlichen Kammerdieners, und dieser Herr hat einen Neffen, der ein ganz vorzüglicher Virtuose ist. Ich eile – nur die obligate Flöte, falls Sie diese befehlen, wird schwer zu finden sein.

FLORINDO

wirft ihm Geld zu

Hoffentlich hat deine jüngste Tochter einen obligaten Liebhaber, der die Flöte spielt.

ROMEO

Sie scherzen, Hochverehrter. Meine Tochter Annunziata ist im Augenblick nicht in der Lage. Sie hat vor acht Tagen reizenden Zwillingen das Leben geschenkt und befindet sich, den Umständen angemessen, wohl.

Zum Hausknecht

Sogleich, mein Freund.

Zu Florindo

Meine Töchter, Herr Florindo, wetteifern in der Verehrung für Sie. Da sie sich alle drei rühmen, Ihre nähere Bekanntschaft genossen zu haben, so geraten sie oft in Streit darüber, welche sich in dieser Beziehung einen Vorzug zuerkennen dürfte. Und meine Tochter Lucretia nennt Sie nie anders als ihren Doyen, und das mit vollem Recht. Denn Sie waren, Herr Florindo, der erste in der Reihe ihrer verehrungswürdigen Beschützer.

Zum Hausknecht

Sogleich.

Zu Florindo

Ich eile, Ihnen die Musik der Sphären zu Füßen zu legen.

Eilt ab.

Das Küchenmädchen ist aufgetreten.

Hausknecht, den Spiegel auf dem Rücken, will Romeo aufhalten.

FLORINDO

Halt, jetzt geht der.

Hausknecht, sehr unwillig, entlädt sich des Spiegels, lehnt ihn gegen die Wand.

Küchenmädchen knixt vor Florindo.

FLORINDO

Du bist es, die den Salat macht. Du bist ja die Agathe.

KÜCHENMÄDCHEN

Immer zu Ihrem Befehl.

FLORINDO

Du erinnerst dich meiner?

KÜCHENMÄDCHEN

Wie sollte denn das sein –

FLORINDO

Wie? nicht?

KÜCHENMÄDCHEN

Wie sollte denn das sein, daß ich mich nicht an Sie erinnern täte?

FLORINDO

Also Agathe, wie wird der Salat für mich gemacht?

KÜCHENMÄDCHEN

Für den Herrn Florindo der Salat, in den kommt das Weiße von acht Eiern, nicht zu fein geschnitten. Den Essig, bevor er auf die Eier kommt, gieße ich auf eine Aromate aus, die ist aus einem Lorbeerblatt, einem Zweiglein Thymian, einer

Zehe zerdrückten Knoblauch, einigen zerdrückten Pfefferkörnern –

FLORINDO

Cayennepfeffer, keinen anderen.

KÜCHENMÄDCHEN

– und eine Prise Salz. Dann mache ich einen feinen Brei, da kommt hinein Pimpernellen, Kerbelkraut, Schnittlauch, Sardellen, spanische Zwiebel.

FLORINDO

Es ist gut. Du bist ein sehr braves Mädchen.

KÜCHENMÄDCHEN

Bei dem Salat haben Sie mir einmal geholfen, Herr Florindo!

FLORINDO

Ich hab es nicht vergessen.

KÜCHENMÄDCHEN

Wie gut Sie sind, danke vielmals.

FLORINDO

Denke an damals und lasse alle, die davon essen, spüren, daß du ein gefühlvolles Mädchen bist.

KÜCHENMÄDCHEN

Danke vielmals!

Läuft ab.

HAUSKNECHT

Wünschen Sie vielleicht noch jemand vom Personal zu sprechen?

FLORINDO

Vorläufig nicht, auch du kannst verschwinden.

Hausknecht zuckt die Achseln, geht.

Pasca kommt die Treppe herauf, ohne Atem.

FLORINDO

Die liebe Pasca, und ohne ihr Fräulein!

PASCA

Zu der will ich eben. Und da muß ich einen solchen Schreck erleben. An mir zittert jedes Glied.

FLORINDO

Herrgott – Cristina ist etwas zugestoßen?

PASCA

Der? Mir ist er nach, im stockdunkeln Hausflur. Hinter einer Ecke hervor. Das Hinfallende könnte eins bekommen von solchem Schreck.

FLORINDO

Wer denn? Wer ist Ihnen nach?

PASCA

Wer? Der leibhaftige Teufel! Der Gelbe, von dem wir Ihnen erzählt haben, der von heute nacht.

FLORINDO

Pedro? Der aparte Diener des guten Kapitäns? Wie kämen die hierher? Sie müßten Extrapost genommen haben.

PASCA

Meinen Sie, so was braucht den Postwagen? Ich meine, so was fährt durch die Luft in einer Wolke von Stank und Schwefel.

– Auf einmal spür ich, es ist etwas hinter mir. Ich will laufen, ich will die Treppe hinauf, da nimmts mich von rückwärts, tut seine Arme um mich und grinst mir über die Schulter. Jesus, Maria und Josef, wie ich nur losgekommen bin? Wie ich nur heraufgefunden habe?

FLORINDO

Die gute Pasca! Wie hat ers gemacht? So? Ich kanns begreifen.

PASCA

Herr Florindo, wenn das ein Christenmensch tut oder gar ein hübscher junger Herr wie Sie, aber so ein Tier! So ein gelber Teufel mit Wolfzähnen.

FLORINDO

Was das betrifft, der Pedro hat ganz hübsche Zähne und ist getauft wie Sie und ich. Fragen Sie den Kapitän.

PASCA

Da sei Gott vor! Mein Erlöser, was bringen denn die da geschleppt?

FLORINDO

Die richten das Zimmer her, in dem wir soupieren werden.

PASCA

Gar ein Extrazimmer. Nicht an der Wirtstafel? Gehts so hoch her? Sind wir denn wirklich Ihre Gäste?

Leuchter werden vorbeigetragen, einige angezündet.

FLORINDO

ruft hin

Ich will mehr Kerzen! Unter dem Spiegel, auf die Konsolen.

Bursche

Es kommen noch! Sie können noch zwei Armleuchter haben.

Florindo

Zwei Armleuchter! Ich will ihrer zwei Dutzend. Wenn ihr sie nicht habt, so schafft sie. Die Stummeln da hier herein in mein Zimmer. Die sind gut für die Musikanten, nicht für meinen Tisch.

Pasca

Musikanten haben Sie auch bestellt? Ja, soll es denn werden wie auf einer Hochzeit, Herr Florindo?

Starrt ihn an.

Florindo

Da hinein die Leuchter! Hier hinein setze ich das Quartett, in mein Zimmer.

Pasca

Tafelmusik so mir nichts, dir nichts? Meinen Sie, das Mädel ist eine Gräfin?

Florindo

Ich kenne keine Gräfin, die wert wäre, ihr die Schuhriemen aufzulösen, und für was halten Sie mich, wenn Sie mir zumuten, daß ich eine Dame mit Wein bewirte ohne Musik dazu? Beide zusammen sind sie erst etwas. Beide zusammen freilich sind sie recht viel. – Denn es kommt ihnen nichts darin gleich, wie sie Gottes Geschöpfe einander nahebringen – und Gottes Geschöpfe

Er geht ein paar Schritte auf sie zu, sieht ihr von ganz nahe in die Augen

sind in wundervoller Weise geschaffen, einander nahe zu kommen.

Es werden einige Armleuchter brennend durchgetragen.

So recht. Aber ich will noch mehr. Ich will doppelt so viele. Taghell will ich das Zimmer.

Er rührt Pasca leise an

Pasca, wenn ich denke, daß ich sie noch nie bei Kerzenlicht gesehen habe – ein Tag, Pasca – ein Tag, Pasca! Holen Sie sie mir, liebe Pasca – holen Sie sie doch.

Wirtssohn erscheint draußen mit einem Korb Bouteillen.

FLORINDO

Nein, halten Sie sie noch auf. Da steht der Wirt mit den Bouteillen, ich habe noch was anzuordnen. Aber dann bringen Sie mir sie. Dann –

Er hält ihre Hand

Sind das die Hände, mit denen Sie sie aufgezogen haben? Ich muß sie küssen.

Er tut es leichthin, springt ab, kommt gleich wieder

Sagen Sie ihr nichts von der Musik. Es soll eine kleine Überraschung sein.

Springt ab.

PASCA

Einen solchen Menschen habe ich freilich noch nicht gesehen. Gebe Gott, daß er es ehrlich mit uns meint. – Soviel Zimmer und überall Nummern darauf.

Ruft Cristina.

CRISTINA

kommt von links heraus

Bin da! Wo ist er?

PASCA

Der Herr Pfarrer? Ist er nicht zu den Hochwürdigen ins Kloster hinüber?

CRISTINA

Ich frage nicht um den Onkel.

PASCA

sieht sie an

Der Herr Florindo ist dort hinunter.

Cristina will wie schlafwandelnd gegen die Treppe hin. Pasca ruft sie an, halb unwillkürlich, wie um sie zu wecken

Du! Du!

CRISTINA

sieht sie an, wie aus dem Traum, noch halb im Gehen

Was?

PASCA

Fragst du? Wohin wollen deine Füße jetzt?

CRISTINA

Ja so!

PASCA

So hab ich dich nie gesehn!

CRISTINA

nickt

Ja! Ja!

Wie im voraus aller Einreden müde

Jetzt wirst du mir sagen, daß ich ihn erst seit heute morgen kenne. Daß es ein wildfremder Mensch ist – es steckt gar kein Sinn hinter diesen Redensarten. Oder wenn einer dahintersteckt, so kann ich ihn jetzt nicht herausfinden.

PASCA

Mutter Maria, dich hats. Wie hättest du dich lustiggemacht noch gestern abend, noch heute in der Früh – Gebe Gott –

CRISTINA

Laß! Was hat er mit dir gesprochen?

PASCA

Er sagt ja freilich, daß er mit dem Gedanken umgehe zu heiraten. Daß er schon öfter gesucht hätte, schon öfter ganz nahe daran gewesen wäre.

CRISTINA

Nicht was er im Wagen gesprochen hat, davon steht jedes Wort vor mir, als wenn ichs gedruckt sähe. Was er jetzt mit dir gesprochen hat, will ich wissen.

PASCA

Allerlei Liebes und Gutes. Denk dir, er hat mir –

Sie sieht auf ihre Hand.

CRISTINA

Wiederhol nichts. Ein anderer bringts nicht so heraus wie er. Was war das letzte?

PASCA

Daß er dich noch nie bei Kerzenlicht gesehen hat.

CRISTINA

Beim Licht einer Kerze –

Sie zittert ein wenig

Hat er so gesagt?

Sie sieht mit großen Augen ins Licht der einen Kerze, die dasteht auf einem kleinen Gueridon an der Wand rechts. Dann löscht sie sie plötzlich aus, heftig, wie in Angst

Komm! Ich will fort. Die Leute sollen uns einen Wagen einspannen.

PASCA

Was hast du denn auf einmal?

CRISTINA

Fort, schnell! Ich will nach Haus.

PASCA

Kind Gottes, morgen früh fahren wir nach Haus, so Gott will. Jetzt übernachten wir hier. Was möchte der Herr Pfarrer denken?

CRISTINA

Ja, der alte Mann ist müde, der muß hier schlafen.

Ein kleines Schweigen.

Mir ist schwindlig.

PASCA

Das ist kein Wunder in dem Halbdunkel. Komm, wir wollen auf die Luft.

CRISTINA

Hinunter? Da begegnen wir ihm.

PASCA

Willst ihm denn nicht begegnen?

CRISTINA

Merk nicht auf, was ich rede.

PASCA

Also komm ins Zimmer. Wir machen uns Licht. Setzen uns hin, bis der Herr Pfarrer zurückkommt.

Der Kapitän ist von rückwärts aufgetreten, erblickt Cristina, bleibt diskret an der Eingangstür stehen.

CRISTINA

Ins Zimmer? Dort ist er nicht. Dort kommt er auch nicht hin. Was soll ich denn dort?

PASCA

zieht sie fort

Komm nur. Er hat Wein bestellt, Champagner, ich weiß nicht was. Daß du mir nicht mehr als ein Glas trinkst.

CRISTINA

halb für sich

Wein? Was soll mir noch Wein tun oder nicht tun?

Sie gehen links ab.

Kapitän ist links vorgekommen, steht ihnen im Weg, macht ehrerbietig Platz.

KAPITÄN

für sich

Die sind da hier. Verdamm mich Gott, das macht mir Vergnügen.

FLORINDO

schnell von unten, gefolgt von dem Wirtssohn, der ein Licht in der Hand hat, und dem alten Romeo, der einen großen Marktkorb voll Blumen trägt

Sind die Geiger noch nicht da?

ROMEO

Sie kommen, sie kommen.

Florindo geht nach rechts.

KAPITÄN

links vorne

Was? Der ist auch da?

Florindo, schon in der Tür des Zimmers rechts rückwärts, sieht hin, erkennt den Kapitän, geht aber ins Zimmer.

Erkennt er mich nicht? Oder will er mich nicht erkennen? Den gleichen Gedanken mochte das junge Mädchen über mich gehabt haben. Wie hätte ich mich da schicklich betragen müssen?

Die vier Musiker, geführt vom Hausknecht, kommen herein.

HAUSKNECHT

macht ihnen die Türe des vorderen Zimmers rechts auf

Da!

Hinter ihnen ist Pedro eingetreten. Er scheint Pasca nachzuspüren. Sieht seinen Herrn.

PEDRO

Oh, mein Kapitän!

KAPITÄN

Ich möchte wetten, du weißt, was für Damen dahier sind.

PEDRO

grinst

Nummer eins, schöne mager-fette Witwenfrau, wo ich letzte Nacht hochachtungsvoll geträumt habe meine Verheiratung auf sie.

Indessen kommt der Pfarrer von rückwärts herein, grüßt höflich die beiden Gestalten, die ihm den Rücken kehren, und geht links ab.

KAPITÄN

Daß es eine Witwe ist, hat er schon herausbekommen. Aber daß er mir was melden würde, daran denkt die Kreatur nicht. Die Kreatur versteht es nicht besser, sie muß belehrt werden.

Sehr gütig

Die Damen sind unsere Bekannten seit der letzten Nacht, da sie uns mit ihrem Gespräch beehrt haben. Es ist unter Europäern Sitte, seine Bekannten jederzeit, wo er ihnen begegnet, in schicklicher Weise zu begrüßen. Als mein Diener hast du den Bekannten deiner Herrschaft Reverenz zu erweisen. Solltest du früher als ich ihnen begegnet sein oder sie von weitem wahrgenommen haben, so hast du mich von ihrer Anwesenheit zu verständigen.

PEDRO

grinsend

Ich habe verstanden.

Florindo tritt mit dem Wirtssohne aus dem rückwärtigen Zimmer rechts, wirft einen flüchtigen Blick auf den Kapitän, geht, als bemerke er ihn nicht, mit dem Wirtssohn redend, rasch in sein Zimmer rechts vorne. Man hört drinnen die Musikanten stimmen.

KAPITÄN

steht links

Es scheint, der junge Herr hat genug von mir. Er will mich partout nicht sehen.

Pedro, sobald er Florindo wahrgenommen hat, winkt und zeigt seinem Herrn eifrig den Bekannten. Da der Kapitän stocksteif stehenbleibt, stößt Pedro vor Ungeduld ein knurrendes »Oh« aus, fast wie ein Hund, und zupft den Kapitän am Ärmel. Dann läuft er zu Florindo hinüber, erwischt diesen, der eben in die Türe treten will, und begrüßt ihn mit Verbeugungen, auf seinen Herrn deutend.

FLORINDO

mit großer Leichtigkeit

Kapitän – So sind Sie es wirklich? Mir war fast so. Es ist dunkel hier.

Hausknecht kommt von rückwärts, stellt zwei Leuchter auf den Tisch.

KAPITÄN

Guten Abend, Herr Florindo. – Ja. – Ich wollte Sie nicht stören, Herr.

Tritt weg, gibt Pedro einen Tritt

So war es nicht gemeint.

Pedro zieht sich verwundert und gekränkt zurück, interessiert sich aber sogleich für die Geräusche, die durch die geschlossene Tür herausdringen.

FLORINDO

einen Schritt dem Kapitän nach

Sie sind mir böse, Kapitän.

KAPITÄN

Um welcher Sache willen sollte ich das sein, Herr?

FLORINDO

Ich dächte, das wissen wir beide recht gut. Um der Sache von gestern abend. Aber ich muß eben sagen: als ich hineinging –

KAPITÄN

Herr, ich meine, Sie sind hineingegangen, um mir einen freundlichen Dienst zu erweisen. Dafür danke ich Ihnen, Herr.

FLORINDO

Meiner Seel, so wars, und dann –

KAPITÄN

Dann sind Sie auf eigene Rechnung droben geblieben. Das Frauenzimmer ist verliebt in Sie. Sie sind ein junger Mann, Herr, was soll ich mich da wundern?

FLORINDO

Das würde mich freuen! Erinnern Sie sich auch nur. Ich rief Ihnen noch zu: Kommen Sie mit!

KAPITÄN

Erinnere mich. Und dann riefen Sie: Sie hätten mitkommen müssen. Sie hatten immer verdammt recht mit allem, was Sie riefen, Herr.

FLORINDO

Ja, aber als ich rief: Kommen Sie mit, warum um alles in der Welt, Kapitän, sind Sie denn dann nicht mitgekommen?

KAPITÄN

Die Frage, Herr, kann ich Ihnen beantworten, wenn Sie mich verstehen wollen, Herr. Ich habe fünfunddreißig Jahre lang da drüben gelebt wie ein Vieh, lieber Herr. Aus der Hand in den Mund, wenn Sie begreifen wollen, was das heißt. Und da hatte ich mir vorgesetzt, das sollte ein Ende haben. Hier bin ich in Europa, mir sagt das etwas, Herr! Hier ist eine höfliche Andeutung ebensoviel wert wie drüben ein Messerstich in die Rippen.

FLORINDO

Aber es war wirklich mein Wunsch –

KAPITÄN

Immerhin, Herr. Ich habe es verfehlt. Ich werde es noch öfter verfehlen, ich wünsche mir, es lieber nach dieser Seite zu verfehlen als nach der entgegengesetzten, das ist alles, was ich mir wünsche.

Er lacht gutmütig.

FLORINDO

Wirklich? Sind Sie mir nicht böse? Das freut mich von Herzen, Kapitän.

KAPITÄN

Herr, die Sache war danach, daß einer unter Umständen hätte ärgerlich sein mögen, und dann wäre er vielleicht versucht gewesen, auf Sie ärgerlich zu sein. Aber ich war ganz und gar nicht ärgerlich, Herr.

Reicht ihm die Hand

Wollen Sie mit mir zu Nacht essen, Herr?

FLORINDO

verlegen

Mein lieber Kapitän –

KAPITÄN

Sie haben keine Lust, gut, Herr!

FLORINDO

Ich habe selbst Gäste, das ist es. Aber –

KAPITÄN

Sie sollen sich nicht stören, Herr.

FLORINDO

Auf nachher, wenn ich Sie dann noch finde.

Geht ab, nach links.

Kapitän geht auf und nieder. Zieht seine kleine Pfeife heraus, raucht. Hausknecht stellt Flaschen auf den Tisch. Pedro horcht mit großem Interesse auf das Stimmen. Der Bediente der fremden Herrschaft tritt auf. Er hat ein feistes Gesicht, einem Kirchendiener nicht unähnlich.

BEDIENTER

Meine Herrschaft läßt fragen, wo für sie gedeckt wird.

Hausknecht weist stumm auf die Wirtstafel.

Wir wünschen nur eine einzige Fleischspeise und etwas Gemüse. Den Wein führen wir selbst mit uns.

Hausknecht schweigt.

Haben Sie mich verstanden?

HAUSKNECHT

Ich bin nicht taub.

Bedienter geht.

KAPITÄN

zum Hausknecht

Was werde ich essen?

HAUSKNECHT

Was kommen wird.

KAPITÄN

nickt gutmütig

Wird es bald kommen?

HAUSKNECHT

Sie werden schon sehen.

KAPITÄN

nickt

Wer ist die Herrschaft, die noch zu Tisch kommen wird?

HAUSKNECHT

Nummer dreizehn.

KAPITÄN

Was ist Nummer dreizehn?

HAUSKNECHT

Das Zimmer mit zwei Betten über dem Hühnerstall.

Der fremde alte Herr kommt, in das Mädchen eingehängt und von dem Bedienten unterstützt. Er sieht sonderbar und ärmlich, aber vornehm aus. Sie nehmen Platz am rechten Ende der Wirtstafel. Bedienter zieht aus der Tasche ein Fläschchen mit Wein und schenkt dem alten Herrn einen Finger hoch ein, desgleichen dem Mädchen. Der Wirtssohn tritt eilig auf, geht eilig links hinüber.

Kapitän hat höflich seine Pfeife fortgetan, setzt sich ans rechte Ende der Tafel. Pedro stellt sich hinter ihn, wie der andere Bediente hinter seinem Herrn steht. Er setzt Brillen auf, die er vorher geputzt hat. Hausknecht stellt eine große Suppenterrine, die er im Treppenhaus in Empfang genommen hat, auf die Anricht. Pedro serviert seinem Herrn. Wirtssohn kommt eilig von links, läuft ins rückwärtige Zimmer rechts. Gleichzeitig fängt die Musik zu spielen an.

Von links kommen Pasca und Cristina, hinter ihnen Florindo, der höflich auf den Pfarrer wartet, der einige Schritte hinter ihm zurück ist. Sie gehen vor der Wirtstafel über die Bühne. Als die Musik anfängt, bleibt Cristina freudig erschrocken stehen und schlägt wie ein Kind die Hände zusammen. Florindo springt vor, ergreift ihre Hand und führt sie aufs Zimmer zu, dessen Flügeltüren aufspringen. Strahlendes Licht fällt heraus. Man sieht den schön gedeckten Tisch, mit Lichtern und Blumen. Kapitän, als er Cristina erblickt, steht auf und verneigt sich.

PEDRO

als er des Pfarrers ansichtig wird, hält im Servieren inne. Stellt den Teller, den er gerade in der Hand hatte, auf den Tisch und gibt lebhaft Zeichen von Freude. Da der Pfarrer ihn zuerst nicht bemerkt

Oh, die Hohe Würde. Ich bin Don Pedro – der junge christliche Freund.

Ergreift die Hand und schüttelt sie

Hier ist mein Kapitän. Mein Kapitän wird brüllende Freude empfinden.

DER PFARRER

Es ist gut, mein Sohn, ich erkenne Sie wieder. Es ist gut, mein Freund, aber ich muß –

Florindo, Pasca, Cristina in der Tür umgedreht, erstaunt. Pfarrer macht sich los, folgt den andern. Alle gehen hinein.

PEDRO

will ihnen nach

Die Hohe Würde muß sich schütteln mit meinen Kapitän.

Kapitän faßt ihn, zieht ihn zurück. Pedro gekränkt

Mein großer Freund! Nummer eins, heiliger Mann!

KAPITÄN

hat sich wieder gesetzt

So war es nicht gemeint! Verdamm mich Gott, verdamm mich Gott!

PEDRO

salviert sich

Der Herr ist meine Bekanntschaft. Ich habe gegrüßt. Ich habe in europäischer Weise zudringliche Freude geäußert.

WIRTSSOHN

eilt aus dem Zimmer rechts heraus, geht an die Anrichte hin

Es soll für hinein sehr schnell serviert werden, befiehlt der Herr Florindo.

KAPITÄN

an seinem Platze, seufzt

Merk auf: wenn jemand verhindert ist, verstehst du mich, beschäftigt, verstehst du mich, in Gesellschaft, verstehst du mich? Kurz und gut – es gibt Mittel genug, in einer schweigenden Weise seine verdammte Hochachtung auszudrücken. Hast du nie etwas von einer stummen Verbeugung gehört? Kann man nicht in hübscher, respektvoller Weise beiseitetreten, nicht in einer manierlichen Art andeuten, daß man sehr wohl die Ehre hat – aber nicht zu stören wünsche?

PEDRO

nickt, hat aber nur den anderen Bedienten beobachtet, ruft
Oh! Meinen Kapitän sein Bratenfleisch.
Läuft dann hin, dem anderen Bedienten, der schon seiner Herrschaft servieren will, die Schüssel zu entreißen. – Indessen servieren der Wirtssohn, hinter ihm ein junger Bursche, hinter diesem der Hausknecht, alle drei dicht hintereinander und sehr eilig ins Zimmer hinein. Pedro serviert seinem Herrn.

KAPITÄN

neugierig auf eine der Schüsseln, die vorübereilt
Was ist das?

WIRTSSOHN

ohne sich aufzuhalten
Alles extra, alles persönliche Bestellung von Herrn Florindo!

KAPITÄN

Wenn Sie es doch nur ansehen ließen!
Hält ihn auf, entzückt
Kleine Kürbisse, gefüllt!
Wirtssohn eilt ab.
Die gute Sache! Die hübsche Musik! Der nette Bursche. Wie er an alles denkt, wie er alles einzufädeln weiß.
Pedro und der Bediente raufen um die nächste Schüssel. Zugleich kommen die drei Servierenden aus dem Extrazimmer zurück, eilig.

Wirtssohn

bedient den Kapitän

Der Herr Florindo lassen bitten, Sie möchten ihm die Ehre erweisen, sich zu bedienen.

Der fremde alte Herr ist eingeschlafen. Die junge Unbekannte stützt den Kopf in die Hand, hat ihren Stuhl vom Tisch weggerückt und starrt traurig ins Leere. Kapitän bedient sich. Die drei Servierenden eilig an die Anrichte, und von dort nachher wieder hinter der Wirtstafel herum ins Extrazimmer.

Drinnen sieht man, wie

Florindo

rasch aufspringt, sich aus dem Nebenzimmer eine Geige geben läßt – das erste Musikstück ist zu Ende – und sich ihrer wie einer Mandoline bedient, sein Liedchen hie und da mit einem Griff begleitend. Singt:

Ei, das Vöglein wär wohl bei Troste,
Daß es dem Käfig möcht entfliehn,
Wenn Cristina es nicht kos'te,
Wär das Vöglein wohl bei Troste,
Daß es dem Käfig möcht entfliehn!

Kapitän

zurückgelehnt

Wie hübsch er singen kann. Was für ein Vieh ist unsereins gegen solch einen Burschen.

Florindo

singt

Denn der Stunden sind nicht viele
Für sein Leben ihm gewährt!
Ach, für unsere schönsten Spiele

Sind der Stunden uns nicht viele,
Ach, nicht viele uns beschert!

Die drei Servierenden haben mit dem Eintreten an der Türe gewartet, bis er fertig ist, wollen jetzt hinein. Der alte Herr erwacht mit dem Aufhören des Gesanges. Berührt das junge Mädchen am Arm. Sie erhebt sich, führt ihn mit Unterstützung des Dieners ab. Der Hausknecht und der Bursche kommen aus dem Extrazimmer, gehen an die Anrichte.

WIRTSSOHN

eilig ihnen nach

Es wird nichts mehr serviert. Sie stehen vom Tisch auf. Der Herr Pfarrer ist müde und will zu Bett.

Eilt wieder hinein.

Gleich darauf erheben sich drinnen im Extrazimmer alle, treten heraus. Wirtssohn leuchtet ihnen vorne mit einem mehrarmigen Leuchter. Hinter ihm geht der Pfarrer mit Cristina, die eine schöne Blume angesteckt hat. Pasca dicht dahinter. Florindo als letzter. Der Kapitän steht auf, verneigt sich. Die Musik spielt weiter.

FLORINDO

zum Hausknecht, der mit der Obstschüssel im Wege steht

Die besten von den Früchten auf das Zimmer des Fräuleins, zu ihrer Erfrischung.

CRISTINA

läßt die andern voraus, bleibt zurück, Florindo nachkommen zu lassen; im Gehen zu Florindo über die Schulter

Das ist zuviel. Meinen Sie, daß ich in meinem Zimmer zur nachtschlafenden Zeit Mahlzeiten halte?

FLORINDO

den Blick in ihre Augen

Zu viel?

CRISTINA

senkt den Blick

Haben Sie mir nicht schon die schönen Blumen geschenkt?

FLORINDO

Zu viel?

Cristina sieht ihn an. – Florindo dicht an ihr, flüstert ihr noch etwas zu. Kapitän setzt sich, trinkt sein Glas aus.

Am Ausgang links bleibt Cristina etwas zurück und läßt ihre Hand in der Florindos, der die Hand zweimal küßt, im Rücken des Kapitäns. Dann verschwindet Cristina leise. Florindo steht einen Augenblick regungslos, wie betäubt von Glück. Die Musik hat aufgehört. Die vier Musiker treten hintereinander aus der Tür von Florindos Zimmer.

FLORINDO

auf sie zu, gibt ihnen Geld

Es ist gut, es war schön, ich danke euch, jeder von euch ist wert, Professor zu heißen, es war schön, es war bezaubernd. Ich bin sehr in eurer Schuld.

Die Musikanten verneigen sich.

KAPITÄN

ist aufgestanden

Punsch daher.

Weist auf den Tisch links vorne.

PEDRO

zu dem Burschen, der rückwärts steht

Punsch für meinen Kapitän! Sehr schnell! Sehr eilig! Laufen, laufen!

Er geht langsam zu dem Tisch, rückt zwei Stühle für den Kapitän und Florindo.

KAPITÄN

Sie werden mir nicht abschlagen, ein Glas Punsch mit mir zu trinken.

Setzt sich.

FLORINDO

Was Sie wollen, Kapitän.

Setzt sich zum Kapitän

Da gehen sie hin! Vier arme Teufel. Erbärmliche Existenzen, Gott weiß – und haben mir diese Stunde geschenkt.

Punsch wird gebracht.

KAPITÄN

gießt ein für zwei

Trinken Sie, Herr!

FLORINDO

Das ist recht.

Trinkt einen Schluck, geht auf und ab.
Kapitän setzt sich.

FLORINDO

vor sich

Namenlos. Ich war so unermeßlich glücklich diese halbe Stunde, daß ich sie nicht einmal begehrt habe. Die Musik war genug – der Blick des Mädchens vor sich hin, wenn die Töne zärtlich wurden. Das Gefühl ihrer Gegenwart. Es gibt etwas, das mehr ist als Umarmungen.

Setzt sich zum Kapitän.

KAPITÄN

Sie trinken nicht?

FLORINDO

Lassen Sie mich nur, mir ist unsagbar wohl zumute. Da lebt man so dahin, einer neben dem andern, wofür eigentlich? So scheintot immerfort, wo doch alles zum Leben will. Alles will sich verströmen in Liebe. Und dann ist man mit einem zusammen in dieser Stunde, in einem Gasthaus. Sie sind mir sympathisch, Kapitän. Sie sollen leben, Kapitän!

Der aufwartende Bursche hat schon früher einen der Armleuchter aus dem Extrazimmer gebracht, ihn den beiden Herrn auf den Tisch gestellt. Pedro steht hinter seinem Herrn.

KAPITÄN

Ich danke Ihnen, Herr! Um Vergebung – darf der Mensch da mittrinken? Erlauben Sie das? Danke!

Pedro holt sich ein Glas.

Im Grunde ist er sozusagen schuld daran, daß ich hier sitze und das Vergnügen Ihrer Gesellschaft genießen kann –

Eine Pause

FLORINDO

Ich hätte sie nicht dürfen fortgehen lassen. Sie hätten weiterspielen müssen, nicht wahr, Kapitän?

KAPITÄN

Das schuld ich allerdings ihm allein. Ich weiß nicht, ob ich es schon erwähnt habe: ich lag nämlich einmal gefangen, unter malaiischen Seeräubern, auf einer recht ekelhaften Dschunke, das dürfen Sie mir glauben, Herr. Zweiundvierzig Tage und Nächte, Herr, ließen sie mich drunten liegen im Gestank, Herr, zusammengeschnürt wie ein Bündel. Dann war ich soweit, da hatte ich mit meinem linken Eckzahn da den Strick durchgenagt und eine Hand freibekommen. Geduld hatte ich, Herr, denn es war immer von vierundzwanzig Stunden nur eine Stunde gegen Morgen, wo ich unbemerkt nagen durfte. Dann kam noch eine recht bewegliche kleine Stunde auf Deck. Da schaffte ich ihrer sechs ins Jenseits. Das war eine nicht gerade unappetitliche, aber harte Handarbeit, Herr. Da lernte ich erstens meine Sorte von Herrgott und zweitens diesen Burschen da kennen. Oder sozusagen beide auf einmal.

Zu Pedro

Da trink, mein Alter, trink, wenns dir Freude macht.

Zu Florindo

Da wurde mir dieses ziemlich verunglückte Produkt eines überseeischen Europäers verdammt nützlich.

FLORINDO

Ihr Leben? Dem da? Leben! Wie das zusammengemischt ist aus Vergewaltigung, Unruhe, List, Betrug, Verblendung – was es alles enthält! Und wie dann auf einmal da alles zergeht, hinschmilzt. Was habe ich bei Weibern gesucht? Ich frage Sie! Sagen Sie mir um alles in der Welt, was habe ich gesucht? Ich schäme mich. Es kann natürlich sein, daß ich dieses eine ahnungslos gesucht habe.

Die beiden anderen trinken schweigend.

Daß es solche Wesen gibt! Von denen jeden Augenblick die ganze Fülle der Liebe ausströmt. Die ganz da sind. Ich spreche, als ob man es sagen könnte. Sie sollen sie kennenlernen, Kapitän. Aber nicht eher, als bis sie meine Frau sein wird. Heiraten Sie, Kapitän! Unsere Frauen sollen gute Freundinnen werden.

KAPITÄN

Darauf wollen wir anstoßen. Um von mir zu sprechen, Herr.

Es ist ebendas, was ich im Sinne habe. Wer hätte gedacht, daß gerade Sie mir zureden würden?

FLORINDO

Ja? Sie wollen, Kapitän? Wie klug sind Sie! Was haben wir beide da vor uns! Es muß eine namenlose, endlose Seligkeit sein. Heiraten Sie ein braves Mädchen und bleiben Sie ihr treu.

KAPITÄN

Was das betrifft, es wird mir leicht fallen. Ich bin leicht doppelt so alt wie Sie, Herr.

FLORINDO

nimmt seine Hand über dem Tisch

Was tut das! Kapitän, was für ein Narr ich war! Ich habe in meinem Leben dreißig oder fünfzig oder hundert Frauen näher gekannt, Kapitän. Alle Frauen sind gleich.

KAPITÄN

Nun, verdamm mich Gott, Herr –

FLORINDO

Nichts. Es ist nur unsere schamlose Neugierde, die uns vorspiegelt, sie wären verschieden. Es liegt etwas Bubenhaftes darin, etwas Niederträchtiges.

KAPITÄN

Nun, da dächte ich doch, Herr –

FLORINDO

Nichts. Äußerlich sind sie verschieden, natürlich. Aber ist es nicht der Gipfel des Widersinns, sich in den Genuß dieser Verschiedenheit setzen zu wollen, indem man eine nach der andern so schnell wie möglich auf den Punkt bringt, wo sie einander gleichen wie ein Ei dem andern? Zu dieser Einsicht müßte ein jeder Halunke zwischen seinem siebzehnten und dreiundzwanzigsten Jahre gekommen sein, wenn wir nicht größtenteils ausgemachte Dummköpfe wären. Aber nicht einer unter Tausenden, der ahnt, daß jenseits dieses Punktes erst das liegt, was das Leben lebenswert macht!

Kapitän sieht ihn an.

In der Ehe, guter Kapitän! In der Glückseligkeit unverbrüchlicher Treue! – Ahnt Ihnen nicht? – Sind Ihnen nie über die Fabel von Philemon und Baucis die Tränen in den Hals gestiegen? – Sie weiß es, Kapitän, daß ich sie zu meiner Frau machen werde. – Sie weiß es.

Er hat Tränen in den Augen.

Pasca kommt von links, geht nach rückwärts zur Treppe.

Gute Nacht, liebe Pasca, gute Nacht!

Er muß die Augen schließen, so sehr überwältigt ihn etwas in diesem Augenblick.

Pedro ergreift hastig den Leuchter, will Pasca voranleuchten, wie er es früher den Wirtssohn hat tun sehen. Pasca, wie er ihr nach will, stößt einen Schrei aus, ergreift die Flucht.

FLORINDO

springt Pedro nach, fängt ihn ab

Laß das sein, mein Freund. Sie fürchtet sich vor dir.

Wieder am Tisch

Die gute Person fürchtet sich dermaßen vor dem Burschen da, daß sie durchaus die Nacht lieber im Zimmer ihrer Herrin auf dem Fußboden verbringen wollte

Er gähnt

als unten in ihrem Bett. Es hat Cristina Mühe gekostet, sie zu überreden.

Er gähnt

Ich bin sehr müde, die Wahrheit zu gestehen. Sie nicht?

KAPITÄN

Mir ist gemütlich, ich sitze gern in einem Wirtshaus.

FLORINDO

Ich glaube, ich sage Ihnen gute Nacht, Kapitän, mit Ihrer Erlaubnis.

KAPITÄN

Wann sind Sie abgereist diesen Morgen? –

PEDRO

fängt an zu singen

Was soll mit dem –

KAPITÄN

über die Schulter

Halt 's Maul!

FLORINDO

schon an der Tür zu seinem Zimmer

Beinahe vor Tag. Gute Nacht!

Geht in sein Zimmer.

Hausknecht kommt mit einem alten Besen, fängt an auszukehren.

KAPITÄN

zu Pedro

Schenk dir ein, es ist dir gegönnt.

Zu dem Hausknecht

Komm her, du!

Vor sich

Ich sitze gern in einem Wirtshaus. Das ist eine schöne, freundliche Einrichtung.

Zu dem Hausknecht, der mürrisch und heftig auskehrt
Komm her, du.
Gibt ihm Geld. Der Hausknecht nimmt es ohne Freundlichkeit, fährt fort zu kehren.

PEDRO
singt
Was soll mit dem betrunkenen Matrosen geschehn?

FLORINDO
öffnet die Tür seines Zimmers
Ich sehe Sie jedenfalls noch morgen früh. Gute Nacht.
Schließt zu.

KAPITÄN
singt halblaut, behaglich
Im Dunkeln geht das Vieh auf seinen Fraß
Und seine Lust,
Trübselig, finster und allein.
Wir aber wollen bei der Kerzen Schein usf.

HAUSKNECHT
hat einen kleinen Handleuchter geholt, stellt ihn vor den Kapitän hin, bläst die Kerze an dem Armleuchter aus
Da ist Ihr Leuchter, Herr. Da ist Ihr Zimmerschlüssel. Es wird Zeit, daß Sie schlafen gehen. Es sind noch andere Leute als Sie im Haus.

KAPITÄN
Gut, gut, du hast recht, freundlicher Junge.

PEDRO
singt
Was soll mit dem betrunkenen Matrosen geschehn?

Hausknecht legt ihm ohne Gutmütigkeit die Hand auf den Mund. Pedro macht sich frei

Was soll mit dem betrunkenen Matrosen geschehn?
Dreimal
Mädchen, ihr Mädchen?
Er soll, er soll sich Neu-Amsterdam besehn,
Dreimal
Mädchen, ihr Mädchen!

HAUSKNECHT

Daß man einem eingefangenen Vieh Menschenkleider anzieht und ihm Punsch zu saufen gibt, hab ich noch nicht gehört.

KAPITÄN

Spaßvogel. An dir ist ein lustiger Unterbootsmann verdorben.

PEDRO

im Abgehen, singt. Der Hausknecht leuchtet ihm voran und zieht ihn.

Was soll mit dem betrunkenen Matrosen geschehn?

KAPITÄN

im Abgehen sich selber leuchtend, singt halblaut

Wir aber wollen bei der Kerzen Schein usf.
Gehen ab.

Nur ein schwaches Licht draußen im Treppenhaus. Florindo öffnet leise die Türe, späht, ob alles still ist. Er ist in seinen Mantel gehüllt, drückt sich in die Tür, horcht. Dann läuft er blitzschnell, aber leise nach links hinüber.

Z w i s c h e n v o r h a n g fällt vor, geht gleich wieder auf.

Der große Tisch ist abgedeckt. Die Leuchter sind fort. Nur draußen im Treppenhaus ist schwache Beleuchtung von einer Laterne, die irgendwo hängen mag, wovon ein matter Schein hereinfällt. Der Hausknecht putzt beim Licht eines Kerzenstummels Schuhe, deren er einige Paare um sich versammelt hat. Der Bediente der fremden Herrschaft tritt auf, von rückwärts her.

BEDIENTER

Sie haben mich um zwei Stunden zu früh geweckt.

Hausknecht, stumm, betrachtet den zuletzt geputzten Schuh.

DER BEDIENTE

Die Post geht heute um halb acht von hier ab und nicht um halb sechs.

HAUSKNECHT

Ich weiß. Ich müßte ein Idiot sein, wenn ich das nicht wüßte.

DER BEDIENTE

Und Sie haben mich trotzdem um vier Uhr geweckt?

HAUSKNECHT

Natürlich, denn es war auf dem Brett aufgeschrieben, Nummer vierzehn um vier Uhr wecken.

BEDIENTER

Wer hat das aufgeschrieben?

HAUSKNECHT

Ich, denn Sie haben mir gestern abend gesagt: Wecken Sie mich um vier Uhr, weil meine Herrschaft mit der Post nach Mestre fahren will.

Bedienter

Ich habe Ihnen gesagt, wecken Sie mich um vier Uhr, weil meine Herrschaft mit der Post nach Mestre fahren will.

Hausknecht

Eben, genau, wie ich sage.

Bedienter

Das heißt doch natürlich: weil ich der Meinung war, daß die Post vor sechs Uhr durchfährt.

Hausknecht

Das tut sie auch, Montag, Mittwoch und Freitag. Aber heute ist Donnerstag.

Bedienter

Immerhin. Es hätte Ihnen doch aufdämmern können, daß ich mich irre.

Hausknecht

Das war mir ganz klar. Ich bin kein Idiot.

Bedienter

Und da –

Hausknecht

Ich bin nicht Ihr Kurier.

Nach einer kleinen Pause

Wünschen Sie noch etwas von mir?

Bedienter

gähnt mißmutig

Es ist unleidlich, um vier Uhr geweckt zu werden, wenn man nicht abreisen kann.

HAUSKNECHT

Ich weiß das. Ich stehe alle Tage um diese Zeit auf und reise niemals ab.

BEDIENTER

Übrigens: meine Herrschaft wünscht zu wissen, ob außer ihr noch jemand von den Passagieren hier diesen Morgen nach Mestre fährt. Wenn es etwa eine einzelne Person wäre und es wäre dieser Person genehm, mit meiner Herrschaft eine Chaise auf Halbpart zu nehmen, so würde meine Herrschaft diese Beförderung vorziehen. Ich weiß nicht, an wen ich mich da wenden könnte.

HAUSKNECHT

Ich noch weniger.

BEDIENTER

Es muß Ihnen kurios vorkommen, daß wir heute wieder nach Venedig zurückfahren, wo wir gestern von Venedig hierhergekommen sind.

HAUSKNECHT

Es interessiert mich nicht.

BEDIENTER

Ja, darüber, was meine Herrschaft für eine Herrschaft ist und welche Bewandtnis es mit dem Alten und mit der Jungen hat, darüber hat sich schon mancher den Kopf zerbrochen.

HAUSKNECHT

putzt eifrig

Ich nicht.

BEDIENTER

Manche halten sie für die Tochter, manche für sein Mündel, manche für die Mätresse ganz einfach. Und manche, die möchten wieder, daß ganz was Besonderes dahinter stecken sollte.

HAUSKNECHT

Wenn schon!

BEDIENTER

Am meisten wundern sich die Leute darüber, daß einer wie ich bei einer so pauvren Herrschaft in Diensten steht.

HAUSKNECHT

Mhm!

Nimmt ein frisches Paar Schuhe.

BEDIENTER

Unangenehmer Mensch.

Er möchte gehen, kann sich nicht entschließen.

HAUSKNECHT

Bestie! stehst du noch immer da?

Mit einem Fußtritt nach einem der Schuhe.

BEDIENTER

Wie?

HAUSKNECHT

Der Schuh.

BEDIENTER

Sie wissen also nicht, ob jemand von euren Gästen –

HAUSKNECHT

Von unseren Gästen? Meinen Sie wirklich, daß ich mich darum kümmere, was diese Leute tun? Sie kommen, man weist ihnen ein Zimmer an, sie machen Unreinlichkeit und gehen wieder. Es gibt nichts Dümmeres unter der Sonne als dieses ewige Ankommen und Wiederabfahren. Sie ekeln mich an, alle zusammen. Ich kann ihre Physiognomien nicht ertragen. Ich sehe ihnen niemals ins Gesicht. Aber mit ihren Schuhen muß ich mich, Gott seis geklagt, abgeben – das genügt. Da habe ich sozusagen den Abdruck ihrer läppischen Existenzen in den Händen. Es ist so widerwärtig, wie wenn ich ihre Gesichter in die Hand nehmen müßte. Wie die Idioten laufen sie einer hinter dem andern her und vertreten dabei in idiotischer Weise ihr Schuhwerk. Als ob alle ihre Wichtigtuerei etwas anderes wäre als der bare Blödsinn. Das kann einem schwer etwas anderes als den tiefsten Ekel einflößen. Sie sehen mich an. In bin unrasiert. Allerdings. Es ist mein gutes Recht. Haben Sie noch nie von einem gehört, der sich aus Widerwillen über den gemeinen Anblick solchen Schuhwerks den Hals mitten durchrasiert hat? Meinen Sie nicht, daß der Mann besser getan hätte, unrasiert zu bleiben? Meinen Sie nicht, daß er dadurch ein wahres Zeichen seiner Überlegenheit über dieses Gesindel

Er stößt grimmig mit dem Fuß in die Schuhe

geoffenbart hätte? Ich entwickle Ihnen meine persönliche Religion. Das heißt wahrhaftig Perlen vor die Säue werfen.

BEDIENTER

Ein unangenehmer Mensch!

Er geht hinunter.

Der Pfarrer kommt aus dem Gange links, vollständig angekleidet, aber ohne Schuhe.

HAUSKNECHT

Noch einer! Sie können sich wieder schlafen legen, Herr Abbate! Die Post geht in drei Stunden. Ich sage Ihnen das, bevor Sie mich fragen.

Der Pfarrer

Ich danke Ihnen. Aber Sie irren sich, ich bin nicht der Post wegen aufgestanden. Ich fahre in einem eigenen Wagen. Einem kleinen Bauernwagen, der mich abholen kommen wird, mich, meine Nichte und die Magd meiner Nichte. Es ist der eigene Wagen meiner Nichte. Meine Nichte besitzt nämlich eine Gastwirtschaft und eine Posthalterei dazu. Bitte, geben Sie mir meine Schuhe. Es sind diese, die Sie gerade in der Hand haben.

Hausknecht gibt sie ihm. Der Pfarrer zieht sie an, indessen der Hausknecht weiterputzt.

Hausknecht

Sie können jetzt kein Frühstück bekommen, es ist niemand auf.

Der Pfarrer

Ich danke Ihnen, ich will kein Frühstück. Sie müssen nur so gut sein, mir zu sagen, wie ich aus dem Haus herauskomme. Ich muß ins Kloster hinüber. Ich lese dort in der Kapelle eine Messe. Nachher komme ich zurück und hole meine Nichte ab.

Hausknecht

Gut, gut. Ich werde Sie hinauslassen.

Der Pfarrer

Ich muß Sie aber noch um einen Dienst ersuchen, mein Lieber. Es wird später ein Bursch ankommen und nach mir fragen. Eben mit dem kleinen Wagen wird er ankommen aus dem Gebirg. Der Wagen ist gelb, und es ist ein alter Fliegenschimmel vorgespannt, ein tüchtiges, braves Pferd, nur blind auf dem rechten Auge. Ich sage Ihnen das alles, damit kein Mißverständnis unterläuft. Der Bursche soll nur ruhig warten. Er heißt Domenico. Sie brauchen meine Nichte wegen des

Wagens nicht zu wecken, o nein, das Kind soll sich nur ausschlafen. Sie werden das ja gewiß alles recht ordentlich besorgen. Oder soll ich vielleicht noch sonst jemandem im Hause ein Wort darüber sagen? In einem Gasthof ist es immer besser, zu viel als zu wenig zu tun.

HAUSKNECHT

Verlassen Sie sich!

DER PFARRER

Gut, gut, ich verlasse mich.

HAUSKNECHT

Warten Sie!

Geht nach rückwärts, pfeift.

DER PFARRER

Aber ich muß jetzt gehen.

HAUSKNECHT

geht nach rückwärts

Warten Sie!

DER PFARRER

Domenico heißt der Bursche; ein kleiner gelber Wagen mit einem Schimmel. Und meine Nichte lassen Sie nur ruhig schlafen.

Jemand kommt draußen die Treppe herauf.

HAUSKNECHT

sieht hin

Da ist er. Er sitzt schon seit einer halben Stunde auf der Treppe und wartet. Wenn Sie nicht soviel gesprochen hätten, hätte ich ihn gleich gerufen. Es ist überflüssig, mit mir soviel zu sprechen. Ich bin kein Schwachkopf.

Leuchtet dem Pfarrer bis an die Treppe zurück.
Florindo kommt lautlos und sehr schnell aus dem Gange links. Mit offenem Haar, in Schuhen und seinen Mantel übergehängt.
Hausknecht kommt zurück.

FLORINDO
als ob die nächtliche Unruhe ihn aus seinem Zimmer getrieben hätte

Wer ist das? Wer geht da?

HAUSKNECHT

Der Pfarrer ist das.

FLORINDO

Der Pfarrer? Empfängt der jetzt Besuche? Schläft der nicht, jetzt mitten in der Nacht?

HAUSKNECHT

Sie schlafen ja auch nicht.

FLORINDO

Ich schlafe nicht, weil man mich nicht schlafen läßt. Weil in diesem Gasthause eine Unruhe ist –

HAUSKNECHT

Jetzt ist der Pfarrer aus dem Haus –

FLORINDO

Aus dem Haus?

HAUSKNECHT

Messe lesen, und der andere ist auch hinuntergegangen. Jetzt können Sie sich ruhig wieder niederlegen.

Fängt wieder an zu putzen.

FLORINDO

Und Sie?

HAUSKNECHT

Ich mache hier meine Arbeit.

FLORINDO

Vor meiner Tür? Dann kann ich kein Auge zumachen. Sie werden Ihre Schuhe woanders putzen.

Gibt ihm Geld.

Hausknecht betrachtet das Geld beim Licht, zuckt die Achseln, packt sein Zeug zusammen in die Schürze.

Wohin?

HAUSKNECHT

Im Gang da.

FLORINDO

Dort werden Sie nicht Schuhe putzen.

HAUSKNECHT

Sie wohnen doch hier! Oder wohnen Sie vielleicht auch dort? Sie sind ein sonderbarer Herr.

FLORINDO

leicht, aber drohend

Sie werden sich weder hier noch dort noch überhaupt in diesem Stockwerk aufhalten. Ich habe Kopfschmerzen, ich will hier niemand gehen hören. Keine Fliege will ich hören. Haben Sie mich verstanden?

Hausknecht geht achselzuckend durch die Mitte ab.

FLORINDO

Wohin?

HAUSKNECHT

Ich gehe über die Hintertreppe in den Hühnerhof. Wird Ihnen das vielleicht genügen?

FLORINDO

Ja.

Hausknecht ab.

FLORINDO

allein

Ich habe mich nicht geirrt, als ich meinte, die Stimme des Onkels zu hören. Aber nun ist es um so besser. Wir sind dieser Stunde um so sicherer. Eine Stunde – sechzig Minuten. Sechzig Abgründe unsagbarer Seligkeit. Wiederum Schritte. Ich möchte das Vieh erwürgen, das mir eine von diesen sechzig Minuten stehlen kommt.

Die junge Unbekannte, in einem sehr anständigen Morgenanzug, kommt von rückwärts her, ängstlich und als suchte sie jemand. Florindo drückt sich in die Tür zu seinem Zimmer und hält den Mantel vors Gesicht.

DIE UNBEKANNTE

bleibt ziemlich weit rückwärts stehen, ängstlich

Wer ist dort? Mantovani, seid Ihr es? Warum bleibt Ihr dort stehen? Der Graf ist auf. Warum laßt Ihr mich um diese Zeit allein?

Sie ringt die Hände

Mantovani, warum gebt Ihr mir keine Antwort?

Sie tritt näher

Wo seid Ihr denn?

FLORINDO

öffnet mit der Hand nach rückwärts greifend seine Tür

Was ist das? Was bedeutet das?

Er verschwindet in sein Zimmer und drückt die Türe wieder zu.

Die Unbekannte

Niemand! Ganz allein in der Welt!

Ringt die Hände.

Der Bediente kommt von unten herauf, sieht sie, ruft sie leise an.

Bedienter

Pst! hier bin ich! Pst!

Die Unbekannte

dreht sich um

Der Graf ist auf. So kommt zu ihm. Schnell!

Sie verschwinden rückwärts.

Florindo öffnet ganz leise, ganz vorsichtig die Tür, tritt dann heraus, horcht. Stille.

Cristina

kommt von links im Negligé, offenes Haar, ein schwarzes Tuch um

Da bist du ja, Schatz!

Florindo

Um Gotteswillen, was für eine Unvorsichtigkeit!

Cristina

Ich hätte es nicht ausgehalten, noch länger nicht zu wissen, wo du bist.

Florindo

Süßer Engel, wenn uns jemand hier sieht!

Cristina

Bin ich nicht deine Frau?

Florindo

Du Engel!

CRISTINA

Wie kannst du dich so fortstehlen von mir, Böser, Guter!

FLORINDO

Du warst eingeschlafen in meinen Armen unterm Sprechen, wie ein Kind! Du warst lieblich, wie kein Wort es sagen kann.

CRISTINA

Aber du hast so fortgehen können? Ich wachte auf mit einer Angst, einem Herzklopfen! Mein Herz hat gespürt, daß du nicht da warst.

FLORINDO

Ich hörte hier außen Stimmen. Ich glaubte die Stimme deines Onkels zu erkennen. Mir kam der Gedanke, er könnte an unserer Tür gehorcht haben.

CRISTINA

Wenn ich das dächte, sänke ich in den Boden. Glücklicherweise kann ich an nichts denken.

FLORINDO

Es ist alles gut! Er ist aus dem Haus gegangen. Wir sind ganz allein im Haus.

CRISTINA

So komm. Hab ich das jetzt gesagt? Hat mein Mund das gesagt? Zu einem fremden Mann?

Bedeckt ihr Gesicht mit den Händen.

FLORINDO

Bereust du?

CRISTINA

schüttelt den Kopf

Nur staunen, daß es möglich ist! Kannst dus denn begreifen?

FLORINDO

So nicht. Aber wenn ich ganz bei dir bin, dann ja.

CRISTINA

Schau noch einmal, ob niemand kommt. Schau!

Läuft lautlos ab nach links.

FLORINDO

Niemand, niemand.

Ihr nach.

Eine ganz kurze Stille. Pasca und der Hausknecht kommen die Treppe herauf.

HAUSKNECHT

Pst, pst. Hier geben Sie acht.

PASCA

erschrocken

Mein Gott, was ist denn?

HAUSKNECHT

Sie sollen hier achtgeben, hier drinnen wohnt ein Herr, der Kopfschmerzen hat.

PASCA

Und wie finde ich zu meinem Fräulein? Es ist finster hier im Gang.

HAUSKNECHT

Sie haben ein kurzes Gedächtnis, gute Frau. Gegenüber dem Zimmer des Pfarrers. Auf Nummer sieben, dort im Gang rechts.

PASCA

Wie kann ich die Nummer sehen, wenn es so finster ist?

Hausknecht

Da nehmen Sie mein Licht und gehen Sie leise hinein, wenn Sie durchaus wollen. Aber ich sage Ihnen, daß der Pfarrer befohlen hat, man solle sie schlafen lassen.

Pasca

Ich werde ihr lieber rufen.

Hausknecht

Das unterstehen Sie sich nicht, gute Frau. Der Herr da drinnen will nicht einmal eine Fliege gehen hören.

Pasca nimmt das Licht zögernd.

Hausknecht geht rückwärts ab.

Pasca

Und wenn es um nichts und wieder nichts ist, daß ich mich so ängstige? Ich will bloß an die Tür. In Gottesnamen! Besser bewahrt als beklagt.

Sie geht links hinein.

Es dämmert.

Pasca

kommt sogleich wieder verstört herausgestürzt, das Licht in der zitternden Hand

Oh, mein Gott! Meine Ahnung! Was tu ich denn jetzt? Meine entsetzliche Ahnung!

Schlägt das Kreuz

Das Mädel! Das Kind! Im Gasthaus! Mit dem fremden Menschen. Was tu ich denn? Was tu ich denn?

Florindo

ist gleich hinter ihr herausgetreten

Liebe gute Frau, hören Sie mich an, Frau Pasca!

PASCA

in Wut auf ihn zu

Du Schuft! Was hast du ihr eingegeben? Was hast du ihr denn ins Wasser geträufelt? Du erbärmlicher Verführer. Ich will nicht selig werden, wenn ihr je ein Mensch auf der Welt schon den Mund geküßt hat. Nicht von mir hätte sie sich auf den Mund küssen lassen, nicht von ihrem alten leiblichen Onkel. Und du, wer bist du? Von welchem Galgen haben sie denn dich heruntergeschnitten?

FLORINDO

Sie wecken das Haus auf, liebe Frau. Wird Ihnen dann wohler sein?

PASCA

leise

Oh, mein Gott. So sagen Sie mir doch, wenn Sie ein Mensch sind und kein höllischer Teufel – so reden Sie doch!

CRISTINA

die sich leise herangeschlichen hat, vortretend, zitternd und doch mutig

So sag ihr doch, daß ich deine Frau bin.

PASCA

Cristina, wenn dich deine Mutter, Gott hab sie selig, so müßte dastehen sehen!

Sie weint.

CRISTINA

gleichfalls weinend

Pasca! Auch meine selige Mutter, bevor sie hat meine Mutter werden können, hat müssen ihres Mannes Frau werden.

PASCA

Ihres Mannes! Und vergehst du wirklich nicht vor Scham, wenn du das aussprichst? Ich schäme mich ja vor dir. Ich schäme mich vor euch beiden. Wer bist du denn?

CRISTINA

Jetzt bin ich halt seine Frau, Pasca. Und ich werde in Gottes Namen eine gute Frau werden. Ich war ja gar kein so schlechtes Mädchen. Aber es ist auch nicht sehr viel, ein gutes Mädchen zu sein. Ich hätte nicht im Mädchenstand sterben mögen. Man ist arm und dumm in dem Stand.

PASCA

Daß du dich nicht versündigst!

CRISTINA

Was ist man denn weiters, wenn man nichts als unschuldig und selbstsüchtig ist? Da bin ich mir lieber das, was du bist und was meine Mutter war.

PASCA

Untersteh du dich –

CRISTINA

– Und gehöre mit Leib und Seele einem, den ich liebhabe, und weiß, wofür ich auf der Welt bin, in Gottes Namen.

PASCA

Und der ist es, den du dir ausgesucht hast?

CRISTINA

Ich habe ihn ausgesucht und er mich.

PASCA

Der hergelaufene Mensch!

CRISTINA

unter Tränen lächelnd

Irgendwo hergelaufen kommt ein jeder. Uns hat schon der Richtige zusammenlaufen lassen.

PASCA

Der Einschmeichler! Der Erzheuchler, der verlogene! Wie er mir vorgelogen hat, er braucht nicht weniger als sechs Monate, um die Seinige kennenzulernen.

CRISTINA

Und doch war ihm bei mir ein Tag genug. Soviel Mut hat er.

PASCA

Sag, eine Nacht. Bei der Nacht sind alle Katzen grau.

CRISTINA

Meinetwegen eine Nacht. Auch die Nacht hat unser Herrgott gemacht.

PASCA

Hast du soviel Übermut? Oh, mein Gott und Herr! Was soll denn jetzt geschehen?

CRISTINA

Jetzt müssen wir halt noch für die anderen Hochzeit machen.

PASCA

Und bis dahin soll die Lotterwirtschaft so fortgehen? Das geschieht nicht, solange ich die Augen offen habe. Wir fahren nach Hause und der Herr fährt nach Venedig in dieser Stunde und ordnet seine Angelegenheit und präsentiert sich darauf als Bräutigam dem Herrn Pfarrer, oder er sieht dein Gesicht nicht wieder.

FLORINDO

verzweifelt

Pasca! Pasca! Das ist ja unmöglich! Das geht ja nicht! Das kannst du nicht verlangen.

PASCA

Was? Sogar höchst nötig zu tun hat der Herr in Venedig. Wer täte sich denn um den erzbischöflichen Dispens bewerben? Ein solches Gesuch will vom Bräutigam persönlich betrieben sein.

FLORINDO

Dispens?

PASCA

Jawohl. Wüßte nicht, wie ohne einen solchen in der nächsten Zeit eine Hochzeit zu bewerkstelligen wäre, und der Herr sieht mir nicht aus, als ob er acht Wochen geduldig warten wollte.

FLORINDO

Mein Gott!

PASCA

Somit fährt der Herr Bräutigam nach Venedig, und du sagst ihm: Gott befohlen! und nimmst mit meiner und dem Onkel seiner Gesellschaft vorlieb.

FLORINDO

Pasca!

CRISTINA

ganz fest

Laß sie. Sie hat recht.

FLORINDO

Cristina! Von dir weg? In dieser Stunde?

CRISTINA

Laß. Das muß jetzt sein. So wie das andere hat sein müssen.

PASCA

zusammenschreckend

Heiliger Josef, ich höre eine Tür gehen. Es wohnt hier ein Herr, der Kopfschmerzen hat. Die Schande! Ich überleb ja die Schande nicht.

Will Cristina mit sich fortziehen.

FLORINDO

Beruhigen Sie sich, der Herr mit den Kopfschmerzen bin ich.

PASCA

Das sind Schritte! O Gott im Himmel, wenn es der Herr Pfarrer ist!

CRISTINA

hängt sich an Florindo

Jetzt habe ich Angst!

FLORINDO

Das ist mein Zimmer, treten Sie ein.

Will nach rechts.

PASCA

reißt sie von ihm

Nicht um die Welt! In Ihr Zimmer, das wäre mir das Rechte!

Pedro kommt von rückwärts, nähert sich.

FLORINDO

Also dort hinüber! In Cristinas Zimmer, in des Pfarrers Zimmer! Wo immer hin!

Pasca

Euch zwei lasse ich in kein Zimmer.

Florindo

Wenn Sie dabei sind?

Will mit Cristina nach links.

Pasca

Du, hiergeblieben! Daraus wird nichts! Jesus Maria! Er hat uns schon gesehen! O mein Gott und Herr! Was wird er sich denken?

Florindo

Wir stehen eben hier. Der denkt sich überhaupt nichts.

Pedro grüßt.

Er wird sofort verschwinden, seien Sie ganz ruhig.

Pedro betrachtet die Gruppe mit Wohlwollen, er grüßt abermals mit deutlicher Absicht, seine Diskretion anzudeuten, mit Lächeln und Händewinken.

Pasca

die sich nicht umzusehen getraut, leise zu Florindo

Was macht er denn?

Florindo

ebenso

Nur ruhig. Ich kenne ihn ja. Er wird gleich gehen.

Pedro, immer seine Diskretion betonend, nähert sich Pasca mit Galanterie.

Pasca

retiriert angstvoll gegen Florindo zu

Was will er denn? Was will er denn?

PEDRO

Ich wünsche die sehr beliebte Witwenfrau hier in kleiner Kompanie zu früher Stunde achtungsvoll begrüßen.

FLORINDO

faßt Pedro energisch, zieht ihn von Pasca weg

Es ist gut, Pedro. Du hast achtungsvoll begrüßt. Die Sache ist erledigt.

PEDRO

lacht schlau

Ich sage: Der Herr Florindo und ein Stück Frau jede Nacht, das ist eine Wenigkeit. Vielleicht zwei Stück Frau jede Nacht.

FLORINDO

packt ihn derb an der Kehle

Du schweigst! Du verschwindest oder –

PEDRO

Oh! Nachher sind Sie immer böse auf den armen guten Pedro. Die vorige Nacht war dieselbe Sache. Der arme Pedro macht Ihnen nur seine Glückwünsche.

FLORINDO

Es ist gut. Aber ich habe jetzt keine Zeit.

PEDRO

Das kann ich verstehen. Aber ich frage: hat die schöne weiße Witwenfrau vielleicht Zeit? Das ist, was ich frage.

FLORINDO

Meine Geduld ist zu Ende! Hinaus mit dir!

PEDRO

Sie wollen Ihren Freund nicht helfen? Gut. Ich verstehe. Jetzt könnte vielleicht nicht die geeignetste Stunde sein. Ich weiß: in Europa ist alles vielmals umständlich vorgeschrieben.

FLORINDO

Das ist es.

PEDRO

zutraulich

Deshalb muß mir mein Freund, Herr Florindo, helfen. Ich sehe, es ist mir ohne ihn nicht möglich, die schöne Witwenfrau achtungsvoll zu heiraten. Und das ist mein liebenswürdiger Wunsch. Sie haben mich verstanden. In ebensolcher Weise, genau wie Sie gestern und heute geheiratet haben Ihre achtenswerten unterschiedlichen Freundinnen.

FLORINDO

Wir sprechen noch darüber.

Drängt ihn fort.

PEDRO

Sie müssen mich belernen. Ich bitte hochachtend.

FLORINDO

Morgen! Später!

PEDRO

Ich verstehe. Ich mache Ihnen noch einmal alle meine Glückwünsche.

Schüttelt ihm die Hand, geht ab.

PASCA

Was will er? Was haben Sie mit ihm verhandelt? Mir ist angst und bang. Jetzt sind wir in dem Kerl seiner Gewalt!

CRISTINA

Laß jetzt. Soll das sein, wie's will. Zwei Minuten hab ich noch, die will ich ihn für mich haben.

Sie nimmt seine Hand.

FLORINDO

nachdem er sie zärtlich angesehen

Du bist eine reiche Erbin, und ich komme mit nichts zu dir. Weißt du, was ich bin? Ein Tagdieb. Ein Lump. Ein Spieler.

Cristina legt ihm schnell die Hand auf den Mund.
Florindo zieht die Hand sanft fort

Ich habe zu ihr gesagt, ich hätte ein Amt. Es ist nicht wahr.

Pasca schlägt die Hände zusammen.

FLORINDO

Ich wollte mir einen braven, bürgerlichen Anschein geben, daß ihr solltet Zutrauen haben und meine Gesellschaft annehmen. Meinst du, ich hätte nicht noch viel ärgere Lügen vorgebracht, um mich bei dir einzunisten? Meinst du, es wäre mir darauf angekommen?

CRISTINA

Du hast ja jetzt auch ein Amt. Wo ich die Wirtin bin, bist du der Wirt und Postmeister dazu. Du bist der Herr, wo ich die Frau bin. Weil du mich aber zur Frau gemacht hast, so hast du dich selber zum Herrn gemacht und bist dein eigener Herr.

Florindo umfängt sie, sie küssen sich.

PASCA

wischt sich die Augen

Dazu hat man sie mit Sorgen großgezogen.

Cristina

an seinem Hals in Tränen

Schreib mir, sooft die Post geht, und überhole den letzten Brief. Lesen kann ich ja! Mein Gott! Daß ich nicht schreiben kann! In wieviel Tagen kannst du zurück sein? sag!

Pasca

faßt sie an

Bis er kommt, ist er da. Ihn muß es treiben.

Cristina

reißt sich los

O Gott!

Sie geht nach links ab mit Pasca.

Florindo

weinend

Pasca, dir vertraue ich sie an! Gib mir acht auf meine Frau!

Der Hausknecht kommt von rückwärts, Schuhe in der Hand. Florindo wendet ihm den Rücken zu, seine Tränen zu verbergen.

Zwischenvorhang fällt vor, hebt sich wieder.

Es ist heller Tag. Die Wirtstafel ist wiederum mit einem weißen Tischtuch gedeckt.

Kapitän sitzt beim vorderen Tisch und frühstückt. Er hat den Hut auf dem Kopfe, neben sich seinen Mantel.

Wirtssohn

kommt eilfertig auf ihn zu

Guten Morgen, mein Herr. Wünschen Sie Ihr Zimmer zu behalten, mein Herr, oder befehlen Sie eine Fahrgelegenheit?

KAPITÄN

freundlich

Muß ich Ihnen das sogleich sagen?

WIRTSSOHN

Es wäre allerdings sehr erwünscht, mein Herr, wenn es Sie nicht inkommodiert. Wir haben sehr viele Anfragen.

KAPITÄN

Ich habe hier einen Bekannten, mit dem wünschte ich noch vorher zu sprechen.

WIRTSSOHN

Da müssen Sie sich beeilen, mein Herr, der Herr Florindo fahren in der nächsten halben Stunde nach Venedig zurück.

KAPITÄN

Wie?

WIRTSSOHN

Sehr wohl. Ich bitte momentan um Vergebung.

Er eilt ab gegen die Treppe, woselbst mehrere, darunter auch der Hausknecht, Gepäck tragen und sonst auch die Unruhe eines Wirtshauses zur Abreisezeit herrscht. Er kreuzt sich rückwärts mit Pedro, der dem Kapitän ein Glas Wasser sowie seine Pfeife bringt. Kapitän zündet sich seine Pfeife an. Indem tritt der Hausknecht ein.

HAUSKNECHT

zum Kapitän in seiner gewöhnlichen Art, nachdem er ihn eine Weile angesehen, das heißt nicht sein Gesicht, sondern seine Schuhe ärgerlich fixiert

Sie wissen also nicht, ob Sie abreisen oder ob Sie hier bleiben wollen?

Schüttelt den Kopf

Und sonst wünschen Sie nichts? Es ist gut.

Zieht ein Maul, geht wieder.

KAPITÄN

Ein tüchtiger Kerl, allstunds! Pst!

HAUSKNECHT

über die Schulter

Meinen Sie mich oder die Katze dort?

KAPITÄN

Da.

Gibt ihm Geld.

Hausknecht nimmt es achselzuckend, geht.

KAPITÄN

frühstückt weiter

Die Pfeife brennt nicht, Pedro!

Pedro ist ihm behilflich.

Florindo erscheint von rechts im Rücken des Kapitäns.

Pedro blinzelt ihm voll Wichtigkeit und Einverständnis zu.

AGATHE

das Küchenmädchen, schlüpft von der Treppe herein

Herr Florindo!

Florindo wendet sich ihr zu im Rücken des Kapitäns.

AGATHE

Nur ob Sie mit dem Salat zufrieden waren.

Florindo küßt seine Finger.

Und war die Dame, wenn ich fragen darf, ebenfalls zufrieden?

FLORINDO

Ich muß mich für die Dame und für mich erkenntlich zeigen.

Will ihr Geld geben.

AGATHE

Nein, nein, nein, so wars nicht gemeint!

Läuft ab.

PEDRO

ohne zu bemerken, daß die Pfeife noch nicht brennt, springt zu Florindo

Ich bitte hochachtend, meine sehr wichtige Sache nicht zu vergessen.

KAPITÄN

mit der immer noch nicht brennenden Pfeife, zornig auf

Verdamm mich Gott!

FLORINDO

auf ihn zu

Ich muß mich von Ihnen verabschieden, Kapitän!

KAPITÄN

Was? Ich hatte gehofft, wir würden noch ein Stück Wegs miteinander machen. So gehen Sie nach Venedig zurück mit Ihrer schönen Freundin?

FLORINDO

Nein, wir trennen uns. Natürlich nur für den Augenblick.

KAPITÄN

Das muß Ihnen hart sein, Herr, und der jungen Dame auch.

FLORINDO

Wir haben diese Nacht – ich will sagen diesen Morgen, unsern

Entschluß geändert. Es sind gewisse Familienangelegenheiten dazwischen getreten, gewisse Rücksichten. Meine Braut fährt jetzt mit dem Onkel in ihr Dorf zurück. In kurzer Zeit natürlich bin ich wieder bei ihr. Und Sie, Kapitän? Wohin führt Ihr Weg?

KAPITÄN

winkt mit der Hand die Richtung landeinwärts

Ich möchte in meine Heimat, Herr. Das sind die Dörfer da droben, wo auch das schöne Fräulein, Ihre Braut, daheim ist.

FLORINDO

Sie haben gewiß Anverwandte und Freundschaft?

KAPITÄN

Keine Seele, Herr. Wenn ich mich morgen in den Mantel da wickle und mein Gesicht gegen die Wand kehre, so erben die Hochgebietenden in Venedig von ihrem unwürdigen Untertan Tomaso ihre acht- bis neuntausend holländische Dukaten, das tun sie, Herr!

FLORINDO

Das wäre beklagenswert. Sie müssen heiraten, Kapitän. Sie müssen Kinder haben.

KAPITÄN

Das bin ich willens, Herr, so hab ich Ihnen gestern gesagt. Sie sehen mich sozusagen auf dem Wege dazu, Herr. Da ist nämlich zuvörderst ein gewisses herrschaftliches Fischwasser, das bin ich willens an mich zu bringen.

Florindo sieht nach rückwärts, wo Leute über die Treppe gehen.

In diesem Fischwasser habe ich als zwölfjähriger und dreizehnjähriger Bube Schleien gefangen, Herr, in großer Leibesnot vor dem herrschaftlichen Flurhüter, der ein roher, gewalttätiger Hund war, das war er, Herr, und hätte mich zuschanden geprügelt, wenn er mich gekriegt hätte. Dieses Fischwasser an mich zu bringen und daselbst zu fischen aus eigenem Recht, sei es als Grundherr, sei es als Pächter, diesen Vorsatz habe ich vor fünfunddreißig Jahren gefaßt und trage ihn seitdem in mir. Und jedesmal, Herr, in diesen fünfunddreißig Jahren, wenn ich Löhnung in die Tasche kriegte oder Anteil einstrich, habe ich an dieses Fischwasser gedacht, Herr.

FLORINDO

Sie sind ein Mann von Ausdauer, Kapitän!

KAPITÄN

Das bin ich, Herr, wollen wir hoffen.

Das gleiche gutmütige Lachen

Da ist ferner eine gewisse Person, Herr, die bin ich willens auszuforschen und bedingungsweise gleichfalls, wenn ich so sagen soll, an mich zu bringen, Herr. Die Person muß heute so ungefähr in meinem Alter stehen, Herr, aber ich habe den Gedanken, sie muß jünger aussehen. Sie war dazumal die Tochter des Schneiders. Keine Schönheit, aber ein gutes Mädchen, das war sie, Herr. Etliche Jahre nach meinem Abgang hat sie eine Heirat getan, das ist mir bewußt, aber es könnte sein, daß sie heute Witwe wäre.

FLORINDO

In Ihrem Alter, Herr? Das ist zu alt für Sie. Für Sie paßt eine Junge, Kapitän.

KAPITÄN

Immerhin, Herr, ich möchte mir die Frau ansehen. Es war ein gutes Mädchen. Immerhin, könnte auch sein, sie hätte eine Anverwandte, die ihr ähnlich wäre. Eine Nichte oder dergleichen. Wenn dem so wäre und die Anverwandte wäre möglicherweise willens, meine Frau zu werden – dann hätte ich meinen Stand daheim, Herr. Damit meine ich nicht die Versorgung oder Anstellung, wie man spricht, Herr. Sie verstehen mich, Herr, sondern meinen festen, sicheren Stand hätte ich eben in diesem Falle. Die Heimat, Herr, das ist nicht wie solch ein alter Mantel da: da liegt er, schmeiß dich drauf hin, wickel dich ein, er hält dich warm, kommts wie's kommt. So ein kommodes, dienstwilliges Stück Tuch ist das nicht. Das hab ich vordem nicht so gewußt. Das spür ich, seit ich näher herbei bin, seitdem spür ich das. Seither nimmts mich sozusagen beim Hals, Herr.

Florindo sieht sich nochmals nach dem Treppenhaus um.

Sehen Sie, Herr, wenn es keine Zudringlichkeit ist, das zu sagen, ich war mir gestern abends verhoffend, daß Sie und das schöne Fräulein, Ihre Braut, alle zusammen da hinauf in die Dörfer würden gefahren sein, und daß ich da einen Anschluß würde gefunden haben. Es wäre für mich ein leichteres Einkommen gewesen, das wäre es gewesen, Herr. Nicht um eine Fahrgelegenheit meine ich es, Herr. Sie verstehen mich, Herr.

Florindo verbindlich bedauernd, ohne Worte.

Item, dem ist nicht so. Unter so veränderten Umständen denke ich zunächst einmal hier im Gasthause eine kleine Zeit abzuwarten. Hier wohne ich gut, hier sind Leute, die freundlich und dienstwillig zu mir sind. Es ist natürlich nicht für lange, nur so eine Station auf der vorübergehenden Reise, was weiter? Sollte Ihr Weg Sie in einiger Zeit hier vorbeiführen, so bitte ich, nach mir zu fragen. Es könnte immerhin sein, Sie fänden mich noch hier.

Rückwärts ist der fremde alte Herr, unterstützt von der jungen Unbekannten und dem Bedienten, die Treppe heraufgegangen. Sie sind draußen stehengeblieben. Und der Bediente hat ihnen Florindo gezeigt. Florindo verneigt sich.

Kapitän

Ich sehe, Sie haben noch anderweitige Bekanntschaft.

Florindo

Es sind die sonderbarsten Leute von der Welt. Der alte Herr ist ein ausländischer Edelmann. Er spricht nur lateinisch und braucht den Bedienten als Dolmetsch. Er gibt die junge Person als seine Verwandte aus, ohne daß sie es ist, und auch was man sonst denken könnte, soll keineswegs der Fall sein. Das Mädchen ist sechzehn Jahre alt – haben Sie sie angesehen? Sie hat zuweilen einen Blick, man könnte glauben, sie wäre aus einer andern Welt.

Kapitän

Ich bewundere Sie, daß Sie in Ihrer Lage noch Augen für ein anderes Frauenzimmer haben.

Florindo

Wie denn, Kapitän? Ist ein volles Herz nicht darnach angetan, daß mir eine rührende Gestalt doppelt rührend sein muß? Weil ich liebe und geliebt werde, soll ich darüber stumpf werden?

Kapitän

Da haben Sie wieder recht, Herr!

Florindo

Die Leute haben mir anbieten lassen, die Postchaise mit ihnen zu teilen. Hätte ich ablehnen sollen? Soll ich allein hinunterfahren, wo mir auch in Gesellschaft öde genug ums Herz sein wird? Soll einer, der traurig ist, sich mit Gewalt noch trauriger machen? Das wäre sündhaft. Ich wollte, ich wüßte eine Gesellschaft für meine Braut, daß auch sie nicht allein fahren müßte.

KAPITÄN

Man will Sie sprechen, scheint mir, Herr!

Florindo eilt hin zu der Gruppe, die ihn auf dem obersten Treppenabsatz zu erwarten scheint. Hausknecht von links herein, mit Gepäcken, zuoberst der Vogelbauer.

KAPITÄN

Pst!

HAUSKNECHT

den Blick auf des Kapitäns Schuhe gerichtet

Ich habe wenig Zeit.

KAPITÄN

Soviel Zeit wirst du wohl haben, um dir hinters Ohr zu schreiben, daß ich fürs nächste hier zu bleiben gedenke und die Zimmer für mich und meinen Bedienten bis auf weiteres behalte.

HAUSKNECHT

Es ist gut!

Geht.

KAPITÄN

lacht

Das ist ein so netter, ordentlicher Kerl, als mir je einer auf Reisen begegnet ist.

FLORINDO

kommt wieder

Kapitän, es liegt mir auf dem Herzen wie Bleigewicht, daß das arme Wesen mutterseelenallein landeinwärts fahren soll.

KAPITÄN

Das Mädchen dort soll landeinwärts fahren?

FLORINDO

Nicht die Fremde. Ich spreche von Cristina. Sie ist eine von denen, die man nicht allein lassen darf mit ihrem Herzen. Kapitän, wie wäre es, wenn Sie mit meiner Braut ins Dorf hinaufführen?

KAPITÄN

rot

Die mich nicht kennt?

FLORINDO

Ich habe ihr von Ihnen erzählt!

KAPITÄN

Das Fräulein wird sich bedanken. Überhaupt, Herr –

FLORINDO

Nicht überhaupt. Sie achtet Sie. Sie sagte: den Mann möchte ich kennenlernen.

KAPITÄN

rot und verlegen

Herr! Herr! Ich weiß nicht, Herr –

FLORINDO

Das arme Mädchen hat einsame Tage vor sich. Gräßlich ist Einsamkeit. Ich falle in Verzweiflung, wenn ich einsam bin. Kapitän, tun Sie mir die Liebe, Kapitän. Sie haben Dinge erlebt, die der Rede wert sind. Es ist ein ernstes, gefühlvolles Mädchen.

KAPITÄN

Herr! Das will ich glauben, Herr!

FLORINDO

Wollen Sie ihr nicht von Ihrer Gefangenschaft erzählen? Von

Ihrer Flucht? Von den siebzig Nächten im Walde? Sie werden keine undankbare Zuhörerin finden. Tun Sie mir die Liebe, Kapitän, und bringen Sie mir das Mädchen leidlich hinüber, bis ich wieder bei ihr bin.

KAPITÄN

Herr, ich weiß nicht, was Sie wollen, Herr! Ich weiß nicht, was Sie sich denken, Herr, verdamm mich Gott. Ich bin keine Gesellschaft, Herr.

Stampft nach vorne zu, Florindo stehenlassend

Ein alter Kerl bin ich, ein alter Matros bin ich, das ist, was ich bin, Herr!

FLORINDO

Oh, ganz wie Sie wollen, Kapitän. Es wäre mir ein Gefallen geschehen, das ist alles.

Der alte Romeo steht schon seit einer Weile rückwärts, hat sich verneigt, sooft Florindos Blick auf ihn fiel. Tritt jetzt mit etlichen Verneigungen zu Florindo.

Pedro blickt mit großer Unruhe auf seinen Herrn.

ROMEO

Wenn ich imstande wäre, Ihnen zu schildern, wie meine Töchter die Nachricht von Ihrer Ankunft aufgenommen haben. Worte vermögen es nicht.

KAPITÄN

tritt ein paar Schritte näher zu Florindo

Herr, was ich sagen wollte: ich bin Ihnen recht sehr dankbar, Herr. Sie haben mir mehrfach aus gutem Herzen Freude gemacht. Ich werde mich immer freuen, Ihnen wieder zu begegnen, aber was das betrifft: ich bin keine Gesellschaft für die Dame, Herr. Ich weiß meinen Platz, Herr.

FLORINDO

Es tut mir leid, Kapitän, daß Sie mir die Bitte abschlagen.

Kapitän auf und nieder, aufgeregt, murmelt etwas vor sich hin.

ROMEO

Diese Seligkeit! Wie, er ist da? riefen sie alle drei aus einem Munde. Dieser deliziöse Herr Florindo! Vater, bring uns zu ihm, wir müssen ihm unsere Erkenntlichkeit bezeigen. Wir müssen ihn unserer immerwährenden Liebe versichern. Meine Tochter Annunziata, die vorige Woche den Zwillingen das Leben geschenkt hat, war kaum zu beruhigen.

Florindo gibt ihm Geld. Pasca tritt auf von links.

PEDRO

springt zu Florindo

Ich bitte hochachtend, meine sehr wichtige Sache nicht zu vergessen.

PASCA

leise zu Florindo

Sie wartet und wartet. Sie kränkt sich, daß Sie nicht kommen, ihr und dem Onkel Adieu zu sagen.

FLORINDO

Sie kränkt sich? Und ich stehe auf Kohlen und wage mich nicht hinein! Adieu sagen! Ist es denn möglich, Pasca, daß es sein muß?

DER BEDIENTE

von rückwärts, Romeo introduziert ihn diensteifrig

Es eilt, mein Herr! Meine Herrschaft läßt sehr bitten!

FLORINDO

Sogleich bin ich bei ihnen. Im Augenblick. In wenigen Minuten, mein Lieber. Ich lasse Ihre Herrschaft um Nachsicht bitten.

Bedienter geht.

FLORINDO
zu Pasca

O Gott, wie ist ihr denn?

PASCA

Sie nimmt sich zusammen.

Kapitän ist stehengeblieben, sieht auf die beiden hin.

FLORINDO

Sie kränkt sich, daß ich nicht komme. Pasca, gute Pasca! Das Härteste will ich ertragen, ohne Murren, und will nicht fragen, ob es hat sein müssen, aber dann auch jäh, wie ein Schnitt mit dem Messer. Das langsame Auseinanderreißen, Faser um Faser, die Hängerei, Aug in Aug mit halbzerdrücktem Herzen, die Marter für sie und mich! Die letzte, tödliche Sekunde zu einer Stunde auseinanderziehen! Nein, Pasca, nein! Jetzt hinein und wieder heraus und in den Wagen. Gott! Gott!

Preßt sich die Hand auf die Augen.

KAPITÄN
rasch auf Florindo zu

Jawohl, ich danke Ihnen für alles, Herr. Und wenn es nicht zudringlich ist, so bitte ich, dem Fräulein meine Empfehlung unbekannterweise, jawohl, die bitte ich auszurichten.

Wendet sich.

FLORINDO

Kapitän, soll ich ihr nicht lieber ankündigen, daß Sie gerne mit ihr hinauffahren werden?

Pasca

Es würde meinem Fräulein sicherlich recht willkommen sein. Wir haben ja schon früher eine Begegnung mit Ihnen gehabt.

Kapitän

Ja, das ist wahr, verdamm mich Gott.

Lacht.

Florindo

Also?

Kapitän

Wie, dabei bleiben Sie, Herr?

Florindo

Das heißt, der Wagen ist klein, und man kann Ihnen drinnen keinen Platz anbieten. Aber Sie fahren hinterher. Auf den Stationen haben Sie doch Gesellschaft.

Kapitän

Ja, wenn ich denn wirklich, Herr – darf ich denn die Erlaubnis der Dame voraussetzen?

Florindo

Das dürfen Sie, das nehme ich auf mich.

Pedro freut sich.

Kapitän

Dann will ich gern neben dem Wagen der Dame reiten, Herr. Das will ich, so wahr ich ein alter Seemann bin, Herr. Sie soll ein berittenes Gefolge haben, wie eine Standesperson.

Florindo

Gut! Schön!

Schnell ab nach links mit Pasca.

KAPITÄN

sehr vergnügt zu Pedro

Lauf, sie sollen auf der Stelle ein Reitpferd satteln für mich, für dich einen Maulesel. Wenn sies nicht haben, sollen sies schaffen, es wird bezahlt.

PEDRO

sehr erfreut

Mein Freund! Nummer eins geschickter Ansprecher.

KAPITÄN

Vorwärts!

Pedro läuft ab.

Kapitän vorne auf und nieder. Singt mit sehr vergnügtem Rhythmus

Auf, auf, du Bootsmann, und auf, du Jung,
Auf nach Bilbao!

Ruft

He! Pst! Den Hausknecht! Das brave, tüchtige Faktotum! Hierher!

ROMEO

diensteifrig

Ich werde den Mann sogleich zu Ihrer Verfügung stellen, mein Herr.

KAPITÄN

singt

Auf, auf, du Bootsmann, und auf, du Jung usw.

HAUSKNECHT

kommt von rückwärts, von Romeo präsentiert, zwei Taschen in der Hand

Was wünschen Sie? Wollen Sie mir vielleicht noch einmal sagen, daß Sie bis auf weiteres hierbleiben und Ihr Zimmer behalten wollen? Das weiß ich bereits. Sie haben mir es vor fünf Minuten mitgeteilt.

Florindo kommt eilig von links, geht rasch durch, läuft die Treppe hinunter.

KAPITÄN

Und jetzt teile ich dir mit, daß ich in fünf Minuten abreisen werde.

HAUSKNECHT

stellt seine Tasche nieder. Lacht höhnisch

Das muß man sagen, Sie sind immer entschlossen, Herr, Sie wissen nur nicht zu was.

Cristina kommt von links, geht rasch durch, bleibt oben auf der Treppe stehen, sieht hinab übers Geländer gebeugt. Kapitän sieht hin, wird ganz still, vergißt den Hausknecht.

HAUSKNECHT

Sie fahren also nach Venedig zurück? Es ist gut. Ich werde Ihr Gepäck auf die Chaise von Nummer zehn aufladen lassen.

KAPITÄN

Im Gegenteil! Ich fahre mit dem Herrn Abbate und der jungen Dame, die gestern in Gesellschaft des Herrn Florindo angekommen sind, hinauf ins Gebirge, während Herr Florindo mit dem fremden alten Herrn hinunter nach Venedig fährt.

HAUSKNECHT

Sie fahren mit Nummer sieben

Zeigt nach links

hinauf, während er

Zeigt nach rechts

mit Nummer dreizehn

Zeigt nach rückwärts

hinunterfährt.

Grimmig

Eine Wirtschaft.

KAPITÄN

Was maulst du da?

HAUSKNECHT

mit einem Laut zwischen Husten und Hohnlachen

Hah!

Eilt ab mit seinen Taschen.

Kapitän sieht ihm gutgelaunt nach.

Cristina steht noch immer übers Treppengeländer gebeugt, einem nachsehend, der längst fort ist.

Vorhang fällt sehr schnell.

DRITTER AKT

Der große Raum in Cristinas ländlichem Wirtshaus. Im Hintergrunde eine Tür und ein Fenster, beide ins Freie. Rechts rückwärts die Türe zu Cristinas Zimmer. Rechts vorne die Küchentür. Zwischen beiden Türen der Ofen, mit einer Ofenbank herum. Rings um den Ofen oben ein Viereck von Stangen, woran Mäntel, Kleider und Hüte des Kapitäns hängen. Links vorne die Tür zu einem Gastzimmer, das der Kapitän bewohnt. Links, ganz vorne an der linken Wand, läuft eine Bank, an dieser steht ein mäßig großer Eßtisch. Hut und Mantel des Kapitäns hängen an der Wand. – Pasca deckt den Tisch für eine Person, eilig. Sie legt kein Tischtuch auf, sondern nur Eßzeug für einen Gast. Wie sie sich bückt, um aus einem Schrank das Salzfaß, Messer und Gabel zu nehmen, kommt Pedro von rechts aus der Küche gelaufen und umschlingt sie von rückwärts. Er hat nackte Arme und Beine, ein leinenes Hausgewand, worin er sehr wenig europäisch aussieht; das Haar in einen Schopf zusammengebunden; einen blauen hinaufgebundenen Schurz, aus dem Flaumfedern fliegen. Einen halbgerupften Vogel hält er in der Hand.

PASCA

schüttelt ihn ärgerlich ab

Das habe ich mir verbeten und einmal für allemal.

PEDRO

Eine Wenigkeit von zudringlicher Liebe verdient nicht die kalte Hand und die häßliche Stimme.

PASCA

Jawohl! Und noch dazu,

Mit gedämpfter Stimme

wo die Cristina in ihrem Zimmer ist.

Pedro läuft hin, sieht durchs Schlüsselloch, gibt zu erkennen, daß Cristina nicht in ihrem Zimmer ist.

Und in dem Aufzug da? Das soll einem christgläubigen Mannsbild gleichsehen, das? Einen Besen hol!

PEDRO

holt einen Besen aus der Küche, kehrt eifrig die Flaumfedern auf, maulend, wie ein Kind

Auch Europäer machen so, hab ich schon einmal gehört.

PASCA

Ah, du willst mir Lektionen erteilen? Du bist dazumal also der, der die feinen Unterschiede heraus hat? Da tätest du mir aber leid, du. Du bist einer, der hierzulande nicht einmal noch läuten hört, geschweige denn schlagen. Dafür wirst du heute nachmittag nicht mit mir ausgehen, wirst dich aber trotzdem in ehrbare Tracht werfen und wirst strafweise allein zum Grabe meines seligen Mannes hinauswandern und für das Seelenheil des braven Mannes ein Vaterunser und drei Ave Maria beten. Das ist alles, was wir zwei vorläufig miteinander zu sprechen haben.

Will in die Küche.

PEDRO

Der Herr Pfarrer hat gesagt, ich bin ein sehr guter, sehr schöner Nachvertreter für den achtenswerten Verstorbenen.

PASCA

Da haben wir eine schöne, gehaltvolle Rede in einer recht gemeinen Auffassung abgespiegelt. Ganz anders hat der Herr Pfarrer gesprochen, mein lieber Pedro. An seinen Früchten sollst du ihn erkennen, das Wort hat er mir zur Richtschnur gegeben –

Seufzt.

PEDRO

Meine Früchte?

Sieht hilflos umher.

PASCA

Will sagen: Dein Betragen, dein Eifer in allem Guten, deine Treue, deine Stetigkeit.

PEDRO

Oh! Was hast du mir vorzuwerfen, in alle diese Stücke? Zwei Monate sind nichts? Sechzig und vier Tage sind nichts? Meine Früchte? Ich verstehe ganz gut. Es sind sehr schöne Früchte auf mir gewachsen: immer zur Stelle, immer keine anderen Gedanken als auf dich, an deine Augen aufgehängt wie ein gehöriger Hund, immer steh ich auf deiner Ferse, immer lach ich auf dich, bei Tag und Nacht – mein Kapitän kann sagen. Mein Kapitän hat vielmals bemerkt. Hat im Anfang vielmals dafür meine Ohren geschlagen.

PASCA

streicht leicht über seinen Kopf

Und ich habs vielleicht nicht bemerkt? Ich hab dirs vielleicht nicht merken lassen, daß ichs bemerke.

PEDRO

Sechzig und vier Tage in dieses Haus! Mit dir unter ein und dasselbe Dach. Vielmals lange vergebliche Erwartung.

PASCA

Vergeblich? Das Wort will ich nicht hören. Es gibt eine Sorte von Ungeduld, von der zwischen uns nicht die Sprache ist.

Pedro

Vielmals viele Vorschriften in dieses Land.

Ringt die Hände.

Pasca

Das ist ein Gefühl, auf das es vielleicht dort, wo du her bist, ankommen mag. Bei uns kommt es auf eine Gesinnung an –

Pedro

Ich habe eine Gesinnung!

Pasca

Auf einen christlichen Anstand kommt es an.

Pedro

Ich habe einen sehr großen Anstand.

Pasca

tritt zurück

Ist es die Möglichkeit? Kann so etwas den Bräutigam einer honetten Witwe vorstellen? Heilige Mutter der Schmerzen! Ja, wenn ich mit ihm auf einer von seinen wüsten Inseln wäre.

Pedro

erfaßt den Gedanken vollkommen

Dann wäre vielmals leicht, oh!

Pasca

Den Schlaf einer Nacht kanns mich kosten, wenn mir das Bild aufsteigt, wie er irgendwo bei der Verwandtschaft zum erstenmal in ein Zimmer hereintritt.

PEDRO

Warum hab ich meinen Fuß auf dieses Europa getreten?

PASCA

Da nimm du dir ein Beispiel an deinem Herrn Kapitän. Das ist ein würdiges Betragen. Wirft er auch nur einen Blick zuviel nach dem Fräulein? Er geht auf die Jagd, er nimmt seine Mahlzeiten, er wohnt hier wie jeder andere Gast, dann und wann spricht er vom Abreisen und bleibt weiter hier. Man merkt die Achtung, die Sympathie, aber nichts darüber.

PEDRO

Mein Kapitän hat soviel Geduld wie eine sehr alte Schlange. So viel Geduld ist nicht mehr gesund.

PASCA

Sehr schön ist eine solche Geduld.

PEDRO

Aber mein Kapitän hat einen Brief bekommen, der wird sein wie ein kleines Feuer, wenn man es anzündet für eine alte Schlange hinten.

PASCA

ihm näher, nicht ohne Unruhe

Was soll das für ein Brief sein? Sollte der mein Fräulein angehen?

PEDRO

Sehr gut ist der Brief. Ich bin brüllend dankbar dem Herrn Florindo für die Freundlichkeit.

PASCA

läßt fallen, was sie gerade in der Hand hält

Wem?

PEDRO

Ich weiß, du hast mich nicht gern, den Namen in den Mund zu nehmen, des Herrn Florindo. Der Name wird nicht mehr über meine Zunge springen. Ich schwöre meinen Schutzpatron!

PASCA

Mit der Kreatur, der venezianischen, steht ein honetter Mann, wofür ich deinen Herrn Kapitän bisher gehalten habe, in Korrespondenz? Das gibt mir ja einen Stich ins Herz.

PEDRO

Wie steht? Wieso sagst du: steht mit ihm? Mein Kapitän ist hier, Herr Florindo ist in Venedig. Ein Brief ist gekommen. Der Brief macht oben: Mein lieber Kapitän, und macht unten: Ihr großer Freund Florindo. In der Mitte macht er sehr gute Worte und Segenssprüche, sichergewiß.

PASCA

ringt die Hände

Ein unerbetenes Lebenszeichen von der Kreatur ohne Ehr und Gewissen. Mir läufts heiß und kalt übern Rücken.

PEDRO

Mach du nicht Zeichen und Verwünschungen. Der Herr Pfarrer sind ein sehr guter Mann für Segenssprüche, und der Herr Florindo sind ein sehr guter Mann für Segenssprüche. Jeder in anderer Sorte.

PASCA

So lästerliche dumme Reden will ich nicht einmal hören.

Vollendet eilig das Tischdecken.

PEDRO

unerschütterlich

Ich sage: der Herr Pfarrer kann sein Nummer eins gut für Segenssprüche auf zwei Leute, wenn sie schon sind bekannt aufeinander. Aber Herr Florindo ist Nummer eins gut für Aufeinanderführen, bevor sie sind bekannt zueinander. Kann der Herr Pfarrer einen Traum machen, der richtig anbedeutet die zukünftige Heirat?

Triumphierend

Der Herr Florindo hat mir in Venedig gemacht für mich und meinen Kapitän. Der Herr Florindo ist sehr jung. Ich sage: was wird er für ein großer Zueinanderbringer sein, wenn er einmal so alt ist wie der Herr Pfarrer.

PASCA

Da hab ich Wachs in den Ohren.

Eilig ab in die Küche.

Man sieht den Kapitän, eine Mütze auf dem Kopf, mit Jagdtasche und Flinte, draußen kommen. Pedro sieht ihn, springt eilig hin, den Hut an seinen Platz zu legen. Kapitän tritt ein. Pedro nimmt ihm die Büchse und Jagdtasche ab. Kapitän setzt sich auf die Ofenbank, zieht einen Brief aus der Tasche. Pedro zieht ihm die Stiefel aus, läuft ins Zimmer links, kommt dann gleich wieder mit Schuhen. Kapitän geht in Strümpfen zum Tisch links vorne, fängt an, den Brief zu lesen, indem er ihn ziemlich weit von sich weghält. Pedro kommt mit Schuhen, Kapitän setzt sich, läßt sich die Schuhe anziehen. Pedro an der Küchentür, wirft einen verstohlenen Blick auf den Kapitän, verschwindet wieder.

KAPITÄN

Zieh dich an!

Pedro geht.

Häng die Büchse auf. Daß der Lauf mir anders geputzt wird als das letztemal!

Pedro hängt die Büchse auf, geht dann ab, sieht von der Schwelle des Zimmers links verstohlen auf den Kapitän.

Kapitän liest sich den Brief, den er so ziemlich auswendig weiß, abermals vor

Mein lieber Kapitän! Unerwartet bietet sich mir die Gelegenheit, Sie wiederzusehen, und wäre es auch nur für kurz. Die Gräfin, mit der ich reise, besucht Verwandte auf ihren Gütern im Gebirge, und unser Weg führt uns über Capodiponte. Wie sehr freue ich mich, Ihnen die Hand zu schütteln und das einzig gute und schöne Mädchen wiederzusehen, dessen Herz dauernd zu besitzen ich so ganz und gar nicht würdig gewesen wäre. Auch die Gräfin wünscht sich sehr, Ihre und Cristinas Bekanntschaft zu machen. Sie werden beide in ihr eine reizende und in ihrer Art unvergleichliche Frau kennenlernen, wenngleich sie sich an Schönheit und Güte nicht mit Cristina messen kann.

Nochmals in unbeholfener Weise überfliegend

Auch die Gräfin ... Ihre und Cristinas Bekanntschaft zu machen.

Läßt den Brief sinken

Sie werden beide –

Faßt heftig den Brief, liest

Sie werden beide –

Läßt den Brief sinken, steht hastig auf, das Blut steigt ihm zu Kopfe

Auf einem Fetzen Papier sind das Mädchen und ich ein Paar. In dem Kopfe des Burschen sind das Mädchen und ich ein Paar. In dem Kopfe des alten Pfarrers sind das Mädchen und ich das richtige Paar. O Welt! Heute! Heute vor Nacht bring ich es vor! – wofern sie mir ungesucht und ungebeten ohne

Zeugen begegnet, sei es hier in diesem Zimmer, sei es anderswo.

Man sieht Cristina draußen kommen, gleich darauf öffnet sie die Türe. Kapitän sieht sie, erschrickt heftig.

Sie kommt herein! Jetzt! Jetzt ist nicht die Stunde. Es verschlägt mir den Atem. Das ist ein Zeichen, daß es heute nicht sein soll.

Geht links ab.

CRISTINA

herinnen, ruft

Pedro!

PASCA

in der Küchentüre

Was willst du von ihm?

CRISTINA

Ich hätte ihn gern hinübergeschickt – mit einer Schale von unserer Suppe zum Onkel.

PASCA

Will er wieder nichts essen?

CRISTINA

Die unsrige ißt er schon. Ist der Pedro nicht da?

PASCA

Drinn mit seinem Herrn.

CRISTINA

So geh du mir hinüber mit der Suppe.

PASCA

Wär not, ich ging wegen was anderm auch zum Herrn Pfarrer.

Mit einer Kopfbewegung gegen des Kapitäns Zimmer

Der Mensch ist in einem Zustand, es ist nicht mehr zum Ertragen, wie ers treibt.

CRISTINA

Ach Gott, die Männer!

PASCA

Wenn ich ihn länger hinhalt, so verliert er den Verstand, meiner Seel.

CRISTINA

Da verliert er nicht viel. Probiers halt!

PASCA

immer in der Türe

Ich probiers auch!

Sieht sie forschend an

Ich probiers auch!

CRISTINA

Geh nur mit der Suppe.

Bemerkt den Blick

Was probierst?

PASCA

Na, das eben, um was er mich bittet.

Cristina sieht sie groß an.

Was sagst du denn: Probiers, und schaust mich dann so an?

CRISTINA

So hab ichs nicht gemeint!

PASCA

Wie denn?

CRISTINA

Probiers und laß ihn den Verstand verlieren.

PASCA

gekränkt

Eine sehr christliche Rede.

CRISTINA

Ärgere dich nicht. Machs, wie dus willst! Unser Herrgott hat ja allerlei Kostgänger. Der Onkel ist ja auch ein Mannsbild. Mag sein, je weniger sie gleichsehen, desto mehr ist sonst an ihnen. Geh mir hinüber mit der Suppe, Pasca!

PASCA

in der Türe

Kann ich fort vom Herd? Der Braten muß umgewendet werden. Zugegossen muß werden, in einer Minute kommt der Kapitän zu Tisch. Er soll ja einen Brief bekommen haben, der Kapitän! Weißt du was davon?

CRISTINA

So, vielleicht wegen dem Fischwasser?

PASCA

Ja, vielleicht wegen dem Fischwasser. Ich ruf die Barbara.

CRISTINA

Laß. Sie hat Arbeit. Ich seh dir auf deinen Braten. Kommt der Kapitän, so richt ich ihm an. Auftragen kann der Pedro allein, geh nur indessen.

Geht in die Küche.

KAPITÄN

kommt von links heraus, setzt sich an den Tisch, munter

Bin zur Stelle, Frau Pasca, und rechtschaffen hungrig.

CRISTINA

aus der Küche

Gleich!

KAPITÄN

Wie? Sie sind auch da?

CRISTINA

kommt mit der Suppe

Wie Sie sehen.

Stellt ihm die Suppe auf den Tisch.

KAPITÄN

steht auf

Das geht nicht an, daß Sie mich bedienen, das darf nicht sein!

CRISTINA

Ich habe die Pasca fortschicken müssen, die Barbara hat was zu tun, und Ihr Diener ist nicht zur Hand. Also ist es in der Ordnung, daß ich Sie bediene.

KAPITÄN

sehr beklommen, sich mit ihr allein zu sehen, ruft laut

Pedro! Komm sofort heraus!

PEDRO

öffnet ein wenig die Türe links

Sofort! Sogleich! Eine Wenigkeit von Sekunden!

Schließt die Türe wieder.

Cristina ist indessen gegangen.

KAPITÄN

Heute! Jetzt!

Ißt ein paar Löffel Suppe, kann nicht weiter, nestelt an seinem Halskragen.

CRISTINA

kommt wieder, geht bis an den Tisch

Einem andern als Ihnen möchte ich nicht sein Essen auftragen, das sag ich ganz frei, von meinem Onkel abgesehen natürlich. Sie sind mehr als ein Gast in meinem Wirtshaus. Sie sind ein Freund von uns. Darum lassen Sie sich nur ruhig von mir bedienen.

Nimmt die Suppe auf

Was einem vom Herzen kommt, dabei vergibt man sich nichts.

Trägt ab und geht.

KAPITÄN

Jetzt. Da war es. Jetzt hätte ich sprechen müssen. Daß es solche Bursche gibt, die immerfort einen Anfang finden, jeden Tag, jede Stunde, wenn sie nur wollen –

Cristina kommt mit dem neuen Gang.

Das war noch nie, daß Sie mir mein Essen aufgetragen haben. – Und es kann leicht sein, daß es ein zweites Mal nicht mehr kommen wird.

Legt mit einer gewissen Feierlichkeit Messer und Gabel aus der Hand.

CRISTINA

Warum denn? Verschlägts Ihnen den Appetit?

KAPITÄN

Schier. Es kann leicht sein, daß ich jetzt bald von hier fort muß.

CRISTINA

So auf einmal? Will man Ihnen das Fischwasser jetzt doch abgeben? So sind die Leute. Da ziehen sie einen herum, zwei Monate lang, dann geben sie klein bei.

KAPITÄN

Es ist um kein Fischwasser. Fort aus der Gegend, ganz und für immer, meine ich.

CRISTINA

O mein Gott, tun Sie mir das nicht, Kapitän, wo der Onkel sich jetzt so gewöhnt hat, die Stunde am Nachmittag mit Ihnen zu spielen, abends Ihre Gesellschaft zu haben. Ich hab keinen Menschen, mit dem er so gern redet. Bleiben Sie mir im Ort, Kapitän, oder in der Nachbarschaft, in Gottes Namen.

KAPITÄN

Wissen Sie, was er zu mir redet, wenn Sie nicht dabei sind?

Er sieht sie an.

CRISTINA

Essen Sie doch – allerlei, denk ich.

KAPITÄN

schiebt seinen Teller weg

Er redet, daß er sterben wird und daß ihm lieb wäre, wenn ich Sie nicht allein ließe. –

CRISTINA

Mich?

KAPITÄN

Ja, wenn er nicht mehr da ist.

CRISTINA

wird rot, dann mit einiger Härte

Was versteht ein Heiliger von der Welt! Nicht so viel als untern Fingernagel geht, mit allem Respekt gesagt. Es ist zum Lachen, wie auch gute Menschen manchmal etwas Überflüssiges daherreden. Wüßte ich nicht, daß Sie ein vernünftiger Mann sind, der eine Sache zu nehmen weiß, so wären wir jetzt so weit, daß ich mich kein freies, unbefangenes Wort mehr an Sie zu richten getraute. Wenn mancher nur manches ungesagt ließe, in Gottes Namen.

Geht ab in die Küche.

KAPITÄN

die Hand am Kinn

Heut nicht!

Halblaut

Pedro!

Pedro kommt, er hat nur Zeit gefunden, über das Leinengewand seinen langen Rock zu ziehen. Die Beine sind noch nackt und die Erscheinung keineswegs europäisch.

Du bleibst! Bedien mich. Soll das Fräulein Schüsseln schleppen?

Pedro wartet ihm auf.

CRISTINA

kommt wieder

Sie essen ja rein gar nichts! Ist das Ihr großer Hunger? Gehen Sie mir.

Bleibt stehen, schüttelt den Kopf.

KAPITÄN

steht halb auf, hat die Hand auf dem Tisch, sein Gesicht arbeitet

Cristina!

CRISTINA

Was ist Ihnen denn?

KAPITÄN

schwer

Es war nicht nur der Onkel – ich selber, Cristina, Gott ist mein Zeuge. Zuerst nicht. Allmählich – ich kann nicht sagen, wie – ich, Cristina! Ich! –

CRISTINA

Bleiben Sie doch sitzen. Es ist mir nicht unbekannt geblieben, in Gottes Namen. Meinen Sie, ein Frauenzimmer ist blind für so was?

KAPITÄN

gepreßt

Cristina!

Pedro verschwindet.

CRISTINA

Sie müssen Ruhe halten, Kapitän. Sie haben andere Dinge druntergekriegt. Was ist das weiter für einen Mann wie Sie? Es vergeht, Kapitän. Es vergeht wie nichts. Ein Mann wie Sie ist nicht gewöhnt, so stillzusitzen auf einem Fleck. Unterm Dasitzen ist es so gekommen, unterm Dasitzen wirds vergehn. Deshalb braucht der Onkel nicht seine einzige Gesellschaft zu entbehren.

KAPITÄN

Es ist nicht unterm Dasitzen gekommen. Wie ich das erste Mal Sie gesehen habe, Cristina!

CRISTINA

In dem Gasthof dort? O weh! Der war verhext!

KAPITÄN

Nicht in dem Gasthof, die Nacht vorher.

CRISTINA

Ach nein, nein, nein! Da haben Sie sich noch nicht viel gedacht.

KAPITÄN

dunkelrot

Soll das an mir gestraft werden, daß ich eine schwere Zunge habe?

CRISTINA

Nein, an mir, wie es scheint.

KAPITÄN

Soll alles denen gehören, die mundfertig sind – verdamm mich Gott!

CRISTINA

Nein, nein, denen schon gar nicht! Seien Sie gut. Was liegt auch daran, ob damals oder später. Es ist halt so gekommen. Da waren Umstände, da waren Begegnungen, da kamen Ihnen Gedanken. Da fingen Sie an, sich Möglichkeiten vorzustellen.

Tritt zutraulich nahe dem Tisch

Aber Sie sollen heiraten. Sie verdienen eine brave Frau. Es gibt brave Frauen und Mädchen genug auf der Welt. Ich bin Ihre Freundin. Ich will Ihnen suchen helfen –.

KAPITÄN

nestelt an seinem Halskragen, nicht laut, gepreßt

Es ist gut! Da sind wir gesessen, abends. Zehn-, zwanzigmal, was weiß ich, zu drei'n mit dem Onkel. Und Sie haben mich mein Garn spinnen machen, und wenns dann kam, daß ich mich aus einer Gefahr herauszog und ein Mensch oder ein Fieber oder ein böser Sturm oder ein Korallenriff mich nicht konnte unterkriegen, da sah ich, daß Sie sich freuten. Ich sah etwas, ohne Sie anzusehen. Was brauch ich Ihr Gesicht – konnte ich nicht an Ihrem Atem hören, daß Sie sich freuten?

Er sieht sie auch jetzt nicht an. Er hat sein scharfes Matrosenmesser neben sich liegen und fängt an, ohne es zu wissen, an der Bankecke zwischen seinen Knien zu schnitzeln.

Warum freuten Sie sich denn da? Was wurde denn weiter gerettet – ein Mann? Kein Mann für Sie, zumindest.

Sieht sie zornig an

Was ist die Kreatur Sie angegangen? Sind Sie ein solches Frauenzimmer? Ist das alles, was Ihr Lachen wert ist?

CRISTINA

So sollen Sie nicht zu mir sprechen. Solche Blicke und eine solche Redeweise stehen Ihnen gar nicht. Diese ganzen zehn Wochen haben Sie mir kein Gesicht gezeigt, das ich so schnell über bekommen könnte wie dieses da.

Dreht sich rasch, gegen die Küche.

KAPITÄN

auf

Gehört und begriffen! Pedro!

Pedro kommt, versteht, sucht Cristina mit dem Blick.

Wir sind am längsten hier gesessen. Pack zusammen! Schaff ein Fuhrwerk!

Pedro sucht mit dem Blick Cristina.

KAPITÄN

zwischen den Zähnen, schlägt dabei mit dem Messer in den Tisch

Auf, auf, du Bootsmann, und auf, du Jung!
Kathrinchen hat von uns genung.

Er bricht ab. Seine Lippen und sein Kinn zucken.

PEDRO

ist an Cristinas Tür gelaufen, hat durchs Schlüsselloch gesehen, sieht, sie ist nicht drinnen, was ihn beruhigt. Läuft zu seinem Herrn, streichelt ihn, leise

Sie wird wiederkommen. Die Frauen gehen hinaus, aber sie kommen wieder herein. Ich weiß!

Cristina tritt ein, macht sich am Schrank zu tun. Pedro verzieht sich leise.

KAPITÄN

nickt trüb, ohne sie anzusehen

Es ist etwas widerfahren!

Seufzt

Es hat sich etwas ereignet.

CRISTINA

hebt abwehrend die Hände

Ja, ja, aber das ist vorbei und begraben. Ja, ja, aber das bereden wir nicht.

KAPITÄN

Sie können eben keinem Mann mehr trauen.

CRISTINA

Ich bilde mir nicht ein, die Mannsbilder zu kennen, weil ich einen kennengelernt habe. So vermessen bin ich nicht. Ihnen täte ich vertrauen, wahrhaftig und ja.

Einen Augenblick liegt ihre Hand auf seiner Schulter, sogleich ist sie aber wieder weg.

KAPITÄN

dreht sich leise gegen sie, ergreift sanft ihre Hand, die sie ihm gleich entzieht

So ist es die Ehe, wovor Sie sich fürchten?

Cristina

tut einen Schritt zurück

Gut ist die Ehe. In ihr ist alles geheiligt. Das ist kein leeres Wort. Das ist Wahrheit. Es führens viele im Munde, aber wers einmal begriffen hat, der verstehts.

Kapitän

Gut ist die Ehe? Also bin ichs, wovor Sie sich fürchten?

Cristina

Sie sind brav und gut. Fürchte ich mich vor Ihnen? Es sieht nicht darnach aus.

Kapitän

So nicht. – Aber Sie hätten einen Abscheu, wenn es dazu käme?

Cristina

geht langsam von ihm

Aber dazu kommts eben nicht, mein ich halt.

Bleibt stehn, ohne sich umzuwenden.

Kapitän

gepreßt

Nein. Schon nicht!

Cristina geht langsam weg.

Kapitän ihr schwerfällig nach.

Cristina! Das ists, was ich sagen wollte: es lebt auf der Welt kein Mensch, vor dem Sie sich schämen müßten.

Cristina

dreht sich jäh um

Das hätten Sie mögen ungesagt sein lassen. Schämen? Ich? Vor wem? Vor den Leuten? Die Leute sind dort, und ich bin hier – es tut mir leid, Kapitän, daß Sie das Wort in den Mund genommen haben.

Geht in ihr Zimmer.

Kapitän stumpf vor sich hin, nimmt mechanisch das Messer, schnitzelt gewaltsam.

PEDRO

kommt leise herein, sieht das verstörte Gesicht, setzt sich nahe dem Kapitän auf den Boden, wiegt sich traurig, seufzt

Vielmals schwer der europäische Anfang. Sechzig und vier Tage und immer noch wie der erste Tag. In jedem anderen Lande war es schneller. Auf den Inseln war es oft sehr schnell. Oh! Bei achtenswerten Häuptlingsfrauen kann es sehr schnell sein, sichergewiß! Aber hier in Europa ist es mit vielen Vorschriften.

Grinst schmerzlich leise, entmutigend

Aber es ist sehr haltbar. Nirgends ist es so haltbar.

Hört, daß Cristina eintritt, dreht sich um, sieht sie, und um nicht zu stören, kriecht er in sitzender Stellung zur Türe hinaus, die er von außen lautlos schließt.

Cristina geht leise auf den Kapitän zu. – Kapitän legt das Messer hin, erschrickt.

CRISTINA

bleibt nahe vor ihm stehen

Ich will nicht im Zorn von Ihnen gehen. Was haben Sie denn auch weiter gesagt? Es ist schon vergessen. In Gottes Namen. Wollen Sie mich nicht ansehen?

KAPITÄN

ohne sie anzusehen, halb gegen die Wand gekehrt, laut

Der Mann ist dazwischen.

CRISTINA

Da könnte eins Ja sagen oder da könnte eins auch schweigen,

da wären Sie dann der Mann dazu: aus dem Schweigen sich ein Ja zu machen. Der wären Sie schon. Aber ich will den Mund auftun, Kapitän – Kapitän, der Mann ist nicht zwischen Ihnen und mir.

KAPITÄN

halb für sich

Sie haben Ihn noch lieb, trotz allem.

CRISTINA

Da, ich geb Ihnen meine Hand. Fühlen Sie, ob sie zittert.

Er nimmt die Hand nicht.

Kapitän! Vor der Begegnung dort, da war nicht viel Gescheites an mir. Auch aus Ihnen hätte ich mir nichts gemacht vor dem. Jetzt weiß ich, was ein Mann ist und auch was eine Frau ist, in Gottes Namen. Es widerfährt einem halt allerlei, wenn eins auf Reisen geht. Mich soll keiner klagen hören.

KAPITÄN

Gut!

Atmet hörbar

Wenn nun aber der Mann auf andere Weise im Wege wäre –

CRISTINA

Was gibts noch, in Gottes Namen?

KAPITÄN

errötet

Soll ich darum für nichts geachtet werden, weil mir die Redensarten nicht zufließen?

CRISTINA

Nein, darum sollen Sie nicht für nichts geachtet werden, in Gottes Namen.

Kapitän

Wenn des Mannes Angedenken oder des Mannes Essen, Schlafen, Gehen und Stehen im Wege wäre, so will ich hingehen und den Mann aufsuchen, und der Mann wird nicht mehr essen, nicht mehr schlafen, nicht mehr gehen, nicht mehr stehen. Dies gesagt: nicht als ob ich einen Haß hegte gegen den Mann – ich hege einen Haß gegen das, was in meinem Wege ist.

Cristina

Dies ist ein christlicher Vorsatz. Aber, Kapitän, der Mann ist nicht im Wege.

Kapitän

Nun denn, ver –

Nicht laut

Um der Begegnung willen! Um eines jähen Trunkes willen! Um eines muntern Liedchens willen und einer Kammertür, an der kein Riegel war –

Cristina

mit etwas gesenktem Kopfe

Der Mann und des Mannes Angedenken ist nicht im Wege.

Kapitän

Um dies nicht – um jenes nicht – um des Burschen willen nicht – um der Leute willen nicht – wo denn? Wo faß ichs denn? Wo krieg ichs denn unter die Finger?

Pedro kommt leise herein, ängstlich, ungeduldig.

Cristina zuckt die Achseln.

Kapitän

sieht sie an und ist nicht imstande, in ihrem Gesicht zu lesen

Es ist gut!

Zu Pedro

Fort mit dem Zeug da.

Reißt Mantel und Kleider von der Stange, wirft sie Pedro zu

Das Quartier ist vergeben! Rühr dich. Soll ich dir Beine machen? Mit mir ist man hier fertig. Gezählt, gewogen, zu leicht befunden.

Immer weiter aufpackend

Wer hat dich auch geheißen, mir vor elf Jahren das verfluchte Messer dort zuschmeißen? Wer hat dich geheißen, mich für dieses europäische Abenteuer dort und für Mamsell ihre zwei Monate dauernde schandbare Belästigung konservieren, wo sechs ehrliche Malaien fleißig daran waren, mich den Haifischen zum Aufheben zu geben? Der Teufel hat dich das geheißen! Für den Dienst soll ich dir noch heute deine freundliche, ölige Fratze zuschanden hauen, das ist, was ich soll.

CRISTINA

Kannst du ihn nicht aufhören machen, Pedro? Kannst du nicht dein europäisches Ansehen brauchen und deinen Herrn bedeuten, daß wir hier auf festem Lande sind?

PEDRO

wendet sich nun auf einmal gegen Cristina als gegen die Urheberin all dieses Unheiles. Er hebt die zwei Finger jeder Hand gegen sie, wie man es tut, um den bösen Blick abzuwehren; er bläst gegen sie, er führt förmliche Tänze auf, um ihre Worte unschädlich zu machen

Du machst alles Unglück! Du bist ein Gespenst, welches sich freut, zu essen das Herz von meinem guten Kapitän. Du hast ihn hochachtungsvoll genötigt abzumagern. Du bist ein böser Geist.

KAPITÄN

indem er weiteres Kleiderzeug zum Einpacken zurechtwirft und von der Stange herabreißt

Da hab ich gemeint, hier meinen Stand zu finden und meine Knochen in geweihter Erde begraben zu lassen und, verdamm mich Gott, mir Kinder zu machen. Die sollen aufwachsen im Land ihrer Väter und es gut haben und fischen, die kleinen Burschen, in ihres Vaters Fischwasser, wo kein Flurwächter ihnen die Knochen im Leibe zerschlägt!

PEDRO

widerwillig dem Kapitän helfend, gleich wieder auf Cristina los

Du hast auf ihn gemacht diese Traurigkeit; du hast geblasen auf meinen Kapitän seine Augen, du hast genommen die Körpergestalt von einen weißen Mädchen und hast innen das Herz von einen bösen Feind.

KAPITÄN

ist indessen mit starken Schritten in sein Zimmer gegangen, zieht von dort heraus einen mächtigen Lederkoffer hinter sich her, singt dazu mit gebrochener Stimme

Sie mag nicht den Gestank von Teer,
Sie nimmt sich einen Schneider her!

CRISTINA

tritt nach hinten, kehrt ihr Gesicht gegens Fenster

Wenn du tanzen willst und er singen, so muß ich auf dem Seil gehen lernen, dann können wir miteinander zur Kirchweih aufziehen.

KAPITÄN

eifrig einpackend, von Pedro unwillig bedient

Ein richtiges Matrosenlied paßt auf alle Vorkommenheiten, verdamm mich Gott!

Er lacht rauh auf, und es geht in ein Schluchzen über.

CRISTINA

bleibt an ihrer Stelle

Das Handwerk, auf das Sie sich jetzt geworfen haben, bei dem will ich Sie nicht sehen! Mit deutlichen Worten gesagt: ich will Sie nicht weinen sehen, Herr!

Stampft zornig auf.

Kapitän packt mit finsterer Entschlossenheit weiter.

PEDRO

entspringt ihm, urwaldhaft feindselig auf Cristina los

Du hast gemacht seine Augen zu rinnen wie ein alter Brunnen! Du bist der wiedergekommene Geist von einem Malaien, den wir haben hochachtend den Hals abgeschnitten mit dieses Messer dort. Es wäre vielleicht gut, dieses Messer noch einmal in deinen Hals zu geben.

KAPITÄN

auf den Knien beim Koffer, reißt ihn nach vorn

Da sollst du Hand anlegen; das ist es, was du sollst. Heute vor Abend wollen wir das Fräulein von unserem Anblick befreit haben.

CRISTINA

hinten am Fenster, dem Weinen nahe

Ich will, daß Sie fröhlich von hier fortgehen und mich vergessen.

Mit dem Versuch, kalt zu scheinen

Was ist da auch weiter? Es geht ja alles so natürlich zu auf der Welt. Da kommt eines, und da geht eines. Da laufen zwei zusammen und laufen wieder auseinander, kommt wieder ein neues dazu und so fort. Die Wahrheit zu sagen, ich möchte nicht wo sitzen, wo man viel davon zu sehen kriegt. Ich bin froh, daß ich hier mutterseelenallein in meinem Winkel sitzen werde. Sehr froh bin ich, sehr froh, und dabei soll es bleiben.

Sie bricht in Tränen aus; das Gesicht gegen das Fenster gekehrt.

KAPITÄN

packend, vor sich

Ich habe sie lieb, ich hätte lieber mögen mein Leben für sie hingeben als diesem Haus mit lebendigem Leib den Rücken kehren. Aber das soll für nichts gut sein. Das soll ganz weggeworfen werden, das soll es, und ich soll mich wieder dahin packen, von wo ich gekommen bin.

PEDRO

hinspähend, hinhorchend

Sie weint sehr viel. Sie schluchzt. Oh! Das ist gut!

KAPITÄN

vor sich, ohne umzukehren

Ich möchte das Kind nicht weinen sehen!

Sein Gesicht zuckt.

PEDRO

halb aufgerichtet

Vielmals gut ist das! Jetzt wird der böse malaiische Mann aus ihr herausgehen.

Verzieht sich nach der Seite.

Cristina hat sich umgewandt, sieht nach dem Kapitän, ihr Gesicht ist mit Tränen überströmt.

KAPITÄN

ohne sie zu sehen, vor sich

Sie wird sich versperren in ihr Zimmer, und da werde ich

meinen letzten Abschied von ihr nehmen. »Höre mich an, Mädchen«, werde ich sprechen, »mach die Tür auf und komm heraus.« Und sie wird keine Antwort geben darinnen in der Kammer. »Soll ich auch dein Gesicht nicht mehr sehen?« werde ich sprechen – »sollen Bretter und Balken das letzte Gesicht sein, das ich von dir sehe! Verdamm mich Gott!«

CRISTINA

allmählich vorkommend, endlich neben ihm

Nein! Nein! Nein! Nein! So soll es nicht geschehen. Ich will deine Frau werden. Aber laß mich dich nie mehr weinen sehen.

KAPITÄN

auf vom Boden, wie betäubt, in sonderbarer Haltung, die Hände an die Brust gezogen

Jetzt sprichst du so zu mir? Wie ist denn das geschehen?

CRISTINA

Das hast du auf eine recht geschickte und manierliche Weise zuwege gebracht und obendrein noch dem Schneider was zu verdienen gegeben.

KAPITÄN

O nein – o nein – wie ist denn das geschehen?

CRISTINA

Ich war verstockt, das war ich schon, in Gottes Namen. Ich hab halt gemeint, es gibt kein Zeichen, das nicht lügen kann bei einem Mann, und damit aus und Amen. Aber wie du so dagestanden bist, mitten im Zimmer, grade nur ein bißchen hilfloser als ein vierjähriges Kind, das hat mir schon kleinweise das Herz umgedreht. Oder meinst du, war es vielleicht der Pedro, der das Stück Arbeit besorgt hat?

KAPITÄN

an der gleichen Stelle, hilflos

Was soll – was darf ich denn jetzt tun?

CRISTINA

Jetzt darfst und sollst du mich hinübergehen lassen zum Onkel, denn der muß der erste sein, der weiß, daß wir zwei einig geworden sind miteinander. Nein, ists dir recht, daß ich so tu?

KAPITÄN

Du fragst mich –

CRISTINA

Ich frage dich, denn du bist es hinfort, der mir soll zu befehlen haben.

KAPITÄN

Ich?

CRISTINA

Wenn es dir recht ist, so laß mich gehen, ich bin bald wieder bei dir.

KAPITÄN

Du sollst alles tun, wie es dir gut scheint. So sollst du es tun.

Cristina will gehen.

Kapitän an der Tür, macht einen unbeholfen schüchternen Versuch, sie zu umarmen.

Cristina wehrt ihn sanft ab und ist schon draußen.

KAPITÄN

kehrt an der Türe um. Sieht sein Messer liegen, hebt es auf, sucht die Scheide, steckt das Messer ein, lacht und weint vor maßloser Freude, weiß nicht recht, wo er mit sich hin soll. Ruft

Pedro! Pedro!

während er die Klinke zu seinem Zimmer rechts vorne in der Hand hat, und geht da hinein.

Die Bühne bleibt für ganz kurze Zeit leer. Es dämmert allmählich. Von links durch die Küche kommt der Pferdeknecht herein, hinter ihm Florindo, reisemäßig gekleidet, mit Hut und Mantel.

KNECHT

Frau! Frau! Ist die Frau nicht da?

FLORINDO

Wohin führst du mich denn da? Schaff mir den Wirt, ich hab keine Zeit.

KNECHT

Hören Sie nicht, wie ich rufe: Frau?

FLORINDO

Den Wirt sollst du mir rufen, Pferde brauch ich. Ein Schreibzeug will ich. Einen Boten schaff mir her, der mir den Brief nach Capodiponte trägt.

KNECHT

Die Pferde kriegt der Herr, die führt schon der lahme Josef aus dem Stall heraus. Schreibzeug ist allweil eins hier herum, und rufen tu ich ohne Sie, das hört der Herr wohl. Frau!

FLORINDO

findet das Schreibzeug, setzt sich an den Tisch, legt Hut und Mantel ab, schreibt. Unterm Schreiben

Ist der Wirt eine Frau?

KNECHT

Der Wirt ist keine Frau. Aber die Frau ist der Wirt.

FLORINDO

unterm Schreiben

Eine Frau ist der Wirt? Ists eine Witwe?

KNECHT

lacht

Wie wird denn die Frau eine Witwe sein?

FLORINDO

Nein?

Steht auf

Da muß sie doch einen Mann haben, der sich um den Pferdestall bekümmert.

KNECHT

Keinen Mann hat sie nicht, weil sie dazumal eine Jungfer ist, der Herr wird schon entschuldigen.

FLORINDO

Ist dir ein fremder Kapitän Tomaso bekannt in Capodiponte?

KNECHT

lacht

Kein fremder Kapitän ist mir nicht bekannt, aber unser Herr Kapitän ist mir wohl bekannt in Capodiponte, und auch anderswo ist er mir bekannt.

FLORINDO

Schaff mir einen Menschen, der den Brief da nach Capodiponte in des Kapitäns eigene Hände trägt. Eine Dame wartet unten im Wagen auf mich. Es wird finster, ich kann nicht, wie ich wollte, über Capodiponte fahren.

KNECHT

Weils finster wird, kann der Herr nicht über Capodiponte fahren? Das muß ich dem Josef erzählen.

Geht ab, lacht sehr.

Florindo schreibt. – Kapitän kommt links heraus, bemerkt nicht gleich, daß jemand da ist, geht in die Mitte.

FLORINDO

sieht auf, springt auf

Kapitän!

Umarmt ihn

So findet man sich wieder.

KAPITÄN

Das ist – verdamm mich Gott. Das wäre nun also der Herr Florindo aus Venedig.

FLORINDO

So bin ich denn in Capodiponte, ohne es zu wissen! Hier schreibe ich Ihnen, nehme Abschied von Ihnen: für lange – vielleicht fürs Leben –

Kapitän schweigt. Der Blick seiner runden Augen ist fest auf Florindo gerichtet und der Ausdruck ganz undurchdringlich.

FLORINDO

Mein Weg geht nach Tirol, vielleicht nach Wien, nach Dresden, Gott weiß wohin. Da unten an der Brücke wird uns das Sattelpferd am Reisewagen schulterlahm – Henriette – ich meine die Gräfin – ich habe Ihnen geschrieben, wie sehr sie sich wünschte, im Vorüberfahren Ihre Bekanntschaft zu machen, und nun, weil es finster wird, weil eine Fledermaus an den Wagenschlag flattert, was weiß ich – vorwärts, frische Pferde und vorwärts, und wenn der König von Frankreich hier säße und auf uns wartete. Ich muß sofort zu ihr zurück. Sie ist allein im Wagen. Ich darf sie niemals lange allein lassen. Ich bin ihr Eigentum. Es ist ein unerträglicher, entzückender Zustand, Kapitän! Welche unendliche Verschiedenheit in den Frauen! Und das auszukosten sind uns fünfzehn, wenns hoch kommt, zwanzig Jahre gegeben. Ein Augenblick! Mein guter Kapitän!

Faßt freundschaftlich seine beiden Hände

Werd ich Sie noch einmal im Leben sehen? Weiß Gott, es gibt nichts, was uns Männer so miteinander verbindet und so voneinander trennt wie die Frauen.

Hat ein Lachen in der Stimme, stutzt dann einen Augenblick

Kapitän, wir sind in Capodiponte, Kapitän, wie ich Sie da sehe – In wessen Haus bin ich, Kapitän?

KAPITÄN

Wem das Haus da gehört – das wissen Sie nicht? Das ist meiner – das ist Cristina ihr Haus.

FLORINDO

Das ist Cristinas Haus? Kapitän, Sie sind sehr glücklich! Kapitän, sie ist Ihre Frau?

KAPITÄN

von Freude überwältigt

Sie wird meine Frau werden, Herr. Herr, das wird sie. So verrückt ist sie. So wenig hat sie ihre fünf Sinne beisammen! Ja, so ist dem, Herr! Wenn Sie darnach fragen, Herr!

FLORINDO

Sie wird – und da werden Sie immer leben. Mit Cristina! Immerfort! Beneidenswert! Hier ist der Tisch, wo Sie mittags mit ihr sitzen. Oder sie bringt selbst die Suppe aus der Küche, ja? und abends – Sie gehen auf die Jagd –

KAPITÄN

hebt etwas auf

Da ist eine Unordnung, Sie müssen das entschuldigen, Herr!

FLORINDO

Ja, ich habe Wildenten streichen sehen, und wenn es dann dämmert, wenn es zwischen den Binsen nicht mehr schußlicht ist, dann kommen Sie heim, und dann steht Cristina da am Fenster und sieht hinaus und wartet auf Sie. – Namenlos. Ihnen sind nie über der Geschichte von Philemon und Baucis die Tränen in den Hals gestiegen. Ich weiß, Kapitän, denn Sie haben sie nicht gelesen. Aber Sie werden sie leben, beneidenswerter Kapitän!

KAPITÄN

Heute, Herr, wenn Sie darnach fragen, Herr – vor einer Stunde, Herr –

Es wird ihm schwer, er schluckt

Herr, das ist keine Sache, die ich mit meinem Mundwerk nach der Ordnung zu erzählen verstünde.

FLORINDO

mit Überlegenheit

Erzählen Sie mir nichts, Kapitän, ich bitte Sie. Auch gute Freunde müssen ihre Geheimnisse vor einander haben.

Ohne ihn anzusehen

Alles was erlebt zu werden der Mühe wert ist, ist unerzählbar. Damals, als ich hinunterfuhr nach Venedig, Kapitän, – es geht jede Stunde des Tages von irgendeinem Platz weg eine Barke nach Mestre, – Kapitän, es war der schwerere Teil, nicht in eine dieser Barken zu springen, es war das Unmöglichste, nicht in eine dieser Barken zu springen – Sie haben natürlich recht, Kapitän. Man muß immerhin manchmal das Unmögliche tun. – Ich bin sehr zufrieden, hier mit Ihnen zu sitzen, Kapitän.

Kapitän brummt mit blitzenden Augen etwas Unverständliches.

FLORINDO

drückt seine Hände halb abgewendet

Danken Sie mir nicht, Kapitän!

Pedro sieht zur Küchentür herein. Sehr befriedigt, seinen Herrn mit Florindo zusammen zu sehen.

FLORINDO

zum Kapitän

Ein anderer würde fragen: Hat sie mir vergeben? Hat sie mich vergessen? Aber es wäre nichts als bübische Eitelkeit in dieser Frage. Wir sind Mann gegen Mann: wir wissen, was das Leben lebenswert macht.

Pedro nähert sich Florindo mit Anstand.

FLORINDO

Pedro! Mein großer europäischer Freund!

PEDRO

Ich bin sehr glücklich, mich abermals die Hände zu schütteln mit einen Herrn, der so gut versteht die Heirat in europäischer Weise. Ich bin im Begriffe in den Ehestand hineinzutreten mit Hilfe der betreffenden Witwenfrau, und wir werden immer gedenken auf unseren Anstifter mit zudringlicher Dankbarkeit.

Verneigt sich und tritt ab.

Kapitän

zu Florindo

Was ich fragen wollte, Herr: Wie konnten Sie es wissen, Herr, – daß ich hier – daß mein – daß ich auf Cristinas – ich hatte meinen Mund nicht aufgetan, Herr.

Florindo

Kapitän, Sie sind eine Seele von einem Menschen. Sie werden glücklich sein mit ihr, wahrhaft glücklich. Lassen Sie mich Ihnen die Wahrheit sagen: es ist nicht um Ihretwillen, daß ich hierhergekommen bin, es ist um Cristinas willen. Unser Weg hätte uns so eigentlich nicht über Capodiponte geführt. Wie Sie da vor mir sitzen, Kapitän – Sie haben mehr Ähnlichkeit mit einem kleinen Kind als irgend jemand, der mir noch untergekommen ist, obwohl Sie ein starker, mutiger Mann sind und gelegentlich einmal sechs Malaien über Bord befördert haben. Aber eben dieser Umstand gibt mir eine ganz einfältige Sicherheit, daß Cristina an dieser Brust geborgen ist wie sonst an keinem Fleck der Erde.

Steht auf, umarmt den Kapitän, der gleichfalls aufgestanden ist

Ich muß fort, Kapitän. Sagen Sie ihr nicht, daß ich da war. Es ist der Erwähnung nicht wert. Oder auch. Wie Sie wollen, Kapitän – wie Sie wollen.

Will gehen.

Cristina

tritt von links aus der Küche, sagt über die Schulter nach rückwärts hin

Pasca, mit wem spricht er denn da? Wer ist denn der?

Kapitän

Cristina! Besuch! Aber Besuch, der sich schon wieder verzieht.

O he, o he! Don Florindo, da mögen Sie selbst Ihren Abschiedsgruß anbringen, ehe Sie weiterreisen. Hier zur Stelle.

Cristina steht im Halbdunkel an der Mauer.

KAPITÄN

führt Florindo zurück

Da ist jemand, der sich rühmen darf, gute Bekanntschaft vermittelt zu haben. Da ist jemand, den wir nicht so bald wiedersehen werden. Denn er ist so in Anspruch genommen. Das ist er, verdamm mich Gott, der kostbare Bursche. Immer sehr in Anspruch genommen. Es wartet auf der Brücke ein Reisewagen auf ihn und Gesellschaft darinnen.

Florindo tritt näher, verneigt sich.

KAPITÄN

Das ist ein Tag, den streich ich rot im Kalender an, wo mir das Mundwerk flinker geht als einem solchen Herrn da. Ein solcher Tag kommt nicht wieder.

CRISTINA

schnell

In Gottes Namen! Reisen Sie nur immer glücklich, Herr. Sie sind einer, scheint mir, der immer auf Reisen sein muß. Anders kann ich Sie mir gar nicht denken.

FLORINDO

Sie haben recht, schöne Cristina!

CRISTINA

Der meinige hier soll mir das Reisen gründlich verlernen. Bei ihm ist der Matros nur der Engerling, in dem der Bauer dann steckt, und der soll sich nur ans Licht fressen, dann bleibt von dem andern nichts mehr übrig.

FLORINDO

an der Tür zum Kapitän, der ihn begleitet

Wie schön sie ist, Kapitän! Wie schön sie ist! Gott befohlen, Kapitän!

Er zögert.

KAPITÄN

Gott befohlen und viel Glück auf die Reise, Herr.

Schiebt ihn gelassen zur Tür hinaus.
Florindo geht.

CRISTINA

Da hast du einen Gast, der alleweile kann nur ein Sprüchel, wie der Ministrant das Et cum spiritu tuo.

KAPITÄN

tritt zu ihr

Was zitterst du so wie Espenlaub? Ist es des Menschen Anblick? Zitterst du um seinetwillen?

CRISTINA

Laß. Was tut der Mann mir Böses? Der hat mir nichts weggenommen. Ach keinem auf der Welt hat der was weggenommen. Nie hat dem nichts gehört! Wie gut, daß ich ihn gesehen habe. Das hat so sein müssen in Gottes Namen, dafür will ich dankbar sein bis an mein seliges Ende. Das war gut von dir, daß du mich hast ihn und dich nebeneinander sehen lassen, damit hast du mir Gutes getan. Liebster, das will ich dir danken.

Sie schlingt ihre Arme um seinen Hals.

KAPITÄN

fast erschrocken vor Glück

Wie benennst du mich? Sag das noch einmal!

Cristina

Das brauch ich jetzt nicht noch einmal zu sagen – – denn ich werde dich noch viele, unzählige Male so benennen, in Gottes Namen.

Kapitän

fühlt, wie sie zittert, und läßt sie aus seinen Armen sanft auf einen Stuhl nieder

Du sollst dich setzen.

Cristina

Laß. Dort kommt der Onkel, sich die alte Geschichte ansehen. Denn du mußt wissen, mein guter Kapitän, es gibt keine zweite so alte Geschichte in Capodiponte als die, daß wir zwei ein Paar werden. Du bist einer von denen, die man von weitem kommen sieht. Und ich habe dich in Gottes Namen heute kommen sehen. Da bist du noch ganz ruhig hinter deinem Suppenteller gesessen.

Kapitän

Der Onkel ist am Fenster. Wollen wir nicht hingehen und um seinen Segen bitten?

Der Pfarrer steht am Fenster, sieht durch die Fensterscheiben.

Cristina

Laß. Stell dich vor mich hin, daß du mich ihm verdeckst. Es könnte sein, daß ich lache, denn mir ist sehr vergnügt zumut. Da möchte er dann glauben, ich bin leichtfertig. Und es könnte sein, daß ich ein bißchen weinen werde, und das wäre nur vor Rührung über ihn. Wahrhaftig, nur über ihn, den alten Mann. Aber Gott weiß, wie ers weitschweifig auslegen täte.

Sie legt ihr weinendes Gesicht auf seine breiten Hände, die auf der Stuhllehne ruhen.

Sag mir nur schnell – da hab ich doch mein Leben in Einsamkeit beschließen wollen. Ganz fest war das in mir, verdamm mich Gott. Sag mir nur schnell, was ist an euch, daß wir euch doch wieder brauchen?

KAPITÄN

Daß wir euch brauchen, das ist an uns, in Gottes Namen.

Er küßt ihre Stirne.

PEDRO

mit Pasca in der Türe links, zeigt hin, flüstert

Du wirst noch sagen etwas gegen den Herrn Florindo?

Pasca faltet die Hände.

Vorhang.

DER ROSENKAVALIER

Komödie für Musik

PERSONEN

DIE FELDMARSCHALLIN FÜRSTIN WERDENBERG
DER BARON OCHS auf LERCHENAU
OCTAVIAN, genannt Quin-quin, ein junger Herr aus großem Haus
HERR VON FANINAL, ein reicher Neugeadelter
SOPHIE, seine Tochter
Jungfer MARIANNE LEITMETZERIN, die Duenna
VALZACCHI, ein Italiener
ANNINA, seine Begleiterin
Der Haushofmeister bei der Feldmarschallin
Der Haushofmeister bei Faninal
Ein Sänger
Ein Flötist
Ein Notar
Dessen Schreiber
Ein Friseur
Dessen Gehilfe
Eine adelige Witwe
Drei adelige Waisen
Eine Modistin
Ein Tierhändler
Ein Gelehrter
Ein Polizei-Unterkommissarius
Zwei Polizeiwächter
Ein Arzt
Ein Wirt
Ein Hausknecht
Ein kleiner Neger
Lakaien, Lauffer, Haiducken, Kellner, Hausgesinde bei Faninal, Hausgesinde im Gasthof, Musikanten, verdächtige Gestalten

Zu Wien, im ersten Jahrzehnt der Regierung Maria Theresias.

ERSTER AKT

Das Schlafzimmer der Feldmarschallin. Links im Alkoven das große zeltförmige Himmelbett. Neben dem Bett ein dreiteiliger chinesischer Wandschirm, hinter dem Kleider liegen. Ferner ein kleines Tischchen und ein paar Sitzmöbel. Auf einem kleinen Sofa links liegt ein Degen in der Scheide. Rechts große Flügeltüren in das Vorzimmer. In der Mitte kaum sichtbare kleine Türe in die Wand eingelassen. Sonst keine Türen. Zwischen dem Alkoven und der kleinen Türe stehen ein Frisiertisch und ein paar Armsessel an der Wand. Die Vorhänge des Bettes sind zurückgeschlagen.

Octavian kniet auf einem Schemel vor dem Bett und hält die Feldmarschallin, die im Bett liegt, halb umschlungen. Man sieht ihr Gesicht nicht, sondern nur ihre sehr schöne Hand und den Arm, von dem das Spitzenhemd abfällt.

OCTAVIAN

Wie du warst! Wie du bist!
Das weiß niemand, das ahnt keiner!

MARSCHALLIN

richtet sich in den Kissen auf

Beklagt Er sich über das, Quin-quin?
Möcht Er, daß viele das wüßten?

OCTAVIAN

Engel! Nein! Selig bin ich,
daß ich der einzige bin, der weiß, wie du bist.
Keiner ahnt es! Niemand weiß es.
Du, du – was heißt das »du«? Was »du und ich«?
Hat denn das einen Sinn?
Das sind Wörter, bloße Wörter, nicht? Du sag!

Aber dennoch: Es ist etwas in ihnen:
ein Schwindeln, ein Ziehen, ein Sehnen, ein Drängen!
Wie jetzt meine Hand zu deiner Hand kommt,
das Zudirwollen, das Dichumklammern,
das bin ich, das will zu dir,
aber das Ich vergeht in dem Du,
ich bin dein Bub – aber wenn mir dann Hören und Sehen vergeht –
wo ist dann dein Bub?

MARSCHALLIN
leise

Du bist mein Bub, du bist mein Schatz!

OCTAVIAN

Warum ist Tag? Ich will nicht den Tag!
Für was ist der Tag! Da haben dich alle!
Marschallin lacht leise.

OCTAVIAN

Lachst du mich aus?

MARSCHALLIN
zärtlich

Lach ich dich aus?

OCTAVIAN

Engel!

MARSCHALLIN

Schatz du, mein junger Schatz!
Ein feines Klingeln.
Horch!

OCTAVIAN

Ich will nicht.

MARSCHALLIN

Still, paß auf.

OCTAVIAN

Ich will nichts hören! Was wirds denn sein?

Das Klingeln näher.

Sinds leicht Lauffer mit Briefen und Komplimenten?
Vom Saurau, vom Hartig, vom portugieser Envoyé?
Hier kommt mir keiner herein! Hier bin ich der Herr!

Die kleine Tür in der Mitte geht auf und ein kleiner Neger in Gelb, behängt mit silbernen Schellen, ein Präsentierbrett mit der Schokolade tragend, trippelt über die Schwelle.

MARSCHALLIN

Schnell, da versteck Er sich, das Frühstück ists.

Octavian gleitet hinter den Schirm.

Die Tür hinter dem Neger wird von unsichtbaren Händen geschlossen.

MARSCHALLIN

Schmeiß Er doch Seinen Degen hinters Bett.

Octavian fährt nach dem Degen und versteckt ihn.

Marschallin legt sich zurück, nachdem sie die Vorhänge zugezogen hat.

Der kleine Neger stellt das Servierbrett auf das kleine Tischchen, schiebt dieses nach vorne, rückt das Sofa hinzu, verneigt sich dann tief gegen das Bett, die kleinen Arme über die Brust gekreuzt. Dann tanzt er zierlich nach rückwärts, immer das Gesicht dem Bette zugewandt. An der Tür verneigt er sich nochmals und verschwindet.

Marschallin tritt zwischen den Bettvorhängen hervor. Sie hat einen leichten mit Pelz verbrämten Mantel umgeschlagen.

Octavian kommt zwischen der Mauer und dem Wandschirm hervor.

MARSCHALLIN

Er Katzenkopf, Er unvorsichtiger!
Läßt man in einer Dame Schlafzimmer den Degen herumliegen?
Hat Er keine besseren Gepflogenheiten?

OCTAVIAN

Wenn Ihr zu dumm ist, wie ich mich benehm,
und wenn Ihr abgeht, daß ich kein Geübter nicht in solchen Sachen bin,
dann weiß ich nicht, was Sie überhaupt an mir hat!

MARSCHALLIN

zärtlich, auf dem Sofa

Philosophier Er nicht, Herr Schatz, und komm Er her.
Jetzt wird gefrühstückt. Jedes Ding hat seine Zeit.

OCTAVIAN

setzt sich dicht neben sie. Sie frühstücken sehr zärtlich. Octavian legt sein Gesicht auf ihr Knie. Sie streichelt sein Haar. Er blickt zu ihr auf. Leise

Marie Theres!

MARSCHALLIN

Octavian!

OCTAVIAN

Bichette!

MARSCHALLIN

Quin-quin!

OCTAVIAN

Mein Schatz!

MARSCHALLIN

Mein Bub!

Sie frühstücken.

OCTAVIAN

lustig

Der Feldmarschall sitzt im crowatischen Wald und jagt auf Bären und Luchsen,
und ich sitz hier, ich junges Blut, und jag auf was?
Ich hab ein Glück, ich hab ein Glück!

MARSCHALLIN

indem ein Schatten über ihr Gesicht fliegt

Laß Er den Feldmarschall mit Ruh!
Mir hat von ihm geträumt.

OCTAVIAN

Heut nacht hat dir von ihm geträumt? Heut nacht?

MARSCHALLIN

Ich schaff mir meine Träum nicht an.

OCTAVIAN

Heute nacht hat dir von deinem Mann geträumt?

MARSCHALLIN

Mach Er nicht solche Augen. Ich kann nichts dafür. Er war auf einmal wiederum zu Haus.

OCTAVIAN

Der Feldmarschall?

MARSCHALLIN

Es war ein Lärm im Hof von Pferd' und Leut' und er war da.
Vor Schreck war ich auf einmal wach, nein schau nur, schau nur, wie kindisch ich bin: ich hör noch immer den Rumor im Hof.
Ich brings nicht aus dem Ohr. Hörst du leicht auch was?

Octavian

Ja, freilich hör ich was, aber muß es denn dein Mann sein!
Denk dir doch, wo der ist: im Raitzenland,
noch hinterwärts von Esseg.

Marschallin

Ist das sicher sehr weit?
Na dann wirds halt was anders sein. Dann is ja gut.

Octavian

Du schaust so ängstlich drein, Theres!

Marschallin

Weiß Er, Quin-quin – wenn es auch weit ist –
der Herr Feldmarschall is halt sehr geschwind. Einmal –

Octavian

eifersüchtig

Was war einmal?

Marschallin zerstreut, horcht.

Octavian

Was war einmal? Bichette!
Bichette, was war einmal?

Marschallin

Ach sei Er gut, Er muß nicht alles wissen!

Octavian

wirft sich auf das Sofa

So spielt sie sich mit mir! Ich bin ein unglücklicher Mensch!

Marschallin

horcht

Jetzt trotz Er nicht. Jetzt gilts. Es is der Feldmarschall.
Wenn es ein Fremder wär, so wär der Lärm da drüben in meinem Vorzimmer!
Es muß mein Mann sein, der durch die Garderob herein will
und mit die Lakaien disputiert!
Quin-quin, es is mein Mann.

Octavian fährt nach seinem Degen und läuft gegen rechts.

Marschallin

Nicht dort. Dort ist das Vorzimmer.
Da sitzen meine Lieferanten und ein halbes Dutzend Lakaien.
Da!

Octavian läuft hinüber zur kleinen Türe.

Marschallin

Zu spät! Sie sind schon in der Garderob!
Jetzt bleibt nur eins!
Versteck dich! dort!

Octavian

Ich spring ihm in den Weg! Ich bleib bei dir.

Marschallin

Dort hinters Bett! Dort in die Vorhäng. Und rühr dich nicht!

Octavian

zögernd

Wenn er mich dort erwischt, was wird aus dir, Theres!

Marschallin

flehend

Versteck Er sich, mein Schatz.

Octavian

beim Wandschirm

Theres!

Marschallin

ungeduldig aufstampfend

Sei Er ganz still.

Mit blitzenden Augen

Das möcht ich sehn,
ob einer sich dort hinüber traut, wenn ich hier steh.
Ich bin kein napolitanischer General: Wo ich steh, steh ich.

Geht energisch gegen die kleine Türe los. Horcht

Sind brave Kerln, meine Lakaien. Wollen ihn nicht herein-lassen,
sagen, daß ich schlaf. Sehr brave Kerln!
Die Stimm?
Das is ja gar nicht die Stimm vom Feldmarschall!
Sie sagen »Herr Baron« zu ihm! Das ist ein Fremder.
Quin-quin, es ist ein Besuch!

Sie lacht

Fahr Er schnell in seine Kleider,
aber bleib Er versteckt,
daß die Lakaien Ihn nicht sehen.
Die blöde, große Stimm müßt ich doch kennen.
Wer ist denn das? Herrgott, das ist der Ochs.
Das ist mein Vetter, der Lerchenau, der Ochs auf Lerchenau.
Was will denn der? Jesus Maria!

Sie muß lachen

Quin-quin, hört Er, Quin-quin, erinnert Er sich nicht?

Sie geht ein paar Schritte nach links hinüber

Vor fünf, sechs Tagen den Brief –
Wir sind im Wagen gesessen,
und einen Brief haben sie mir an den Wagenschlag gebracht.
Das war der Brief vom Ochs.

Und ich hab keine Ahnung, was drin gestanden ist.

Lacht

Daran ist Er alleinig schuld, Quin-quin.

STIMME DES HAUSHOFMEISTERS

draußen

Belieben Euer Gnaden in der Galerie zu warten!

STIMME DES BARONS

draußen

Wo hat Er Seine Manieren gelernt?
Der Baron Lerchenau antichambrieret nicht.

MARSCHALLIN

Quin-quin, was treibt Er denn? Wo steckt Er denn?

OCTAVIAN

in einem Frauenrock und Jäckchen, das Haar mit einem Schnupftuch und einem Bande, wie in einem Häubchen, tritt hervor, knixt

Befehln Fürstli' Gnadn, i bin halt noch nit recht lang in fürstli'n Dienst.

MARSCHALLIN

Du, Schatz!
Und nicht einmal mehr als ein Bussl kann ich dir geben.

Küßt ihn schnell

Er bricht mir ja die Tür ein, der Herr Vetter.
Mach Er, daß Er hinauskomm.
Schlief' Er frech durch die Lakaien durch.
Er ist ein blitzgescheiter Lump! Und komm Er wieder, Schatz.
Aber in Mannskleidern und durch die vordre Tür, wenns Ihm beliebt.

Setzt sich, den Rücken gegen die Türe, und beginnt ihre Schoko-

lade zu trinken. Octavian geht schnell gegen die kleine Türe und will hinaus. Im gleichen Augenblicke wird die Tür aufgerissen und Baron Ochs, den die Lakaien vergeblich abzuhalten suchen, tritt ein. Octavian, der mit gesenktem Kopf rasch entwischen wollte, stößt mit ihm zusammen. Octavian drückt sich verlegen an die Wand links von der Türe. Drei Lakaien sind gleichzeitig mit dem Baron eingetreten, stehen ratlos.

DER BARON

mit Grandezza zu den Lakaien

Selbstverständlich empfängt mich Ihre Gnaden.

Er geht nach vorne, die Lakaien zu seiner Linken suchen ihm den Weg zu vertreten.

BARON

zu Octavian mit Interesse

Pardon, mein hübsches Kind!

Octavian dreht sich verlegen gegen die Wand.

BARON

mit Grazie und Herablassung

Ich sag: Pardon, mein hübsches Kind.

Marschallin sieht über die Schulter, steht dann auf, kommt dem Baron entgegen.

BARON

galant zu Octavian

Ich hab Ihr doch nicht ernstlich weh getan?

DIE LAKAIEN

zupfen den Baron

Ihre fürstliche Gnaden!

Der Baron macht die französische Reverenz mit zwei Wiederholungen.

Marschallin

Euer Liebden sehen vortrefflich aus.

Baron

verneigt sich nochmals, dann zu den Lakaien

Sieht Er jetzt wohl, daß Ihre Gnaden entzückt ist, mich zu sehen?

Auf die Marschallin zu, mit weltmännischer Leichtigkeit, indem er ihr die Hand reicht und sie vorführt

Und wie sollte Euer Gnaden nicht.
Was tut die frühe Stunde unter Personen von Stand?
Hab ich nicht seinerzeit wahrhaftig Tag für Tag
unserer Fürstin Brioche meine Aufwartung gemacht,
da sie im Bad gesessen ist,
mit nichts als einem kleinen Wandschirm zwischen ihr und mir.
Ich muß mich wundern,

Zornig umschauend

wenn Euer Gnaden Livree –

Marschallin

Verzeihen Sie,
man hat sich betragen, wie es befohlen,
ich hatte diesen Morgen die Migräne.

Auf einen Wink der Marschallin haben die Lakaien ein kleines Sofa und einen Armstuhl nach vorne gebracht und sind dann abgegangen.

Der Baron sieht öfters nach rückwärts.

Octavian ist an der Wand gegen den Alkoven hin geschlichen. macht sich möglichst unsichtbar beim Bett zu schaffen.

Marschallin setzt sich auf das Sofa, nachdem sie dem Baron den Platz auf dem Armstuhl angeboten hat.

BARON

versucht sich zu setzen, äußerst okkupiert von der Anwesenheit der hübschen Kammerzofe. Für sich

Ein hübsches Kind! Ein gutes, sauberes Kinderl!

MARSCHALLIN

aufstehend, ihm zeremoniös aufs neue seinen Platz anbietend

Ich bitte, Euer Liebden.

Der Baron setzt sich zögernd und bemüht sich, der hübschen Zofe nicht völlig den Rücken zu kehren.

MARSCHALLIN

Ich bin auch jetzt noch nicht ganz wohl.
Der Vetter wird darum vielleicht die Gnade haben –

BARON

Natürlich.

Er dreht sich um, um Octavian zu sehen.

MARSCHALLIN

Meine Kammerzofe, ein junges Kind vom Lande.
Ich muß fürchten, sie inkommodiert Euer Liebden.

BARON

Ganz allerliebst! Wie? Nicht im geringsten! Mich? Im Gegenteil!

Er winkt Octavian mit der Hand, dreht sich dann zur Marschallin

Euer Gnaden werden vielleicht verwundert sein,
daß ich als Bräutigam

Sieht sich um

– indes – inzwischen –

MARSCHALLIN

Als Bräutigam?

BARON

Ja, wie Euer Gnaden denn doch wohl aus meinem Brief genugsam –
Ein Grasaff, appetitlich, keine fünfzehn Jahr!

MARSCHALLIN

Der Brief, natürlich, ja, der Brief, wer ist denn nur die Glückliche,
ich habe den Namen auf der Zunge.

BARON

Wie?

Nach rückwärts

Pudeljung! Gesund! Gewaschen! Allerliebst!

MARSCHALLIN

Wer ist nur schnell die Braut?

BARON

Das Fräulein Faninal. Ich hab Euer Gnaden den Namen nicht verheimlicht.

MARSCHALLIN

Natürlich! Wo habe ich meinen Kopf. Bloß die Familie. Sinds keine Hiesigen?

Octavian macht sich mit dem Servierbrett zu tun, wodurch er noch mehr hinter den Rücken des Barons kommt.

BARON

Jawohl, Euer Gnaden, es sind Hiesige.
Ein durch die Gnade Ihrer Majestät Geadelter.

Er hat die Lieferung für die Armee, die in den Niederlanden
steht.

Marschallin bedeutet Octavian ungeduldig mit den Augen, er soll sich fortmachen.

BARON

mißversteht ihre Miene völlig

Ich seh, Euer Gnaden runzeln Dero schöne Stirn ob der
Mesalliance.
Allein, daß ich es sag, das Mädchen ist für einen Engel hübsch
genug.
Kommt frischwegs aus dem Kloster. Ist das einzige Kind.
Dem Mann gehören zwölf Häuser auf der Wied'n, nebst dem
Palais am Hof,
und seine Gesundheit soll nicht die beste sein.

MARSCHALLIN

Mein lieber Vetter, ich kapier schon, wieviels geschlagen hat.

Winkt Octavian, den Rückzug zu nehmen.

BARON

Und mit Verlaub von Euer Fürstlichen Gnaden,
ich dünke mir guts adeliges Blut genug im Leib zu haben für
ihrer Zwei.
Man bleibt doch schließlich, was man ist, corpo di Bacco!
Den Vortritt, wo er ihr gebührt, wird man der Frau Gemahlin
noch zu verschaffen wissen, und was die Kinder anlangt, wenn
sie denen
den goldnen Schlüssel nicht konzedieren werden –
va bene!
Werden sich mit den zwölf eisernen Schlüsseln
zu den zwölf Häusern auf der Wied'n zu getrösten wissen.

Marschallin

Gewiß! O sicherlich, dem Vetter seine Kinder,
die werden keine Don Quixotten sein!
Octavian will mit dem Servierbrett rückwärts vorbei zur Türe hin.

Baron

Warum hinaus die Schokolad! Geruhen nur!
Da! Pst, wieso denn!
Octavian steht unschlüssig, das Gesicht abgewendet.

Marschallin

Fort, geh Sie nur!

Baron

Wenn ich Euer Gnaden gesteh,
daß ich noch so gut wie nüchtern bin.

Marschallin

resigniert

Mariandl, komm Sie her. Servier Sie Seiner Liebden.
Octavian kommt, serviert.

Baron

nimmt eine Tasse, bedient sich

So gut wie nüchtern, Euer Gnaden. Sitz im Reisewagen seit fünf Uhr früh.

Leise

Recht ein gestelltes Ding! Bleib Sie dahier, mein Herz. Ich hab Ihr was zu sagen.
Meine ganze Livree, Stallpagen, Jäger, alles –

Er frißt

alles unten im Hof zusamt meinem Almosenier –

MARSCHALLIN

zu Octavian

Geh Sie nur.

BARON

Hat Sie noch ein Biskoterl? Bleib Sie doch!

Leise

Sie ist ein süßer Engelsschatz, ein sauberer.

Zur Marschallin

Sind auf dem Wege zum »Weißen Roß«,
wo wir logieren, heißt bis übermorgen –

Halblaut

Ich gäb was Schönes drum, mit Ihr –

Zur Marschallin sehr laut

bis übermorgen —

Schnell zu Octavian

– unter vier Augen zu scharmutzieren, wie?

Marschallin muß lachen über Octavians freches Komödienspiel.

BARON

Dann ziehen wir ins Palais von Faninal.
Natürlich muß ich vorher den Bräutigamsaufführer –

Nach rückwärts, wütend

will Sie denn nicht warten? –
an die wohlgeborne Jungfer Braut deputieren,
der die silberne Rose überbringt
nach der hochadeligen Gepflogenheit.

MARSCHALLIN

Und wen von der Verwandtschaft haben Euer Liebden
für dieses Ehrenamt sich ausersehen?

BARON

Die Begierde, darüber Euer Gnaden Ratschlag einzuholen,
hat mich so kühn gemacht, in Reisekleidern bei Dero
heutigem Lever –

MARSCHALLIN

Von mir?

BARON

Gemäß brieflich in aller Devotion getaner Bitte.
Ich bin doch nicht so unglücklich mit dieser devotesten
Supplik Dero Mißfallen –

Lehnt sich zurück

Sie könnte aus mir machen, was Sie wollte.
Sie hat das Zeug dazu!

MARSCHALLIN

Wie denn, natürlich! Einen Aufführer
für Euer Liebden ersten Bräutigamsbesuch,
aus der Verwandtschaft – wen denn nur? Ich werde –
den Vetter Jörger? Wie? Den Vetter Lamberg?

BARON

Dies liegt in Euer Gnaden allerschönsten Händen.

MARSCHALLIN

Ganz gut. Will Er mit mir zu Abend essen, Vetter?
Sagen wir morgen, will Er? Dann proponier ich Ihm einen.

BARON

Euer Gnaden sind die Herablassung selber.

MARSCHALLIN

will aufstehen

Indes –

BARON

halblaut

Daß Sie mir wiederkommt! Ich geh nicht eher fort!

MARSCHALLIN

für sich

Oho!

Laut

Bleib Sie nur da! Kann ich dem Vetter
für jetzt noch dienlich sein?

BARON

Ich schäme mich bereits.
An Euer Gnaden Notari eine Rekommandation
wär mir lieb.
Es handelt sich um den Ehevertrag.

MARSCHALLIN

Mein Notari kommt öfters des Morgens. Schau Sie doch, Mariandel,
ob er nicht in der Antichambre ist und wartet.

BARON

Wozu das Kammerzofel?
Euer Gnaden beraubt sich der Bedienung
um meinetwillen!

Hält sie auf.

MARSCHALLIN

Laß Er doch, Vetter, sie mag ruhig gehen.

BARON

Das geb ich nicht zu. Bleib Sie dahier zu Ihrer Gnaden Wink.

Es kommt gleich wer von der Livree herein,
ich ließ' ein solches Goldkind, meiner Seel,
nicht unter das infame Lakaienvolk.

Streichelt sie.

MARSCHALLIN

Euer Liebden sind allzu besorgt.

Der Haushofmeister tritt ein.

BARON

Da, hab ichs nicht gesagt?
Er wird Euer Liebden zu melden haben.

MARSCHALLIN

zum Haushofmeister

Struhan, hab ich meinen Notari in der Vorkammer warten?

HAUSHOFMEISTER

Fürstliche Gnaden haben den Notari,
dann den Verwalter, dann den Kuchelchef,
dann, von Exzellenz Silva hergeschickt,
ein Sänger mit einem Flötisten.
Ansonsten das gewöhnliche Bagagi.

BARON

hat seinen Stuhl hinter den breiten Rücken des Haushofmeisters geschoben, ergreift zärtlich die Hand der vermeintlichen Zofe

Hat Sie schon einmal
mit einem Kavalier im Tête-à-tête
zu Abend 'gessen?

Octavian tut sehr verlegen.

BARON

Nein? Da wird Sie Augen machen.

OCTAVIAN

leise, verschämt

I weiß halt nit, ob i dös derf.

Marschallin, dem Haushofmeister unaufmerksam zuhörend, beobachtet die beiden, muß leise lachen.

Haushofmeister verneigt sich, tritt zurück, wodurch die Gruppe für den Blick der Marschallin frei wird.

MARSCHALLIN

zum Haushofmeister

Warten lassen.

Haushofmeister ab.

Der Baron setzt sich möglichst unbefangen zurecht und nimmt eine gravitätische Miene an.

MARSCHALLIN

lachend

Der Vetter ist, ich seh, kein Kostverächter.

BARON

erleichtert

Mit Euer Gnaden ist man frei daran. Da gibts keine Flausen, keine Etikette!

keine spanische Tuerei!

Er küßt der Marschallin die Hand.

MARSCHALLIN

amüsiert

Aber wo Er doch ein Bräutigam ist?

BARON

halb aufstehend, ihr genähert

Macht das einen lahmen Esel aus mir?
Bin ich da nicht wie ein guter Hund auf einer guten Fährte?
Und doppelt scharf auf jedes Wild nach links, nach rechts!

MARSCHALLIN

Ich seh, Euer Liebden betreiben es als Profession.

BARON

stehend

Das will ich meinen.
Wüßte nicht, welche mir besser behagen könnte.
Ich muß Euer Gnaden sehr bedauern,
daß Euer Gnaden nur – wie drück ich mich aus –
nur die verteidigenden Erfahrungen besitzen!
Parole d'honneur! Es geht nichts über die von der anderen Seite!

MARSCHALLIN

lacht

Ich glaub Ihm schon, daß die sehr mannigfaltig sind.

BARON

Soviel Zeiten das Jahr, soviel Stunden der Tag, da ist keine –

MARSCHALLIN

Keine?

BARON

Wo nicht –

MARSCHALLIN

Wo nicht?

BARON

Wo nicht dem Knaben Kupido

ein Geschenkerl abzulisten wäre.
Dafür ist man kein Auerhahn und kein Hirsch,
sondern ist man der Herr der Schöpfung,
daß man nicht nach dem Kalender forciert ist, halten zu Gnaden!
Zum Exempel der Mai ist recht lieb für verliebte Geschäft',
das weiß jedes Kind,
aber ich sage:
Schöner ist Juni, Juli, August.
Da hats Nächte!
Da ist bei uns da droben so ein Zuzug
von jungen Mägden aus dem Böhmischen herüber:
Zur Ernte kommen sie und sind ansonsten anstellig und gut –
Ihrer zwei, dreie halt ich oft
bis im November mir im Haus,
dann erst schick ich sie heim.
Und wie sich das mischt,
das junge runde böhmische Völkel,
süß und schwer,
mit denen von uns, dem deutschen Schlag,
der scharf ist und herb wie ein Retzer Wein.
Wie sich das miteinander mischen tut!
Und überall steht was und lauert und rutscht durch den Gattern
und schlieft zueinander und liegt beieinander
und überall singt was
und schupft was die Hüften
und melkt was
und mäht was
und planscht und plätschert was im Bach und in der Pferdeschwemm.

MARSCHALLIN

Und Er ist überall dahinter her?

BARON

Wollt ich könnt sein wie Jupiter selig
in tausend Gestalten,
wär Verwendung für jede.

MARSCHALLIN

Wie, auch für den Stier? So grob will Er sein?

BARON

Je nachdem! alls je nachdem!
Das Frauenzimmer hat gar vielerlei Arten,
wie es will genommen sein.
Da kenn ich mich aus, halten zu Gnaden!
Da ist das arme Waserl,
steht da, als könnt sie nicht bis fünfe zählen,
und ist, halten zu Gnaden, schon die Rechte, wenns drauf ankommt.
Und da ist, die kichernd und schluchzend den Kopf verliert,
die hab ich gern!
Und die herentgegen,
der sitzt im Aug ein kalter, harter Satan,
aber trifft sich schon ein Stündl, wo so ein Aug ins Schwimmen kommt.
Und wenn derselbige innerliche Satan läßt erkennen,
daß jetzt bei ihm Matthäi am letzten ist,
gleich einem abgeschlagenen Karpfen,
das ist schon, mit Verlaub, ein feines Stück.
Kann nicht genug dran kriegen!

MARSCHALLIN

Er selber ist ein Satan, meiner Seel!

BARON

Und wäre eine, haben die Gnad,
die keiner anschaut
im schmutzigen Kittel, haben die Gnad, schlumpt sie daher,
hockt in der Aschen hinterm Herd,
die wo einer zur richtigen Stund sie angeht,
die hats in sich! Die hats in sich!
Ein solches Staunen! gar nicht Begreifenkönnen!
und Angst! und auf die letzt so eine rasende Seligkeit,
daß sich der Herr, der gnädige Herr!
herabgelassen gar zu ihrer Niedrigkeit.

MARSCHALLIN

Er weiß mehr als das ABC.

BARON

Da gibt es, die wollen beschlichen sein,
sanft wie der Wind das frisch gemähte Heu beschleicht.
Und welche – da gilts,
wie ein Luchs hinterm Rücken heran
und den Melkstuhl gepackt,
daß sie taumelt und hinschlägt!
Muß halt ein Heu in der Nähe dabei sein.

MARSCHALLIN

Nein! Er agiert mir gar zu gut!
Laß Er mir doch das Kind!

BARON

nimmt wieder würdevolle Haltung an

Geben mir Euer Gnaden den Grasaff da
zu meiner künftgen Frau Gemahlin Bedienung.

MARSCHALLIN

Wie, meine Kleine da? Was sollte die?
Die Fräulein Braut wird schon versehen sein
und nicht anstehn auf Euer Liebden Auswahl.

BARON

Das ist ein feines Ding! Kreuzsakerlott!
Da ist ein Tropf gutes Blut dabei!

MARSCHALLIN

Euer Liebden haben ein scharfes Auge!

BARON

Geziemt sich.

Vertraulich

Find in der Ordnung, daß Personen von Stand in solcher Weise
von adeligem Blut bedienet werden,
führe selbst ein Kind meiner Laune mit mir.

MARSCHALLIN

Wie? Gar ein Mädel? Das will ich nicht hoffen!

BARON

Nein, einen Sohn: trägt lerchenauisches Gepräge im Gesicht.
Halt ihn als Leiblakai.
Wenn Euer Gnaden dann werden befehlen,
daß ich die silberne Rosen darf Dero Händen übergeben,
wird er es sein, der sie heraufbringt.

MARSCHALLIN

Soll mich recht freuen. Aber wart Er einmal. Mariandel!

BARON

Geben mir Euer Gnaden das Zofel! Ich laß nicht locker.

Marschallin

Ei! Geh Sie und bring Sie doch das Medaillon her.

Octavian

leise

Theres! Theres, gib acht!

Marschallin

ebenso

Brings nur schnell! Ich weiß schon, was ich tu.

Baron

Octavian nachsehend

Könnt eine junge Fürstin sein.
Hab vor, meiner Braut eine getreue Kopie
meines Stammbaumes zu spendieren
nebst einer Locke vom Ahnherrn Lerchenau, der ein großer
Klosterstifter war
und Obersterblandhofmeister in Kärnten
und in der Windischen Mark.

Octavian bringt das Medaillon.

Marschallin

Wollen Euer Gnaden leicht den jungen Herrn da
als Bräutigamsführer haben?

Baron

Bin ungeschauter einverstanden.

Marschallin

Mein junger Vetter, der Graf Octavian.

Baron

Octavian –

MARSCHALLIN

Rofrano, des Herrn Marchese zweiter Bruder.

BARON

Wüßte keinen vornehmeren zu wünschen!
Wär in Devotion dem jungen Herrn sehr verbunden!

MARSCHALLIN

Seh Er ihn an!

Hält ihm das Medaillon hin.

BARON

sieht bald auf das Medaillon, bald auf die Zofe

Die Ähnlichkeit!

MARSCHALLIN

Ja, ja.

BARON

Aus dem Gesicht geschnitten!

MARSCHALLIN

Hab mir auch schon Gedanken gemacht.

BARON

Rofrano! Da ist man wer, wenn man aus solchem Haus!
und wärs auch bei der Domestikentür.

MARSCHALLIN

Darum halt ich sie auch wie was Besonderes.

BARON

Geziemt sich.

MARSCHALLIN

Immer um meine Person.

BARON

Sehr wohl.

MARSCHALLIN

Jetzt aber geh Sie, Mariandel, mach Sie fort.

BARON

Wie denn? Sie kommt doch wieder?

MARSCHALLIN

überhört ihn absichtlich

Und laß Sie die Antichambre herein.

Octavian geht gegen die Flügeltür rechts.

BARON

ihm nach

Mein schönstes Kind!

OCTAVIAN

an der Türe rechts

Derfts eina gehn!

Läuft nach der anderen Türe.

BARON

ihm nach

Ich bin Ihr Serviteur! Geb Sie doch einen Augenblick Audienz.

OCTAVIAN

schlägt ihm die kleine Tür vor der Nase zu

I komm glei.

Im gleichen Augenblick tritt eine alte Kammerfrau durch die gleiche Türe ein. Baron zieht sich enttäuscht zurück. Zwei Lakaien kommen von rechts herein, bringen einen Wandschirm aus dem Alkoven. Die Marschallin tritt hinter den Wandschirm, die alte Kammerfrau mit ihr. Der Frisiertisch wird vorgeschoben in die Mitte. Lakaien öffnen die Flügeltüren rechts. Es treten ein: der Notar, der Küchenchef, hinter diesen ein Küchenjunge, der das Menübuch trägt. Dann die Marchande de Modes, ein Gelehrter mit einem Folianten und der Tierhändler mit winzig kleinen Hunden und einem Äffchen. Valzacchi und Annina, hinter diesen rasch gleitend, nehmen den vordersten Platz links ein. Die adelige Mutter mit ihren drei Töchtern, alle in Trauer, stellen sich an den rechten Flügel. Der Haushofmeister führt den Tenor und den Flötisten nach vorne. Baron, rückwärts, winkt einen Lakaien zu sich, gibt ihm einen Auftrag, zeigt: »Hier durch die Hintertür.«

DIE DREI ADELIGEN TÖCHTER
indem sie niederknien

Drei arme adelige Waisen
erflehen Dero hohen Schutz!

MARCHANDE DE MODES

Le Chapeau Paméla! La poudre à la reine de Golconde!

DER TIERHÄNDLER

Schöne Affen, wenn Durchlaucht schaffen,
auch Vögel hab ich da, aus Afrika.

DIE DREI WAISEN

Der Vater ist jung auf dem Felde der Ehre gefallen,
ihm dieses nachzutun, ist unser Herzensziel.

MARCHANDE DE MODES

Le chapeau Paméla! C'est la merveille du monde!

TIERHÄNDLER

Papageien hätt ich da
aus Indien und Afrika.

Hunderln so klein
und schon zimmerrein.

Marschallin tritt hervor, alles verneigt sich tief.
Baron ist links vorgekommen.

MARSCHALLIN

Ich präsentier Euer Liebden hier den Notar.

Notar tritt mit Verneigung gegen den Frisiertisch, wo sich die Marschallin niedergelassen, zum Baron links. Marschallin winkt die jüngste der drei Waisen zu sich, läßt sich vom Haushofmeister einen Geldbeutel reichen, gibt ihn dem Mädchen, indem sie es auf die Stirne küßt. Gelehrter will vortreten, seinen Folianten überreichen. Valzacchi springt vor, drängt ihn zur Seite.

VALZACCHI

ein schwarzgerändertes Zeitungsblatt hervorziehend

Die swarze Seitung! Fürstlike Gnade!
alles 'ier ge'eim gesrieben!
nur für 'ohe Persönlikeite!
eine Leikname in 'interkammer
von eine gräflike Palais!
ein Bürgersfrau mit der amante
vergiften der Hehemann!
diese Nackt um dreie Huhr!

MARSCHALLIN

Laß Er mich mit dem Tratsch in Ruh!

VALZACCHI

In Gnaden!
tutte quante Vertraulikeite
aus die große Welt!

MARSCHALLIN

Ich will nix wissen!

Valzacchi mit bedauernder Verbeugung springt zurück.
Die drei Waisen, zuletzt auch die Mutter, haben der Marschallin die Hand geküßt.

DIE DREI WAISEN

zum Abgehen rangiert

Glück und Segen allerwegen Euer Gnaden hohem Sinn!
Eingegraben steht erhaben er in unsern Herzen drin!

Gehen ab samt der Mutter.

Der Friseur tritt hastig auf, der Gehilfe stürzt ihm mit fliegenden Rockschößen nach. Der Friseur faßt die Marschallin ins Auge; verdüstert sich, tritt zurück; er studiert ihr heutiges Aussehen. Der Gehilfe indessen packt aus, am Frisiertisch. Der Friseur schiebt einige Personen zurück, sich Spielraum zu schaffen. Nach einer kurzen Überlegung ist sein Plan gefaßt, er eilt mit Entschlossenheit auf die Marschallin zu, beginnt zu frisieren. Ein Lauffer in Rosa, Schwarz und Silber tritt auf, überbringt ein Billett. Haushofmeister mit Silbertablett ist schnell zur Hand, präsentiert es der Marschallin. Friseur hält inne, sie lesen zu lassen. Gehilfe reicht ihm ein neues Eisen. Friseur schwenkt es: es ist zu heiß. Gehilfe reicht ihm, nach fragendem Blick auf die Marschallin, die nickt, das Billett, das er lächelnd verwendet, um das Eisen zu kühlen. Gleichzeitig hat sich der Sänger in Position gestellt, hält das Notenblatt. Flötist sieht ihm, begleitend, über die Schultern.

Drei Lakaien haben rechts ganz vorne Stellung genommen, andere stehen im Hintergrund.

DER SÄNGER

Di rigori armato il seno
Contra amor mi ribellai,

Ma fui vinto in un baleno
In mirar due vaghi rai.
Ahi! che resiste puoco
Cor di gelo a stral di fuoco.

Der Friseur übergibt dem Gehilfen das Eisen und applaudiert dem Sänger. Dann fährt er im Arrangement des Lockenbaues fort.

Ein Bedienter hat indessen bei der kleinen Tür den Kammerdiener des Barons, den Almosenier und den Jäger eingelassen. Es sind drei bedenkliche Gestalten. Der Kammerdiener ist ein junger, großer Lümmel, der dumm und frech aussieht. Er trägt unter dem Arm ein Futteral aus rotem Saffian. Der Almosenier ist ein verwilderter Dorfkooperator, ein vier Schuh hoher, aber stark und verwegen aussehender Gnom. Der Leibjäger mag, bevor er in die schlecht sitzende Livree gesteckt wurde, Mist geführt haben. Der Almosenier und der Kammerdiener scheinen sich um den Vortritt zu streiten und steigen einander auf die Füße. Sie steuern längs der linken Seite auf ihren Herrn zu, in dessen Nähe sie haltmachen.

BARON

sitzend zum Notar, der vor ihm steht, seine Weisungen entgegennimmt

Als Morgengabe – ganz separatim jedoch
und vor der Mitgift – bin ich verstanden, Herr Notar? –
kehrt Schloß und Herrschaft Gaunersdorf an mich zurück!
Von Lasten frei und ungemindert an Privilegien,
so wie mein Vater selig sie besessen hat.

NOTAR

kurzatmig

Gestatten Hochfreiherrliche Gnaden die submisseste Belehrung,

daß eine Morgengabe wohl vom Gatten an die Gattin,
nicht aber von der Gattin an den Gatten
bestellet oder stipuliert zu werden fähig ist.

BARON

Das mag wohl sein.

NOTAR

Dem ist so –

BARON

Aber im besondren Fall –

NOTAR

Die Formen und die Präskriptionen kennen keinen Unterschied.

BARON

schreit

Haben ihn aber zu kennen!

NOTAR

erschrocken

In Gnaden!

BARON

wieder leise, aber eindringlich und voll hohen Selbstgefühls

Wo eines hochadeligen Hauses blühender Sproß sich herabläßt,
im Ehebette einer so gut als bürgerlichen Mamsell Faninal
– bin ich verstanden? – acte de présence zu machen
vor Gott und der Welt und sozusagen
angesichts Kaiserlicher Majestät –
da wird, corpo di Bacco! von Morgengabe
als geziemendem Geschenk dankbarer Devotion
für die Hingab so hohen Blutes
sehr wohl die Rede sein.

Sänger macht Miene, wieder anzufangen, wartet noch, bis der Baron still wird.

NOTAR

zum Baron leise

Vielleicht, daß man die Sache separatim –

BARON

leise

Er ist ein schmählicher Pedant: als Morgengabe will ich das Gütel!

NOTAR

ebenso

Als einen wohl verklausulierten Teil der Mitgift –

BARON

halblaut

Als Morgengabe! geht das nicht in Seinen Schädel!

NOTAR

ebenso

Als eine Schenkung inter vivos oder –

BARON

schreiend

Als Morgengabe!

DER SÄNGER

während des Gesprächs der beiden

Ma sì caro è'l mio tormento,
Dolce è sì la piaga mia
Ch' il penare è mio contento
E 'l sanarmi è tirannia.
Ahi! che resiste puoco –

Hier erhebt der Baron seine Stimme so, daß der Sänger jäh abbricht, desgleichen die Flöte.
Notar zieht sich erschrocken in die Ecke zurück.
Marschallin winkt den Sänger zu sich, reicht ihm die Hand zum Kuß. Sänger nebst Flöte ziehen sich unter tiefen Verbeugungen zurück.
Der Baron tut, als ob nichts geschehen wäre, winkt dem Sänger leutselig zu, tritt dann zu seiner Dienerschaft; streicht dem Leiblakai die bäurisch in die Stirn gekämmten Haare hinaus; geht dann, als suchte er jemand, zur kleinen Tür, öffnet sie, spioniert hinaus, ärgert sich, daß die Zofe nicht zurückkommt; schnüffelt gegens Bett, schüttelt den Kopf, kommt wieder vor.

MARSCHALLIN
sieht sich in dem Handspiegel, halblaut
Mein lieber Hippolyte,
heut haben Sie ein altes Weib aus mir gemacht!
Der Friseur, mit Bestürzung, wirft sich fieberhaft auf den Lockenbau der Marschallin und verändert ihn aufs neue. Das Gesicht der Marschallin bleibt traurig.

MARSCHALLIN
über die Schulter zum Haushofmeister
Abtreten die Leut!
Vier Lakaien, eine Kette bildend, schieben die aufwartenden Personen zur Tür hinaus, die sie dann verschließen.
Valzacchi, hinter ihm Annina, haben sich im Rücken aller rings um die Bühne zum Baron hinübergeschlichen und präsentieren sich ihm mit übertriebener Devotion.
Baron tritt zurück.

VALZACCHI
Ihre Gnade sukt etwas. Ik seh.

Ihre Gnade 'at ein Bedürfnis.
Ik kann dienen. Ik kann besorgen.

BARON

Wer ist Er, was weiß Er?

VALZACCHI

Ihre Gnade Gesikt sprikt ohne Sunge.
Wie ein Hantike: come statua di Giove.

BARON

Das ist ein besserer Mensch.

VALZACCHI

Erlaukte Gnade, attachieren uns an sein Gefolge!
Fällt auf die Knie, desgleichen Annina.

BARON

Euch?

VALZACCHI

Onkel und Nickte.
Su sweien maken alles besser.
Per essempio: Ihre Gnade 'at eine junge Frau –

BARON

Woher weiß Er denn das, Er Teufel Er?

VALZACCHI

eifrig

Ihr' Gnad' ist in Eifersukt: dico per dire!
'eut oder morgen könnte sein. Affare nostro!
Jede Sritt die Dame sie tut,
jede Wagen die Dame sie steigt,

jede Brief die Dame bekommt –
wir sind da!
an die Ecke, in die Kamin, unter die Bette –
wir sind da!

ANNINA

Ihre Gnaden wird nicht bedauern!

Halten ihm die Hände hin, Geld erheischend; er tut, als bemerke er es nicht.

BARON

halblaut

Hm! Was es alles gibt in diesem Wien!
Zur Probe nur. Kennt Sie die Jungfer Mariandel?

ANNINA

ebenso

Mariandel?

BARON

ebenso

Das Zofel hier im Haus bei Ihrer Gnaden.

VALZACCHI

leise zu Annina

Sai tu, cosa vuole?

ANNINA

ebenso

Niente!

VALZACCHI

zum Baron

Sicker! Sicker! Mein Nickte wird besorgen!
Seien sicker, Ihre Gnade.
Hält abermals die Hand hin, Baron tut, als sähe er es nicht.

Marschallin ist aufgestanden. Friseur nach tiefer Verneigung eilt ab, Gehilfe hinter ihm.

BARON

die beiden Italiener stehen lassend, auf die Marschallin zu

Darf ich das Gegenstück zu Dero sauberem Kammerzofel
präsentieren?
Die Ähnlichkeit soll, hör ich, unverkennbar sein.

Marschallin nickt.

BARON

Leupold, das Futteral.

Der junge Kammerlakai präsentiert linkisch das Futteral.

MARSCHALLIN

ein bißchen lachend

Ich gratuliere Euer Liebden sehr.

BARON

nimmt dem Burschen das Futteral aus der Hand und winkt ihm zurückzutreten

Und da ist nun die silberne Rose!

Wills aufmachen.

MARSCHALLIN

Lassen nur drinnen.
Haben die Gnad und stellens dorthin.

BARON

Vielleicht das Zofel solls übernehmen?
Ruft man ihr?

MARSCHALLIN

Nein, lassen nur. Die hat jetzt keine Zeit.

Doch sei Er sicher: den Grafen Octavian bitt ich Ihm auf
und er wirds mir zulieb schon tun
und als Euer Liebden Kavalier
vorfahren mit der Rosen bei der Jungfer Braut.
Stellen indes nur hin.
Und jetzt, Herr Vetter, sag ich Ihm Adieu.
Man retiriert sich jetzt von hier:
Ich werd jetzt in die Kirchen gehn.

Lakaien öffnen die Flügeltür.

BARON

Euer Gnaden haben heut
durch unversiegte Huld mich tiefst beschämt.

Macht die Reverenz; entfernt sich unter Zeremoniell. Der Notar hinter ihm, auf seinen Wink. Seine drei Leute hinter diesem, in mangelhafter Haltung. Die beiden Italiener, lautlos und geschmeidig, schließen sich unbemerkt an.

Lakaien schließen die Tür.

Haushofmeister tritt ab.

MARSCHALLIN

allein

Da geht er hin, der aufgeblasene, schlechte Kerl,
und kriegt das hübsche, junge Ding und einen Binkel Geld dazu,
als müßts so sein.
Und bildet sich noch ein, daß ers ist, der sich was vergibt.
Was erzürn ich mich denn? ist doch der Lauf der Welt.
Kann mich auch an ein Mädel erinnern,
die frisch aus dem Kloster ist in den heiligen Ehestand
kommandiert wordn.

Nimmt den Handspiegel

Wo ist die jetzt? Ja, such dir den Schnee vom vergangenen
Jahr.

Das sag ich so:
Aber wie kann das wirklich sein,
daß ich die kleine Resi war
und daß ich auch einmal die alte Frau sein werd! . . .
Die alte Frau, die alte Marschallin!
»Siehgst es, da geht s', die alte Fürstin Resi!«
Wie kann denn das geschehen?
Wie macht denn das der liebe Gott?
Wo ich doch immer die gleiche bin.
Und wenn ers schon so machen muß,
warum laßt er mich denn zuschaun dabei,
mit gar so klarem Sinn? Warum versteckt ers nicht vor mir?
Das alles ist geheim, so viel geheim.
Und man ist dazu da, daß mans ertragt.
Und in dem »Wie« da liegt der ganze Unterschied –
Octavian tritt von rechts ein, in einem Morgenanzug mit Reitstiefeln.

MARSCHALLIN
mit halbem Lächeln
Ach, du bist wieder da!

OCTAVIAN
Und du bist traurig!

MARSCHALLIN
Es ist ja schon vorbei. Du weißt ja, wie ich bin.
Ein halbes Mal lustig, ein halbes Mal traurig.
Ich kann halt meine Gedanken nicht kommandieren.

OCTAVIAN
Ich weiß, warum du traurig bist, du Schatz.
Weil du erschrocken bist und Angst gehabt hast.

Hab ich nicht recht? Gesteh mir nur:
Du hast Angst gehabt,
du Süße, du Liebe.
Um mich, um mich!

MARSCHALLIN

Ein bißl vielleicht.
Aber ich hab mich erfangen und hab mir vorgesagt: Es wird schon nicht dafür stehn.
Und wärs dafür gestanden?

OCTAVIAN

Und es war kein Feldmarschall.
Nur ein spaßiger Herr Vetter, und du gehörst mir.
Du gehörst mir!

MARSCHALLIN

Taverl, umarm Er nicht zu viel:
Wer allzuviel umarmt, der hält nichts fest.

OCTAVIAN

Sag, daß du mir gehörst! Sag, daß du mir gehörst!

MARSCHALLIN

Oh, sei Er jetzt sanft, sei Er gescheit und sanft und gut.
Nein, bitt schön, sei Er nicht wie alle Männer sind.

OCTAVIAN

Wie alle Männer?

MARSCHALLIN

Wie der Feldmarschall und der Vetter Ochs.
Sei Er nur nicht wie alle Männer sind.

OCTAVIAN

zornig

Ich weiß nicht, wie alle Männer sind.

Sanft

Weiß nur, daß ich dich liebhab,
Bichette, sie haben mir dich ausgetauscht.
Bichette, wo ist Sie denn?

MARSCHALLIN

ruhig

Sie ist wohl da, Herr Schatz.

OCTAVIAN

Ja, ist Sie da? Dann will ich Sie halten,
und Sie pressen, daß Sie mir nicht wieder entkommt!

MARSCHALLIN

sich ihm entwindend

O sei Er gut, Quin-quin. Mir ist zumut,
daß ich die Schwäche von allem Zeitlichen recht spüren muß,
bis in mein Herz hinein:
wie man nichts halten soll,
wie man nichts packen kann,
wie alles zerlauft zwischen den Fingern,
alles sich auflöst, wonach wir greifen,
alles zergeht, wie Dunst und Traum.

OCTAVIAN

Wo Sie mich da hat,
wo ich meine Finger in Ihre Finger schlinge,
wo ich mit meinen Augen Ihre Augen suche,
gerade da ist Ihr so zumut?

MARSCHALLIN

sehr ernst

Quin-quin, heut oder morgen geht Er hin
und gibt mich auf, um einer andern willen,

Octavian will ihr den Mund zuhalten.

die schöner oder jünger ist als ich.

OCTAVIAN

Willst du mit Worten mich von dir stoßen,
weil dir die Hände den Dienst nicht tun?

MARSCHALLIN

Der Tag kommt ganz von selber. Wer bist denn du?
Ein junger Herr, ein jüngerer Sohn.
Dein Bruder der Chef von deinem Haus.
Wie wird er nicht eine Braut für dich suchen?
Als ob nicht alles auf der Welt
sein' Zeit und sein Gesetzl hätt.
Heut oder morgen kommt der Tag, Octavian.

OCTAVIAN

Nicht heut, nicht morgen: ich hab dich lieb.
Nicht heut, nicht morgen!

MARSCHALLIN

Heut oder morgen oder den übernächsten Tag.
Nicht quälen will ich dich, mein Schatz.
Ich sag, was wahr ist, sags zu mir so gut wie zu dir.
Leicht will ichs machen dir und mir.
Leicht muß man sein:
mit leichtem Herz und leichten Händen,
halten und nehmen, halten und lassen . . .

Die nicht so sind, die straft das Leben und Gott erbarmt sich ihrer nicht.

OCTAVIAN

Mein Gott, wie Sie das sagt, Sie will mir doch nur zeigen,
daß Sie nicht an mir hängt.

Er weint.

MARSCHALLIN

Sei Er doch gut, Quin-quin.

Er weint stärker.

Sei Er doch gut.
Jetzt muß ich noch den Buben dafür trösten,
daß er mich über kurz oder lang wird sitzenlassen.

Sie streichelt ihn.

OCTAVIAN

Über kurz oder lang!
Wer legt Ihr heut die Wörter in den Mund, Bichette?

Er hält sich die Ohren zu.

MARSCHALLIN

Über kurz oder lang!
Daß Ihn das Wort so kränkt.
Die Zeit im Grund, Quin-quin, die Zeit,
die ändert doch nichts an den Sachen.
Die Zeit, die ist ein sonderbares Ding.
Wenn man so hinlebt, ist sie rein gar nichts.
Aber dann auf einmal,
da spürt man nichts als sie:
sie ist um uns herum, sie ist auch in uns drinnen.
In den Gesichtern rieselt sie, im Spiegel da rieselt sie,
in meinen Schläfen fließt sie.
Und zwischen mir und dir da fließt sie wieder.
Lautlos, wie eine Sanduhr.

O Quin-quin!
Manchmal hör ich sie fließen unaufhaltsam.
Manchmal steh ich auf, mitten in der Nacht,
und laß die Uhren alle stehen.

OCTAVIAN

Mein schöner Schatz, will Sie sich traurig machen mit Gewalt?

MARSCHALLIN

Allein man muß sich auch vor ihr nicht fürchten.
Auch sie ist ein Geschöpf des Vaters,
der uns alle geschaffen hat.

OCTAVIAN

Sie spricht ja heute wie ein Pater.

Eine befangene Stille

Soll das heißen, daß ich Sie nie mehr
werd küssen dürfen,
bis Ihr der Atem ausgeht?

MARSCHALLIN

sanft

Quin-quin, Er soll jetzt gehn, Er soll mich lassen.
Ich werd jetzt in die Kirchn gehn
und später fahr ich zum Onkel Greifenklau,
der alt und gelähmt ist,
und eß mit ihm; das freut den alten Mann.
Und nachmittag werd ich Ihm einen Lauffer schicken,
Quin-quin, und sagen lassen,
ob ich in Prater fahr.
Und wenn ich fahr
und Er hat Lust,
so wird Er auch in Prater kommen

und neben meinem Wagen reiten.
Sei Er jetzt gut und folg Er mir.

OCTAVIAN

Wie Sie befiehlt, Bichette.

Er geht. Eine Pause

MARSCHALLIN

allein

Ich hab ihn nicht einmal geküßt.

Sie klingelt heftig. Lakaien kommen herein von rechts.

MARSCHALLIN

Laufts dem Herrn Grafen nach
und bittets ihn noch auf ein Wort herauf.

Eine Pause

Ich hab ihn fortgehn lassen und ihn nicht einmal geküßt!

Die Lakaien kommen zurück außer Atem.

ERSTER LAKAI

Der Herr Graf sind auf und davon.

ZWEITER LAKAI

Gleich beim Tor sind aufgesessen.

DRITTER LAKAI

Reitknecht hat gewartet.

VIERTER LAKAI

Gleich beim Tor sind aufgesessen wie der Wind.

ERSTER LAKAI

Waren um die Ecken wie der Wind.

ZWEITER LAKAI

Sind wir nachgelaufen.

DRITTER LAKAI

Wie haben wir geschrien.

VIERTER LAKAI

War umsonst.

ERSTER LAKAI

Waren um die Ecken wie der Wind.

MARSCHALLIN

Es ist gut, gehts nur wieder.

Die Lakaien ziehen sich zurück.

MARSCHALLIN

ruft nach

Den Mohammed!

Der kleine Neger herein, klingelnd, verneigt sich.

MARSCHALLIN

Das da trag –

Neger nimmt eifrig das Saffianfutteral.

MARSCHALLIN

Weißt ja nicht wohin. Zum Grafen Octavian.
Gibs ab und sag:
Da drinn ist die silberne Ros'n.
Der Herr Graf weiß ohnehin.

Der Neger läuft ab.

Marschallin stützt den Kopf auf die Hand.

Vorhang.

ZWEITER AKT

Saal bei Herrn von Faninal. Mitteltüre nach dem Vorsaal. Türen links und rechts. Rechts auch ein großes Fenster. Zu beiden Seiten der Mitteltüre Stühle an der Wand. In den Ecken jederseits ein großer Kamin.

HERR VON FANINAL

im Begriffe, von Sophie Abschied zu nehmen

Ein ernster Tag, ein großer Tag!
Ein Ehrentag, ein heiliger Tag!

Sophie küßt ihm die Hand.

MARIANNE LEITMETZERIN, *die Duenna*

Der Josef fahrt vor, mit der neuen Kaross,
hat himmelblaue Vorhäng,
vier Apfelschimmel sind dran.

HAUSHOFMEISTER

nicht ohne Vertraulichkeit

Ist höchste Zeit, daß Euer Gnaden fahren.
Der hochadelige Bräutigamsvater,
sagt die Schicklichkeit,
muß ausgefahren sein,
bevor der silberne Rosenkavalier vorfahrt.
Wär nicht geziemend,
daß sie sich vor der Tür begegneten.

Lakaien öffnen die Tür.

FANINAL

In Gottesnamen. Wenn ich wiederkomm,
so führ ich deinen Herrn Zukünftigen bei der Hand.

MARIANNE

Den edlen und gestrengen Herrn auf Lerchenau,
Kaiserlicher Majestät Kämmerer
und Landrechts-Beisitzer in Unter-Österreich!

Faninal geht.

Sophie vorgehend, allein, indessen Marianne am Fenster.

MARIANNE

am Fenster

Jetzt steigt er ein. Der Xaver und der Anton springen hinten auf.
Der Stallpag' reicht dem Josef seine Peitschn.
Alle Fenster sind voller Leut.

SOPHIE

vorne allein

In dieser feierlichen Stunde der Prüfung,
da du mich, o mein Schöpfer, über mein Verdienst erhöhen
und in den heiligen Ehestand führen willst,

Sie hat große Mühe, gesammelt zu bleiben

opfere ich dir in Demut – in Demut – mein Herz auf.
Die Demut in mir zu erwecken,
muß ich mich demütigen.

MARIANNE

sehr aufgeregt

Die halbe Stadt ist auf die Füß.
Aus 'm Seminari schaun die Hochwürdigen von die Balkoner.
Ein alter Mann sitzt oben auf der Latern!

SOPHIE

sammelt sich mühsam

Demütigen und recht bedenken: die Sünde, die Schuld, die
Niedrigkeit,

die Verlassenheit, die Anfechtung!
Die Mutter ist tot und ich bin ganz allein.
Für mich selber steh ich ein.
Aber die Ehe ist ein heiliger Stand.

MARIANNE
wie oben

Er kommt, er kommt in zwei Karossen.
Die erste ist vierspännig, die ist leer. In der zweiten,
sechsspännigen,
sitzt er selber, der Herr Rosenkavalier.

SOPHIE
wie oben

Ich will mich niemals meines neuen Standes überheben –
Die Stimmen der Lauffer zu dreien vor Octavians Wagen unten auf der Gasse: Rofrano! Rofrano!
– mich überheben.
Sie hält es nicht aus
Was rufen denn die?

MARIANNE

Den Namen vom Rosenkavalier und alle Namen
von deiner neuen, fürstlich'n und gräflich'n Verwandtschaft
rufens aus.
Jetzt rangieren sich die Bedienten.
Die Lakaien springen rückwärts ab!
Die Stimmen der Lauffer zu dreien näher: Rofrano! Rofrano!

SOPHIE

Werden sie mein' Bräutigam sein' Namen
auch so ausrufen, wenn er angefahren kommt!?
Die Stimmen der Lauffer dicht unter dem Fenster:
Rofrano! Rofrano! Rofrano!

MARIANNE

Sie reißen den Schlag auf! Er steigt aus!
Ganz in Silberstück' ist er ang'legt, von Kopf zu Fuß.
Wie ein heiliger Erzengel schaut er aus.

Sie schließt eilig das Fenster.

SOPHIE

Herrgott im Himmel, ja,
ich weiß, der Stolz ist eine schwere Sünd,
aber jetzt kann ich mich nicht demütigen.
Jetzt gehts halt nicht!
Denn das ist ja so schön, so schön!

Lakaien haben schnell die Mitteltüre aufgetan. Herein tritt Octavian, ganz in Weiß und Silber, mit bloßem Kopf, die silberne Rose in der Hand. Hinter ihm seine Dienerschaft in seinen Farben: Weiß mit Blaßgrün. Die Lakaien, die Haiducken, mit krummen, ungarischen Säbeln an der Seite, die Lauffer in weißem, sämischem Leder mit grünen Straußenfedern. Dicht hinter Octavian ein Neger, der Octavians Hut, und ein anderer Lakai, der das Saffianfutteral für die silberne Rose in beiden Händen trägt. Dahinter die Faninalsche Livree.
Octavian, die Rose in der Rechten, geht mit adeligem Anstand auf sie zu, aber sein Knabengesicht ist von seiner Schüchternheit gespannt und gerötet.
Sophie ist vor Aufregung über seine Erscheinung und die Zeremonie leichenblaß. Sie stehen einander gegenüber.

OCTAVIAN

nach einem kleinen Stocken, indem sie einander wechselweise durch ihre Verlegenheit und Schönheit noch verwirrter machen

Mir ist die Ehre widerfahren,
daß ich der hoch- und wohlgeborenen Jungfer Braut,

in meines Herrn Vetters,
dessen zu Lerchenau Namen,
die Rose seiner Liebe überreichen darf.

SOPHIE

nimmt die Rose

Ich bin Euer Liebden sehr verbunden.
Ich bin Euer Liebden in aller Ewigkeit verbunden. –

Eine Pause der Verwirrung

SOPHIE

indem sie an der Rose riecht

Hat einen starken Geruch. Wie Rosen, wie lebendige.

OCTAVIAN

Ja, ist ein Tropfen persischen Rosenöls darein getan.

SOPHIE

Wie himmlische, nicht irdische, wie Rosen
vom hochheiligen Paradies. Ist Ihm nicht auch?

Octavian neigt sich über die Rose, die sie ihm hinhält; dann richtet er sich wie betäubt auf und sieht auf ihren Mund.

SOPHIE

Ist wie ein Gruß vom Himmel. Ist bereits zu stark!
Zieht einen nach, als lägen Stricke um das Herz.
Wo war ich schon einmal
und war so selig!

OCTAVIAN

zugleich mit ihr wie unbewußt und leiser als sie

Wo war ich schon einmal
und war so selig?

SOPHIE

Dahin muß ich zurück! und wärs mein Tod.
Wo soll ich hin,
daß ich so selig werd?
Dort muß ich hin und müßt ich sterben auf dem Weg.

OCTAVIAN

die ersten Worte zugleich mit ihren letzten, dann allein

Ich war ein Bub,
wars gestern oder wars vor einer Ewigkeit.
Da hab ich die noch nicht gekannt.
Die hab ich nicht gekannt?
Wer ist denn die?
Wie kommt sie denn zu mir?
Wer bin denn ich? Wie komm ich denn zu ihr?
Wär ich kein Mann, die Sinne möchten mir vergehn.
Aber ich halt sie fest, ich halt sie fest.
Das ist ein seliger, seliger Augenblick,
den will ich nie vergessen bis an meinen Tod.

Indessen hat sich die Livree Octavians links rückwärts rangiert, die Faninalschen Bedienten mit dem Haushofmeister rechts. Der Lakai Octavians übergibt das Futteral an Marianne. Sophie schüttelt ihre Versunkenheit ab und reicht die Rose der Marianne, die sie ins Futteral schließt. Der Lakai mit dem Hut tritt von rückwärts an Octavian heran und reicht ihm den Hut. Die Livree Octavians tritt ab, während gleichzeitig die Faninalschen Bedienten drei Stühle in die Mitte tragen, zwei für Octavian und Sophie, einen rück- und seitwärts für die Duenna. Zugleich trägt der Faninalsche Haushofmeister das Futteral mit der Rose durch die Mitteltüre ab. Sophie und Octavian stehen einander gegenüber, einigermaßen zur gemeinen Welt zurückgekehrt, aber befangen. Auf eine Hand-

bewegung Sophies nehmen sie beide Platz, desgleichen die Duenna.

SOPHIE

Ich kenn Ihn schon recht wohl.

OCTAVIAN

Sie kennt mich, ma cousine?

SOPHIE

Ja, aus dem Buch, wo die Stammbäumer drin sind, mon cousin.
Dem Ehrenspiegel Österreichs.
Das nehm ich immer abends mit ins Bett
und such mir meine künftige Verwandtschaft drin zusammen.

OCTAVIAN

Tut Sie das, ma cousine?

SOPHIE

Ich weiß, wie alt Euer Liebden sind:
Siebzehn Jahr und zwei Monat.
Ich weiß alle Ihre Taufnamen: Octavian Maria Ehrenreich Bonaventura Fernand Hyazinth.

OCTAVIAN

So gut weiß ich sie selber nicht einmal.

SOPHIE

Ich weiß noch was.

Errötet.

OCTAVIAN

Was weiß Sie noch, sag Sie mirs, ma cousine.

SOPHIE

ohne ihn anzusehen

Quin-quin.

OCTAVIAN

lacht

Weiß Sie den Namen auch?

SOPHIE

So nennen Ihn halt Seine guten Freund
und schöne Damen, denk ich mir,
mit denen Er recht gut ist.

Kleine Pause

SOPHIE

mit Naivität

Ich freu mich aufs Heiraten! Freut Er sich auch darauf?
Oder hat Er leicht noch gar nicht drauf gedacht, mon cousin?
Denk Er: Ist doch was anders als der ledige Stand.

OCTAVIAN

leise, während sie spricht

Wie schön sie ist.

SOPHIE

Freilich, Er ist ein Mann, da ist Er, was Er bleibt.
Ich aber brauch erst einen Mann, daß ich was bin.
Dafür bin ich dem Mann dann auch gar sehr verschuldet.

OCTAVIAN

wie oben

Mein Gott, wie schön und gut sie ist.
Sie macht mich ganz verwirrt.

SOPHIE

Und werd ihm keine Schand nicht machen –
und meinen Rang und Vortritt,
tät eine, die sich besser dünkt als ich,
ihn mir bestreiten
bei einer Kindstauf oder Leich,
so will ich, meiner Seel, ihr schon beweisen,
daß ich die vornehmere bin
und lieber alles hinnehmen
wie Kränkung oder Ungebühr.

OCTAVIAN
lebhaft

Wie kann Sie denn nur denken,
daß man Ihr mit Ungebühr begegnen wird,
da Sie doch immerdar die schönste sein wird,
daß es keinen Vergleich wird leiden.

SOPHIE

Lacht Er mich aus, mon cousin?

OCTAVIAN

Wie, glaubt Sie das von mir?

SOPHIE

Er darf mich auch auslachen, wenn Er will.
Von Ihm will ich mir alles gerne geschehen lassen,
weil mir noch nie ein junger Kavalier ...
Jetzt aber kommt mein Herr Zukünftiger.
Die Tür rückwärts geht auf. Alle drei stehen auf und treten nach rechts. Faninal führt den Baron zeremoniös über die Schwelle und auf Sophie zu, indem er ihm den Vortritt läßt. Die Lerchenausche Livree folgt auf Schritt und Tritt: zuerst

der Almosenier mit dem Sohn und Leibkammerdiener. Dann folgt der Leibjäger mit einem ähnlichen Lümmel, der ein Pflaster über der eingeschlagenen Nase trägt, und noch zwei von der gleichen Sorte, vom Rübenacker her in die Livree gesteckt. Alle tragen, wie ihr Herr, Myrtensträußchen. Die Faninalschen Bedienten bleiben im Hintergrund.

FANINAL

Ich präsentier Euer Gnaden Dero Zukünftige.

BARON

macht die Reverenz, dann zu Faninal

Deliziös! Mach Ihm mein Kompliment.

Er küßt Sophie die Hand, langsam, gleichsam prüfend

Ein feines Handgelenk. Darauf halt ich gar viel.
Ist unter Bürgerlichen eine seltene Distinktion.

OCTAVIAN

halblaut

Es wird mir heiß und kalt.

FANINAL

Gestatten, daß ich die getreue Jungfer
Marianne Leitmetzerin –

Mariannen präsentierend, die dreimal tief knixt.

BARON

indem er unwillig abwinkt

Laß Er das weg.
Begrüß Er jetzt mit mir meinen Herrn Rosenkavalier.
Er tritt mit Faninal auf Octavian zu, unter Reverenz, die Octavian erwidert. Das Lerchenausche Gefolge kommt endlich

zum Stillstand, nachdem es Sophie fast umgestoßen, und retiriert sich um ein paar Schritte.

SOPHIE

mit Marianne rechtsstehend, halblaut

Was sind das für Manieren? Ist das leicht ein Roßtäuscher
und kommt ihm vor, er hätt mich eingekauft?

MARIANNE

ebenso

Ein Kavalier hat halt ein ungezwungenes,
leutseliges Betragen.
Sag dir vor, wer er ist
und zu was er dich macht,
so werden dir die Faxen gleich vergehn.

BARON

während des Aufführens zu Faninal

Ist gar zum Staunen, wie der junge Herr jemand gewissem ähnlich sieht.
Hat ein Bastardl, recht ein sauberes, zur Schwester.

Plump vertraulich

Ist kein Geheimnis unter Personen von Stand.
Habs aus der Fürstin eigenem Mund,
und da der Faninal gehört ja sozusagen jetzo
zu der Verwandtschaft.
Macht dir doch kein dépit, Cousin Rofrano,
daß dein Herr Vater ein Streichmacher war?
Befindet sich dabei in guter Kompagnie, der selige Herr Marchese.
Ich selber exkludier mich nicht.
Seh' Liebden, schau dir dort den Langen an,
den blonden, hinten dort.

Ich will ihn nicht mit Fingern weisen,
aber er sticht wohl hervor,
durch eine adelige Contenance.
Ist auch ein ganz besonderer Kerl,
sags nicht, weil ich der Vater bin,
hats aber faustdick hinter den Ohren.

SOPHIE

währenddessen

Jetzt laßt er mich so stehn, der grobe Ding!
Und das ist mein Zukünftiger.
Und blattersteppig ist er auch, mein Gott!

MARIANNE

Na, wenn er dir von vorn nicht gfallt, du Jungfer Hochmut,
so schau ihn dir von rückwärts an,
da wirst was sehn, was dir schon gfallen wird.

SOPHIE

Möcht wissen, was ich da schon sehen werd.

MARIANNE

ihr nachspottend

Möcht wissen, was sie da schon sehen wird.
Daß es ein kaiserlicher Kämmerer ist,
den dir dein Schutzpatron
als Herrn Gemahl spendiert hat.
Das kannst sehn mit einem Blick.

Der Haushofmeister tritt verbindlich auf die Lerchenauschen Leute zu und führt sie ab. Desgleichen tritt die Faninalsche Livree ab, bis auf zwei, welche Wein und Süßigkeiten servieren.

FANINAL

zum Baron

Belieben jetzt vielleicht? – ist ein alter Tokaier.

Octavian und Baron bedienen sich.

BARON

Brav, Faninal, Er weiß was sich gehört.
Serviert einen alten Tokaier zu einem jungen Mädel.
Ich bin mit Ihm zufrieden.

Zu Octavian

Mußt denen Bagatelladeligen immer zeigen,
daß nicht für unseresgleichen sich ansehen dürfen,
muß immer was von Herablassung dabei sein.

OCTAVIAN

Ich muß Deine Liebden sehr bewundern.
Hast wahrhaft große Weltmanieren.
Könntst einen Ambassadeur vorstellen heut wie morgen.

BARON

Ich hol mir jetzt das Mädel her.
Soll uns Konversation vormachen,
daß ich seh, wie sie beschlagen ist.
Geht hinüber, nimmt Sophie bei der Hand, führt sie mit sich.

BARON

Eh bien! nun plauder Sie uns eins, mir und dem Vetter Taverl!
Sag Sie heraus, auf was Sie sich halt in der Eh am meisten
gfreut!

Setzt sich, will sie auf seinen Schoß ziehen.

SOPHIE

entzieht sich ihm

Wo denkt Er hin?

BARON

behaglich

Seh, wo ich hindenk! Komm Sie da ganz nah zu mir,
dann will ich Ihr erzählen, wo ich hindenk.

Gleiches Spiel, Sophie entzieht sich ihm heftiger.

BARON

behaglich

Wär Ihr leicht präferabel, daß man gegen Ihrer
den Zeremonienmeister sollt hervortun?
Mit »mill pardon« und »Devotion«
und »Geh da weg« und »hab Respeck«?

SOPHIE

Wahrhaftig und ja gefiele mir das besser!

BARON

Mir auch nicht! Da sieht Sie! Mir auch ganz und gar nicht!
Bin einer biedern offenherzigen Galanterie recht zugetan.

Er macht Anstalt, sie zu küssen, sie wehrt sich energisch.

FANINAL

nachdem er Octavian den zweiten Stuhl zum Sitzen angeboten hat, den dieser ablehnt

Wie ist mir denn, da sitzt ein Lerchenau
und karessiert in Ehrbarkeit mein Sopherl, als wär sie ihm schon angetraut.
Und da steht ein Rofrano, grad als müßts so sein,
wie ist mir denn? Ein Graf Rofrano, sonsten nix,
der Bruder vom Marchese Obersttruchseß.

OCTAVIAN

zornig

Das ist ein Kerl, dem möcht ich wo begegnen

mit meinem Degen da,
wo ihn kein Wächter schrein hört.
Ja, das ist alles, was ich möcht.

SOPHIE
zum Baron

Ei laß Er doch, wir sind nicht so vertraut!

BARON
zu Sophie

Geniert Sie sich leicht vor dem Vetter Taverl?
Da hat Sie Unrecht. Hör Sie, in Paris,
wo doch die Hohe Schul ist für Manieren,
hab ich mir sagen lassen, gibts frei nichts
was unter jungen Eheleuten geschieht,
wozu man nicht Einladungen ließ ergehn
zum Zuschaun, ja gar an den König selber.

Er wird immer zärtlicher, sie weiß sich kaum zu helfen.

FANINAL

Wär nur die Mauer da von Glas,
daß alle bürgerlichen Neidhammeln von Wien uns könnten
so en famille beisammensitzen sehn!
Dafür wollt ich mein Lerchenfelder Eckhaus geben, meiner Seel!

OCTAVIAN
wütend

Ich büß all meine Sünden ab!
Könnt ich hinaus und fort von hier!

BARON
zu Sophie

Laß Sie die Flausen nur: gehört doch jetzo mir!

Geht alls gut! Sei Sie gut. Geht alls so wie am Schnürl!

Halb für sich, sie kajolierend

Ganz meine Maßen! Schultern wie ein Henderl!
Hundsmager noch – das macht nichts, aber weiß
und einen Schimmer drauf, wie ich ihn ästimier!
Ich hab halt ja ein lerchenauisch Glück!

Sophie reißt sich los und stampft auf.

Baron

vergnügt

Ist Sie ein rechter Kaprizenschädel?

Auf und ihr nach, die ein paar Schritte zurückgewichen ist

Steigt Ihr das Blut gar in die Wangen,
daß man sich die Händ verbrennt?

Sophie

rot und blaß vor Zorn

Laß Er die Händ davon!

Octavian, vor stummer Wut, zerdrückt das Glas, das er in der Hand hält, und schmeißt die Scherben zu Boden.

Die Duenna

läuft mit Grazie zu Octavian hinüber, hebt die Scherben auf und raunt ihm mit Entzücken zu

Ist recht ein familiärer Mann, der Herr Baron!
Man delektiert sich, was er alls für Einfäll hat!

Baron

dicht bei Sophie

Geht mir nichts drüber!
Könnt mich mit Schmachterei und Zärtlichkeit
nicht halb so glücklich machen, meiner Seel!

Sophie

scharf, ihm ins Gesicht

Ich denk nicht dran, daß ich Ihn glücklich machen wollt!

Baron

gemütlich

Sie wird es tun, ob Sie daran wird denken oder nicht.

Octavian

vor sich, blaß vor Zorn

Hinaus! Hinaus! und kein Adieu,
sonst steh ich nicht dafür,
daß ich nicht was Verwirrtes tu!

Indessen ist der Notar mit dem Schreiber eingetreten, eingeführt durch Faninals Haushofmeister. Dieser meldet ihn dem Herrn von Faninal leise; Faninal geht zum Notar nach rückwärts hin, spricht mit ihm und sieht einen vom Schreiber vorgehaltenen Aktenfaszikel durch.

Sophie

zwischen den Zähnen

Hat nie kein Mann dergleichen Reden nicht zu mir geführt!
Möcht wissen, was Ihm dünkt von mir und Ihm?
Was ist denn Er zu mir!

Baron

gemütlich

Wird kommen über Nacht,
daß Sie ganz sanft
wird wissen, was ich bin zu Ihr.
Ganz wie's im Liedl heißt – kennt Sie das Liedl?
»Lalalalala – wie ich dein Alles werde sein!
Mit mir, mit mir keine Kammer dir zu klein,

ohne mich, ohne mich jeder Tag dir so bang,
mit mir, mit mir keine Nacht dir zu lang!«

Sophie, da er sie fester an sich drückt, reißt sich los und stößt ihn heftig zurück.

DIE DUENNA

zu ihr eilend

Ist recht ein familiärer Mann, der Herr Baron!
Man delektiert sich, was er alls für Einfäll hat!

OCTAVIAN

ohne hinzusehen, und doch sieht er auf alles was vorgeht

Ich steh auf glühenden Kohlen!
Ich fahr aus meiner Haut!
Ich büß in dieser einen Stund
all meine Sünden ab!

BARON

für sich, sehr vergnügt

Wahrhaftig und ja, ich hab ein lerchenauisch Glück!
Gibt gar nichts auf der Welt, was mich so enflammiert
und also vehement verjüngt als wie ein rechter Trotz!

Faninal und der Notar, hinter ihnen der Schreiber, sind an der linken Seite nach vorne gekommen.

BARON

sowie er den Notar erblickt, eifrig zu Sophie, ohne zu ahnen, was in ihr vorgeht

Da gibts Geschäften jetzt, muß mich dispensieren,
bin dort von Wichtigkeit. Indessen
der Vetter Taverl leistet Ihr Gesellschaft!

Faninal

Wenns jetzt belieben tät, Herr Schwiegersohn!

Baron

eifrig

Natürlich wirds belieben.

Im Vorbeigehen zum Octavian, den er vertraulich umfaßt

Hab nichts dawider,
wenn du ihr möchtest Augerln machen, Vetter,
jetzt oder künftighin.
Ist noch ein rechter Rühr-nicht-an.
Betrachts als förderlich, je mehr sie degourdiert wird.
Ist wie bei einem jungen ungerittenen Pferd.
Kommt alls dem Angetrauten letzterdings zugute,
wofern er sich sein ehelich Privilegium
zunutz zu machen weiß.

Er geht nach links. Der Diener, der den Notar einließ, hat indessen die Türe links geöffnet. Faninal und der Notar schicken sich an, hineinzugehen. Der Baron mißt Faninal mit dem Blick und bedeutet ihm, drei Schritte Distanz zu nehmen. Faninal tritt devot zurück. Der Baron nimmt den Vortritt, vergewissert sich, daß Faninal drei Schritte Abstand hat, und geht gravitätisch durch die Tür links ab. Faninal hinter ihm, dann der Notar, dann der Schreiber. Der Bediente schließt die Türe links und geht ab, läßt aber die Flügeltüre nach dem Vorsaal offen. Der servierende Diener ist schon früher abgegangen.

Sophie, rechts, steht verwirrt und beschämt. – Die Duenna, neben ihr, knixt nach der Türe hin, bis sie sich schließt.

Octavian

mit einem Blick hinter sich, gewiß zu sein, daß die anderen abgegangen sind, tritt schnell zu Sophie hinüber; bebend vor Aufregung

Wird Sie das Mannsbild da heiraten, ma cousine?

SOPHIE

einen Schritt auf ihn zu, leise

Nicht um die Welt!

Mit einem Blick auf die Duenna

Mein Gott, wär ich allein mit Ihm,
daß ich Ihn bitten könnt! daß ich Ihn bitten könnt!

OCTAVIAN

halblaut, schnell

Was ists, das Sie mich bitten möcht? Sag Sie mirs schnell!

SOPHIE

noch einen Schritt näher zu ihm

O mein Gott, daß Er mir halt hilft! Und Er wird mir nicht helfen wollen, weil es halt Sein Vetter ist!

OCTAVIAN

heftig

Nenn ihn Vetter aus Höflichkeit,
ist nicht weit her mit der Verwandtschaft, Gott sei Lob und Dank!
Hab ihn im Leben vor dem gestrig'n Tage nie gesehen!

Quer durch den Saal flüchten einige von den Mägden des Hauses, denen die Lerchenauischen Bedienten auf den Fersen sind. Der Leiblakai und der mit dem Pflaster auf der Nase jagen einem hübschen jungen Mädchen nach und bringen sie hart an der Schwelle zum Salon bedenklich in die Enge.

Der Faninalsche Haushofmeister

kommt verstört hereingelaufen, die Duenna zu Hilfe holen

Die Lerchenauischen sind voller Branntwein gesoffen
und gehn aufs Gesinde los, zwanzigmal ärger
als Türken und Crowaten!

Die Duenna

Hol Er unsere Leut, wo sind denn die?

Läuft ab mit dem Haushofmeister, sie entreißen den beiden Zudringlichen ihre Beute und führen das Mädchen ab; alles verliert sich, der Vorsaal bleibt leer.

Sophie

nun da sie sich unbeachtet weiß, mit freier Stimme

Und jetzt geht Er noch fort von mir
und ich – was wird denn jetzt aus mir?

Octavian

Ich darf ja nicht bleiben –
Wie gern blieb' ich bei Ihr.

Sophie

seufzend

Er darf ja nicht bleiben –

Octavian

Jetzt muß Sie ganz alleinig für uns zwei einstehen!

Sophie

Wie? Für uns zwei? Das kann ich nicht verstehen.

Octavian

Ja, für uns zwei! Sie wird mich wohl verstehn.

SOPHIE

Ja! Für uns zwei! Sag Er das noch einmal!
Ich hab mein Leben so was Schönes nicht gehört.
Oh, sag Ers noch einmal.

OCTAVIAN

Für sich und mich muß Sie das tun,
sich wehren, sich retten,
und bleiben, was Sie ist!

SOPHIE

Bleib Er bei mir, dann kann ich alles, was Er will –

OCTAVIAN

Mein Herz und Sinn –

SOPHIE

Bleib Er bei mir!

OCTAVIAN

– wird bei Ihr bleiben, wo Sie geht und steht!

SOPHIE

Bleib Er bei mir, o bleib Er nur bei mir!

Aus den geheimen Türen in den rückwärtigen Ecken sind links Valzacchi, rechts Annina lautlos spähend herausgeglitten. Lautlos schleichen sie, langsam, auf den Zehen, näher. Octavian zieht Sophie an sich, küßt sie auf den Mund. In diesem Augenblick sind die Italiener dicht hinter ihnen, ducken sich hinter den Lehnsesseln; jetzt springen sie vor, Annina packt Sophie, Valzacchi faßt Octavian.

VALZACCHI UND ANNINA

zu zweien schreiend

Herr Baron von Lerchenau! – Herr Baron von Lerchenau! –

Octavian springt zur Seite nach rechts.

VALZACCHI

der Mühe hat, ihn zu halten, atemlos zu Annina

Lauf und 'ole Seine Gnade!
Snell, nur snell. Ick muß 'alten diese 'erre!

ANNINA

Laß ich die Fräulein aus, lauft sie mir weg!

ZU ZWEIEN

Herr Baron von Lerchenau!
Herr Baron von Lerchenau!
Komm' zu sehn die Fräulein Braut!
Mit ein junge Kavalier!
Kommen eilig, kommen hier!
Baron tritt aus der Tür links. Die Italiener lassen ihre Opfer los, springen zur Seite, verneigen sich vor dem Baron mit vielsagender Gebärde.
Sophie schmiegt sich ängstlich an Octavian.

BARON

die Arme über die Brust gekreuzt, betrachtet sich die Gruppe. Unheilschwangere Pause. Endlich

Eh bien, Mamsell, was hat Sie mir zu sagen?
Sophie schweigt.

BARON

der durchaus nicht außer Fassung ist

Nun, resolvier Sie sich!

SOPHIE

Mein Gott, was soll ich sagen:
Er wird mich nicht verstehen!

BARON
gemütlich

Das werden wir ja sehen!

OCTAVIAN
einen Schritt auf den Baron zu

Eur Liebden muß ich halt vermelden,
daß sich in Seiner Angelegenheit
was Wichtiges verändert hat.

BARON
gemütlich

Verändert? Ei, nicht daß ich wüßt!

OCTAVIAN

Darum soll Er es jetzt erfahren!
Die Fräulein –

BARON

Er ist nicht faul! Er weiß zu profitieren,
mit Seine siebzehn Jahr! Ich muß Ihm gratulieren!

OCTAVIAN

Die Fräulein –

BARON
halb zu sich

Ist mir ordentlich, ich seh mich selber!
Muß lachen über den Filou, den pudeljungen.

OCTAVIAN

Die Fräulein –

BARON

Seh! Sie ist wohl stumm und hat Ihn angestellt
für ihren Advokaten!

OCTAVIAN

Die Fräulein –

Er hält abermals inne, wie um Sophie sprechen zu lassen.

SOPHIE

angstvoll

Nein! Nein! Ich bring den Mund nicht auf, sprech Er für mich!

OCTAVIAN

Die Fräulein –

BARON

ihm nachstotternd

Die Fräulein, die Fräulein! Die Fräulein! Die Fräulein!
Ist eine Kreuzerkomödi wahrhaftig!
Jetzt echappier Er sich, sonst reißt mir die Geduld.

OCTAVIAN

sehr bestimmt

Die Fräulein, kurz und gut,
die Fräulein mag Ihn nicht.

BARON

gemütlich

Sei er da außer Sorg. Wird schon lernen mich mögen.

Auf Sophie zu

Komm Sie jetzt da hinein: wird gleich an Ihrer sein,
die Unterschrift zu geben.

SOPHIE

zurücktretend

Um keinen Preis geh ich an Seiner Hand hinein!
Wie kann ein Kavalier so ohne Zartheit sein!

Octavian

der jetzt zwischen den beiden anderen und der Türe links steht, sehr scharf

Versteht Er Deutsch? Die Fräulein hat sich resolviert.
Sie will Eur Gnaden ungeheirat' lassen
in Zeit und Ewigkeit!

Baron

mit der Miene eines Mannes, der es eilig hat

Mancari! Jungfernred ist nicht gehaun und nicht gestochen!
Verlaub Sie jetzt!

Nimmt sie bei der Hand.

Octavian

sich vor die Tür stellend

Wenn nur so viel an Ihm ist
von einem Kavalier,
so wird Ihm wohl genügen,
was Er ghört hat von mir!

Baron

tut, als hörte er ihn nicht, zu Sophie

Gratulier Sie sich nur, daß ich ein Aug zudruck!
Daran mag Sie erkennen, was ein Kavalier ist!

Er macht Miene, mit ihr an Octavian vorbeizukommen.

Octavian

schlägt an seinen Degen

Wird doch wohl ein Mittel geben,
Seinesgleichen zu bedeuten.

Baron

der Sophie nicht losläßt, sie jetzt vorschiebt gegen die Tür

Ei, schwerlich, wüßte nicht!

OCTAVIAN

Will Ihn denn vor diesen Leuten –

BARON

Gleiches Spiel

Haben Zeit nicht zu verlieren.

OCTAVIAN

– auch nicht länger menagieren.

BARON

Ein andermal erzähl Er mir Geschichten
woanders oder hier.

OCTAVIAN

losbrechend

Ich acht Ihn mitnichten
für einen Kavalier!
Auch für keinen Mann
seh ich Ihn an!

BARON

Wahrhaftig, wüßt ich nicht, daß Er mich respektiert,
und wär Er nicht verwandt, es wär mir jetzo schwer,
daß ich mit Ihm nicht übereinanderkäm!
Er macht Miene, Sophie mit scheinbarer Unbefangenheit gegen die Mitteltür zu führen, nachdem ihm die Italiener lebhaft Zeichen gegeben haben, diesen Weg zu nehmen
Komm Sie! Gehn zum Herrn Vater dort hinüber!
Ist bereits der nähere Weg!

OCTAVIAN

ihm nach, dicht an ihr

Ich hoff, Er kommt vielmehr jetzt mir mir hinters Haus,
ist dort recht ein bequemer Garten.

BARON

setzt seinen Weg fort, mit gespielter Unbefangenheit Sophie an der Hand nach jener Richtung zu führen bestrebt, über die Schulter zurück

Bewahre. Wär mir jetzo nicht genehm.
Laß um alls den Notari nicht warten.
Wär gar ein affront für die Jungfer Braut!

OCTAVIAN

faßt ihn am Ärmel

Beim Satan, Er hat eine dicke Haut!
Auch dort die Tür passiert Er mir nicht!
Ich schrei's Ihm jetzt in Sein Gesicht:
Ich acht Ihn für einen Filou,
einen Mitgiftjäger,
einen durchtriebenen Lumpen und schmutzigen Bauer,
einen Kerl ohne Anstand und Ehr!
Und wenns sein muß, geb ich ihm auf dem Fleck die Lehr!

Sophie hat sich vom Baron losgerissen und ist hinter Octavian zurückgesprungen. Sie stehen links, ziemlich vor der Tür.

BARON

steckt zwei Finger in den Mund und tut einen gellenden Pfiff. Dann

Was so ein Bub in Wien mit siebzehn Jahr
schon für ein vorlaut Mundwerk hat!

Er sieht sich nach der Mitteltür um

Doch Gott sei Lob, man kennt in hiesiger Stadt
den Mann, der vor Ihm steht,
halt bis hinauf zur Kaiserlichen Majestät!
Man ist halt was man ist, und brauchts nicht zu beweisen.
Das laß Er sich gesagt sein und geb mir den Weg da frei.

Die Lerchenauische Livree ist vollzählig in der Mitteltür auf-

marschiert; er vergewissert sich dessen durch einen Blick nach rückwärts. Er rückt jetzt gegen die beiden vor, entschlossen, sich Sophiens und des Ausganges zu bemächtigen

Wär mir wahrhaftig leid, wenn meine Leut dahinten –

OCTAVIAN

wütend

Ah, untersteh Er sich, Seine Bedienten
hineinzumischen in unsern Streit!
Jetzt zieh Er oder gnad Ihm Gott!

Er zieht.

Die Lerchenauischen, die schon einige Schritte vorgerückt waren, werden durch diesen Anblick einigermaßen unschlüssig und stellen ihren Vormarsch ein.

Der Baron tut einen Schritt, sich Sophiens zu bemächtigen.

OCTAVIAN

schreit ihn an

Zum Satan, zieh Er oder ich stech Ihn nieder!

SOPHIE

O Gott, was wird denn jetzt geschehn!

BARON

retiriert etwas

Vor einer Dame! pfui, so sei Er doch gescheit!

Octavian fährt wütend auf ihn los.

Der Baron zieht, fällt ungeschickt aus und hat schon die Spitze von Octavians Degen im rechten Oberarm. Die Lerchenauischen stürzen vor.

BARON

indem er den Degen fallen läßt

Mord! Mord! mein Blut! zu Hilfe! Mörder! Mörder! Mörder!

Die Diener stürzen alle zugleich auf Octavian los. Dieser springt nach rechts hinüber und hält sie sich vom Leib, indem er seinen Degen blitzschnell um sich kreisen läßt. Der Almosenier, Valzacchi und Annina eilen auf den Baron zu, den sie stützen und auf einen der Stühle in der Mitte niederlassen.

BARON

von ihnen umgeben und dem Publikum verstellt

Ich hab ein hitzig Blut! Einen Arzt, eine Leinwand!
Verband her! Ich verblut mich auf eins zwei!
Aufhalten den! Um Polizei, um Polizei!

DIE LERCHENAUISCHEN

indem sie mit mehr Ostentation als Entschlossenheit auf Octavian eindringen

Den hauts z'samm! Den hauts z'samm!
Spinnweb her! Feuerschwamm!
Reißts ihm den Spadi weg!
Schlagts ihn tot aufn Fleck!

Die sämtliche Faninalsche Dienerschaft, auch das weibliche Hausgesinde, Küchenpersonal, Stallpagen sind zur Mitteltür hereingeströmt.

ANNINA

auf sie zu

Der junge Kavalier
und die Fräuln Braut, verstehts?
waren im geheimen
schon recht vertraut, verstehts?

Valzacchi und der Almosenier ziehen dem Baron, der stöhnt, seinen Rock aus.

DIE FANINALSCHE DIENERSCHAFT

Gstochen is einer? Wer?
Der dort? Der fremde Herr?
Welcher? Der Bräutigam?
Packts den Duellanten z'samm!
Welcher is der Duellant?
Der dort im weißen Gwand!
Was, der Rosenkavalier?
Wegen was denn? Wegen ihr?
Angepackt! Niederghaut!
Wegen der Braut?
Wegen der Liebschaft!
Wütender Haß is!
Schauts nur die Fräuln an,
schauts, wie sie blaß is!

DIE DUENNA

bahnt sich den Weg, auf den Baron zu; sie umgeben den Baron in dichter Gruppe, aus welcher zugleich mit allen übrigen die Stimme der Duenna klagend hervortönt

So ein fescher Herr! So ein guter Herr!
So ein schwerer Schlag! So ein groß Malheur!

OCTAVIAN

indem er sich seine Angreifer vom Leib hält

Wer mir zu nah kommt,
der lernt beten!
Was da passiert ist,
kann ich vertreten!

SOPHIE

links vorne

Alles geht durcheinand!
Furchtbar wars, wie ein Blitz,

wie ers erzwungen hat,
ich spür nur seine Hand,
die mich umschlungen hat!
Ich spür nichts von Angst,
ich spür nichts von Schmerz,
nur das Feu'r, seinen Blick,
durch und durch, bis ins Herz!

DIE LERCHENAUISCHEN

lassen von Octavian ab und gehen auf die ihnen zunächst stehenden Mägde handgreiflich los

Leinwand her! Verband machen!
Fetzen ausn Gwand machen!
Vorwärts, keine Spanponaden,
Leinwand für Seine Gnaden!

Sie machen Miene, sich zu diesem Zweck der Hemden der jüngeren und hübscheren Mägde zu bemächtigen. In diesem Augenblick kommt die Duenna, die fortgestürzt war, zurück, atemlos, beladen mit Leinwand; hinter ihr zwei Mägde mit Schwamm und Wasserbecken. Sie umgeben den Baron mit eifriger Hilfeleistung.

Faninal kommt zur Türe links hereingestürzt, hinter ihm der Notar und der Schreiber, die in der Türe ängstlich stehenbleiben.

BARON

man hört seine Stimme, ohne viel von ihm zu sehen

Ich kann ein jedes Blut mit Ruhe fließen sehen,
nur bloß das meinig nicht! Oh! Oh!
So tu Sie doch was Gscheits, so rett Sie doch mein Leben!
Oh! Oh!

Sophie ist, wie sie ihres Vaters ansichtig wird, nach rechts vorne gelaufen, steht neben Octavian, der nun seinen Degen einsteckt.

Annina

knixend und eifrig zu Faninal links vorne

Der junge Kavalier
und die Fräuln Braut, Gnaden,
waren im geheimen
schon recht vertraut, Gnaden!
Wir voller Eifer
fürn Herrn Baron, Gnaden,
haben sie betreten
in aller Devotion, Gnaden!

Die Duenna

um den Baron beschäftigt

So ein fescher Herr! So ein groß Malheur!
So ein schwerer Schlag, so ein Unglückstag!

Faninal

schlägt die Hände überm Kopf zusammen

Herr Schwiegersohn! Wie ist Ihm denn? Mein Herr und Heiland!
Daß Ihm in mein' Palais hat das passieren müssen!
Gelaufen um den Medicus! Geflogen!
Meine zehn teuern Pferd zu Tod gehetzt!
Ja hat denn niemand von meiner Livree
dazwischenspringen mögen! Fütter ich dafür
ein Schock baumlange Lackeln, daß mir solche Schand
passieren muß in meinem neuchen Stadtpalais!

Auf Octavian zu

Hätt wohl von Euer Liebden eines andern Anstands mich versehn!

Baron

Oh! Oh!

FANINAL

abermals zu ihm hin

Oh! Um das schöne freiherrliche Blut, was aufn Boden rinnt!

Gegen Octavian hin

O pfui! So eine ordinäre Metzgerei!

BARON

Hab halt ein jung und hitzig Blut, das ist ein Kreuz,
ist nicht zum Stillen! Oh!

FANINAL

auf Octavian losgehend

War mir von Euer Liebden Hochgräflicher Gegenwart allhier
wahrhaftig einer andern Freud gewärtig!

OCTAVIAN

höflich

Er muß mich pardonieren.
Bin außer Maßen sehr betrübt über den Vorfall.
Bin aber ohne Schuld. Zu einer mehr gelegnen Zeit
erfahren Euer Liebden wohl den Hergang
aus Ihrer Fräulein Tochter Mund.

FANINAL

sich mühsam beherrschend

Da möcht ich recht sehr bitten!

SOPHIE

entschlossen

Wie Sie befehlen, Vater. Werd Ihnen alles sagen.
Der Herr dort hat sich nicht so wie er sollt betragen.

FANINAL

zornig

Ei, von wem redt Sie da? Von Ihrem Herrn Zukünftigen?
Ich will nicht hoffen! Wär mir keine Manier.

SOPHIE

ruhig

Ist nicht der Fall. Seh ihn mitnichten an dafür.

Der Arzt kommt, wird gleich zum Baron geführt.

FANINAL

immer zorniger

Sieht ihn nicht an?

SOPHIE

Nicht mehr. Bitt Sie dafür um gnädigen Pardon.

FANINAL

zuerst dumpf vor sich hin, dann in helle Wut ausbrechend

Sieht ihn nicht an. Nicht mehr. Mich um Pardon.
Liegt dort gestochen. Steht bei ihr. Der Junge.
Blamage. Mir auseinander meine Eh.
Alle Neidhammeln von der Wieden und der Leimgrub'n
auf! In der Höh! Der Medicus. Stirbt mir womöglich!

Auf Sophie zu, in höchster Wut

Sie heirat' ihn!

Auf Octavian, indem der Respekt vor dem Grafen Rofrano seine Grobheit zu einer knirschenden Höflichkeit herabdämpft

Möcht Euer Liebden recht in aller Devotion
gebeten haben, schleunig sich von hier zu retirieren
und nimmerwieder zu erscheinen!

Zu Sophie

Hör Sie mich!
Sie heirat' ihn! Und wenn er sich verbluten tät,

so heirat Sie ihn als Toter!

Der Arzt zeigt durch eine beruhigende Gebärde, daß der Verwundete sich in keiner Gefahr befindet.

Octavian sucht nach seinem Hut, der unter die Füße der Dienerschaft geraten war.

Eine Magd überreicht ihm den Hut.

Faninal macht Octavian eine Verbeugung, übertrieben höflich, aber unzweideutig. – Octavian muß wohl gehen, möchte aber gar zu gerne Sophie noch ein Wort sagen. Er erwidert zunächst Faninals Verbeugung durch ein gleich tiefes Kompliment.

SOPHIE

beeilt sich das folgende noch zu sagen, solange Octavian es hören kann. Mit einer Reverenz

Heirat den Herrn dort nicht lebendig und nicht tot!
Sperr mich zuvor in meine Kammer ein!

FANINAL

in Wut und nachdem er abermals eine wütende Verbeugung gegen Octavian gemacht hat, die Octavian prompt erwidert

Ah! Sperrst dich ein. Sind Leut genug im Haus,
die dich in' Wagen tragen werden.

SOPHIE

mit einem neuen Knix

Spring aus dem Wagen noch, der mich zur Kirchn führt!

FANINAL

mit dem gleichen Spiel zwischen ihr und Octavian, der immer einen Schritt gegen den Ausgang tut, aber von Sophie in diesem Augenblick nicht loskann

Ah! Springst noch aus dem Wagen! Na, ich sitz neben dir,
werd dich schon halten!

SOPHIE

mit einem neuen Knix

Geb halt dem Pfarrer am Altar
Nein anstatt Ja zur Antwort!

Der Haushofmeister macht indessen die Leute abtreten. Die Bühne leert sich. Nur die Lerchenauischen bleiben bei ihrem Herrn zurück.

FANINAL

mit gleichem Spiel

Ah! Gibst Nein anstatt Ja zur Antwort!
Ich steck dich in ein Kloster stante pede!
Marsch! Mir lieber aus den Augen! Lieber heut als morgen!
Auf Lebenszeit!

SOPHIE

erschrocken

Ich bitt Sie um Pardon! Bin doch kein schlechtes Kind!
Vergeben Sie mir nur dies eine Mal!

FANINAL

hält sich in Wut die Ohren zu

Auf Lebenszeit. Auf Lebenszeit.

OCTAVIAN

schnell, halblaut

Sei Sie nur ruhig, Liebste, um alles!
Sie hört von mir!

Duenna stößt Octavian, sich zu entfernen.

FANINAL

Auf Lebenszeit!

Die Duenna

zieht Sophie mit sich nach rechts

So geh doch nur dem Vater aus die Augen!

Zieht sie zur Türe rechts hinaus, schließt die Tür.

Octavian ist zur Mitteltür abgegangen.

Baron, umgeben von seiner Dienerschaft, der Duenna, zwei Mägden, den Italienern und dem Arzt, wird auf einem aus Sitzmöbeln improvisierten Ruhebett jetzt in ganzer Gestalt sichtbar.

Faninal

schreit nochmals durch die Türe rechts, durch die Sophie abgegangen ist

Auf Lebenszeit!

Eilt dann dem Baron entgegen

Bin überglücklich! Muß Euer Liebden embrassieren!

Baron

dem er bei der Umarmung am Arm wehgetan

Oh! Oh!

Faninal

Jesus Maria!

Nach rechts hin in innerer Wut

Luderei! Ein Kloster.

Nach der Mitteltür

Ein Gefängnis!
Auf Lebenszeit!

Baron

Is gut! Is gut! Ein Schluck von was zu trinken!

Faninal

Ein Wein? Ein Bier? Ein Hippokras mit Ingwer?

Der Arzt macht eine ängstlich abwehrende Bewegung.

FANINAL

So einen Herrn zurichten miserabel,
in meinem Stadtpalais! Sie heirat' Ihn um desto früher!
Bin Manns genug!

BARON

Is gut, alls gut!

FANINAL

nach der Türe rechts, in aufflammender Wut

Bin Manns genug!

Zum Baron zurück

Küß Ihm die Hand für Seine Güt und Nachsicht.
Gehört alls Ihm im Haus. Ich lauf – ich bring Ihm –

Nach rechts

Ein Kloster ist zu gut! Sei Er nur außer Sorg.
Weiß was ich Satisfaktion Ihm schuldig bin.

Stürzt ab. Desgleichen gehen Duenna und Mägde ab. – Die beiden Italiener sind schon während des obigen fortgeschlichen.

BARON

halb aufgerichtet

Da lieg ich! Was ei'm Kavalier nicht alls passieren kann
in dieser Wienerstadt!
Wär nicht mein Gusto, – ist eins allzusehr in Gottes Hand,
wär lieber schon daheim!

Ein Diener ist aufgetreten, eine Kanne Wein zu servieren.

BARON

macht eine Bewegung, wodurch sich ihm der Schmerz im Arm erneuert

Oh! Oh! Der Satan! Oh! Oh! Sakramentsverfluchter Bub,
nit trocken hintern Ohr und fuchtelt mitn Spadi!
Wällischer Hundsbub das! Wart, wenn ich dich erwisch!
In Hundezwinger sperr ich dich, bei meiner Seel,

in Hühnerstall! In Schweinekofen!
Tät dich kuranzen! Solltest alle Engel singen hören!
Der Arzt schenkt ihm ein Glas Wein ein, präsentiert es ihm.

BARON
nachdem er getrunken

Und doch, muß lachen, wie sich so ein Bub
mit seine siebzehn Jahr die Welt imaginiert:
meint, Gott weiß wie er mich contrecarriert!
Hoho! um'kehrt ist auch gfahren – möcht um alles nicht,
daß ich dem Mädel ihr rebellisch Aufbegehren nicht verspüret hätt:
Gibt auf der Welt nichts, was mich enflammiert
und also vehement verjüngt als wie ein rechter Trotz!
Zum Arzt gewandt
Bin willens, jetzt mich in mein Kabinettl zu verfügen und eins zu ruhn.
Herr Medicus, begeb Er sich indes voraus!
Mach Er das Bett aus lauter Federbetten.
Ich komm. Erst aber trink ich noch. Marschier Er nur indessen.
Der Arzt geht ab mit dem Leiblakai.
Annina ist durch den Vorsaal hereingekommen und schleicht sich verstohlen heran, einen Brief in der Hand.

BARON
vor sich, den zweiten Becher leerend

Ein Federbett. Zwei Stunden bis zu Tisch. Werd Zeit lang haben.
»Ohne mich, ohne mich jeder Tag dir so bang,
mit mir, mit mir keine Nacht dir zu lang.«
Annina stellt sich so, daß der Baron sie sehen muß, und winkt ihm geheimnisvoll mit dem Brief.

BARON

Für mich?

ANNINA

näher

Von der Bewußten.

BARON

Wer soll da gemeint sein?

ANNINA

ganz nahe

Nur eigenhändig, insgeheim, zu übergeben.

BARON

Luft da!

Die Diener treten zurück, nehmen den Faninalschen ohne weiters die Weinkanne ab und trinken sie leer.

BARON

Zeig Sie den Wisch!

Reißt mit der Linken den Brief auf. Versucht ihn zu lesen, indem er ihn sehr weit von sich weghält

Such Sie in meiner Taschen meine Brillen.

Mißtrauisch, da sie sich dazu anschickt

Nein: Such Sie nicht! Kann Sie Geschriebnes lesen?
Da.

ANNINA

nimmt und liest

»Herr Kavalier! Den Sonntagabend hätt i frei.
»Sie ham mir schon gefallen, nur geschamt
»hab i mi vor die Fürstli'n Gnadn
»weil i noch gar so jung bin. Das bewußte Mariandel,
»Kammerzofel und Verliebte.
»Wenn der Herr Kavalier den Nam nit schon vergessen hat.
»I wart auf Antwort.«

BARON

Sie wart' auf Antwort.
Geht alles recht am Schnürl, so wie zu Haus,
und hat noch einen andern Schick dazu.
Ich hab halt schon einmal ein lerchenauisch Glück.
Komm Sie nach Tisch, geb Ihr die Antwort nachher schriftlich.

ANNINA

Ganz zu Befehl, Herr Kavalier. Vergessen nicht der Botin?

BARON

vor sich

»Ohne mich, ohne mich jeder Tag dir so bang.«

ANNINA

dringlicher

Vergessen nicht der Botin, Euer Gnadn?

BARON

Schon gut.
»Mit mir, mit mir keine Nacht dir zu lang.«
Das später. Alls auf einmal. Dann zum Schluß.
Sie wart' auf Antwort! Tret Sie ab indessen.
Schaff Sie ein Schreibzeug in mein Zimmer. Hier dort drüben,
daß ich die Antwort dann diktier.

Annina ab.

BARON

noch einen letzten Schluck, im Abgehen, von seinen Leuten begleitet, behaglich

»Mit mir, mit mir keine Nacht dir zu lang!«

Vorhang.

DRITTER AKT

Ein Extrazimmer in einem Gasthaus. Im Hintergrunde links ein Alkoven, darin ein Bett. Der Alkoven durch einen Vorhang verschließbar, der sich auf- und zuziehen läßt. Vorne rechts Türe ins Nebenzimmer. Rechts steht ein für zwei Personen gedeckter Tisch, auf diesem ein großer, vielarmiger Leuchter. In der Mitte rückwärts Türe auf den Korridor. Daneben links ein Büfett. Rechts rückwärts ein blindes Fenster, vorne links ein Fenster auf die Gasse. Armleuchter mit Kerzen auf den Seitentischen sowie an den Wänden. Es brennt nur je eine Kerze in den Leuchtern auf den Seitentischen. Das Zimmer halbdunkel. – Annina steht da, als Dame in Trauer gekleidet. Valzacchi richtet Annina den Schleier, zupft da und dort das Kleid zurecht, tritt zurück, mustert sie, zieht einen Crayon aus der Tasche, untermalt ihr die Augen. Die Türe rechts wird vorsichtig geöffnet, ein Kopf erscheint, verschwindet wieder, dann kommt eine nicht ganz unbedenklich aussehende, aber ehrbar gekleidete Alte durch die rückwärtige Tür hereingeschlüpft, öffnet lautlos die Tür und läßt respektvoll Octavian eintreten, in Frauenkleidern, mit einem Häubchen, wie es die Bürgerstöchter tragen.

Octavian, hinter ihm die Alte, gehen auf die beiden anderen zu, werden sogleich von Valzacchi bemerkt, der in seiner Arbeit innehält und sich vor Octavian verneigt. Annina erkennt nicht sofort den Verkleideten, sie kann sich vor Staunen nicht fassen, knixt dann tief. Octavian greift in die Tasche (nicht wie eine Dame, sondern wie ein Herr, und man sieht, daß er unter dem Reifrock Männerkleider und Reitstiefel anhat, aber ohne Sporn) und wirft Valzacchi eine Börse zu.

Valzacchi und Annina küssen ihm die Hände, Annina richtet noch an Octavians Brusttuch. Indessen sind fünf verdächtige

Herren unter Vorsichtsmaßregeln von rechts eingetreten. Valzacchi bedeutet sie mit einem Wink, zu warten. Sie stehen rechts nahe der Türe. Valzacchi zieht seine Uhr, zeigt Octavian: es ist hohe Zeit. Octavian geht eilig durch die Mitteltüre ab, gefolgt von der Alten, die als seine Begleiterin figuriert. Annina geht zum Spiegel (alles mit Vorsicht, jedes Geräusch vermeidend), arrangiert sich noch, zieht dann einen Zettel hervor, woraus sie ihre Rolle zu lernen scheint. Valzacchi nimmt die Verdächtigen nach vorne, indem er mit jeder Gebärde die Notwendigkeit höchster Vorsicht andeutet. Die Verdächtigen folgen ihm auf den Zehen nach der Mitte. Er bedeutet ihrer einen, ihm zu folgen: lautlos, ganz lautlos. Führt ihn an die Wand rechts, öffnet lautlos eine Falltür unfern des gedeckten Tisches, läßt den Mann hinabsteigen, schließt wieder die Falltür. Dann winkt er zwei zu sich, schleicht ihnen voran bis an die Eingangstüre, steckt den Kopf heraus, vergewissert sich, daß niemand zusieht, winkt die zwei zu sich, läßt sie dort hinaus. Dann schließt er die Türe, führt die beiden letzten leise an die Tür zum Nebenzimmer vorne, schiebt sie hinaus. Winkt Annina zu sich, geht mit ihr leise links ab, die Türe lautlos hinter sich schließend. Nach einem Augenblick kommt er wieder herein: klatscht in die Hände. Der eine Versteckte hebt sich mit halbem Leib aus dem Boden hervor. Zugleich erscheinen ober dem Bett und an anderen Stellen Köpfe und verschwinden sogleich wieder, die geheimen Schiebtüren schließen sich ohne Geräusch. Valzacchi sieht abermals nach der Uhr, geht nach rückwärts, öffnet die Eingangstür, dann zieht er ein Feuerzeug hervor, beginnt eifrig die Kerzen auf dem Tisch anzuzünden. Ein Kellner und ein Kellnerjunge kommen durch die Mitteltüre gelaufen mit zwei Stöcken zum Kerzenanzünden und einer kleinen Leiter. Entzünden die Leuchter auf den Seitentischen, dann die zahlreichen Wandarme. Sie haben die Türe hinter sich offengelassen, man hört aus einem anderen Zimmer Tanzmusik spielen. Valzacchi eilt zur Mitteltür, öffnet dienstbeflissen auch den zweiten Flügel, springt unter Verneigung zur Seite.

Baron Ochs erscheint, den Arm in der Schlinge, Octavian mit der Linken führend, hinter ihm der Leiblakai. Baron mustert den Raum. Octavian sieht herum, nimmt den Spiegel, richtet sein Haar. Baron bemerkt den Kellner und Kellnerjungen, die noch mehr Kerzen anzünden wollen, winkt ihnen, sie sollten es sein lassen. In ihrem Eifer bemerken sie es nicht.

Baron, ungeduldig, reißt den Kellnerjungen von der Leiter, löscht einige ihm zunächst brennende Kerzen mit der Hand aus. Valzacchi zeigt dem Baron diskret den Alkoven und durch eine Spalte des Vorhanges das Bett. – Der Wirt mit noch mehreren Kellnern eilt herbei, den vornehmen Gast zu begrüßen.

WIRT

Haben Euer Gnaden weitere Befehle?

DIE KELLNER

Befehlen mehr Lichter? Ein größeres Zimmer? Befehlen noch mehr
Silber auf den Tisch?

BARON

eifrig beschäftigt, mit einer Serviette, die er vom Tisch genommen und entfaltet hat, alle ihm erreichbaren Kerzen auszulöschen

Verschwindts! Macht mir das Madel nicht verruckt!
Was will die Musik? Hab sie nicht bestellt.

WIRT

Schaffen vielleicht, daß man sie näher hört?
Im Vorsaal da, als Tafelmusik.

BARON

Laß Er die Musik wo sie ist.

Bemerkt das Fenster rechts rückwärts im Rücken des gedeckten Tisches

Was is das für ein Fenster da?

Probiert, ob es hereinzieht.

WIRT

Ein blindes Fenster nur.

Verneigt sich

Darf aufgetragen werdn?

Alle fünf Kellner wollen abeilen.

BARON

Halt, was wollen die Maikäfer da?

DIE KELLNER

an der Tür

Servieren, Euer Gnaden!

BARON

winkt ab

Brauch niemand nicht. Servieren wird mein Kammerdiener da,
einschenken tu ich selber. Versteht Er?

Valzacchi bedeutet sie, den Willen Seiner Gnaden wortlos zu respektieren. Schiebt sie zur Tür hinaus.

BARON

zu Valzacchi, indem er aufs neue eine Anzahl von Kerzen auslöscht, darunter mit einiger Mühe die hoch an der Wand brennenden

Er ist ein braver Kerl. Wenn Er mir hilft, die Rechnung runterdrucken, dann fallt was ab für Ihn. Kost' sicher hier ein Martergeld.

Valzacchi unter Verneigung ab.

Octavian ist nun fertig.

Baron führt ihn zu Tisch, sie setzen sich.

Der Lakai am Büfett sieht mit unverschämter Neugierde der Entwicklung des Tête-à-tête entgegen, stellt Karaffen mit Wein vom Büfett auf den Eßtisch.

Baron schenkt ein. Octavian nippt. Baron küßt Octavian die Hand. Octavian entzieht ihm die Hand. Baron winkt dem Lakaien abzugehen, muß es mehrmals wiederholen, bis der Lakai endlich geht.

OCTAVIAN

schiebt sein Glas zurück

Nein, nein, nein, nein! I trink kein Wein.

BARON

Geh, Herzerl, was denn? Mach doch keine Faxen.

OCTAVIAN

Nein, nein, i bleib net da.

Springt auf, tut, als wenn er fort wollte.

BARON

packt ihn mit seiner Linken

Sie macht mich deschparat.

OCTAVIAN

Ich weiß schon, was Sie glauben! O Sie schlimmer Herr!

BARON

sehr laut

Saperdipix! Ich schwör bei meinem Schutzpatron!

Octavian

tut sehr erschrocken, läuft, als ob er sich irrte, statt zur Ausgangstür gegen den Alkoven, reißt den Vorhang auseinander, erblickt das Bett. Gerät in übermäßiges Staunen, kommt ganz betroffen auf den Zehen zurück

Jesus Maria, steht a Bett drin, a mordsmäßig großes.
Ja mei, wer schlaft denn da?

Baron

führt ihn zurück an den Tisch

Das wird Sie schon sehen. Jetzt komm Sie, setz Sie sich schön.
Kommt gleich der mitn Essen. Hat Sie denn kein' Hunger nicht?

Legt ihm die Linke um die Taille.

Octavian

Au weh, wo Sie ja doch ein Bräutigam tun sein.

Wehrt ihn ab.

Baron

Ah laß Sie schon einmal das fade Wort!
Sie hat doch einen Kavalier vor sich
und keinen Seifensieder:
Ein Kavalier läßt alles,
was ihm nicht konveniert,
da draußen vor der Tür. Hier sitzt kein Bräutigam
und keine Kammerjungfer nicht.
Hier sitzt mit seiner Allerschönsten ein Verliebter beim Souper.

Zieht ihn zu sich.

Octavian lehnt sich kokett in den Sessel zurück, mit halbgeschlossenen Augen.

Baron

erhebt sich, der Moment für den ersten Kuß scheint ihm ge-

kommen. Wie sein Gesicht dem der Partnerin ganz nahe ist, durchzuckt ihn jäh die Ähnlichkeit mit Octavian. Er fährt zurück und greift unwillkürlich nach dem verwundeten Arm

Is e i n Gesicht! Verfluchter Bub!
Verfolgt mich als a Wacher und im Traum!

Octavian öffnet die Augen, blickt ihn frech und kokett an. Baron, nun wieder versichert, daß es die Zofe ist, zwingt sich zu einem Lächeln. Aber der Schreck ist ihm nicht ganz aus den Gliedern. Er muß Luft schöpfen, und der Kuß bleibt aufgeschoben. Der Mann unter der Falltür öffnet zu früh und kommt zum Vorschein. – Octavian, der ihm gegenübersitzt, winkt ihm eifrig zu verschwinden. Der Mann verschwindet sofort. – Baron, der, um den unangenehmen Eindruck von sich abzuschütteln, ein paar Schritte getan hat und sie von rückwärts umschlingen und küssen will, sieht gerade noch den Mann. Er erschrickt heftig, zeigt hin.

OCTAVIAN
als verstünde er nicht

Was ist mit Ihm?

BARON

auf die Stelle deutend, wo die Erscheinung verschwunden ist

Was war denn das? Hat Sie den nicht gesehn?

OCTAVIAN

Da is ja nix!

BARON

Da is nix?

Nun wieder ihr Gesicht angstvoll musternd

So?
Und da is auch nix?

Fährt mit der Hand über ihr Gesicht.

OCTAVIAN

Da is mei G'sicht.

BARON

atmet schwer, schenkt sich ein Glas Wasser ein

Da is Ihr Gsicht – und da is nix – mir scheint,
ich hab die Kongestion.

Setzt sich schwer, es ist ihm ängstlich zumute. Der Lakai kommt, serviert. Die Musik von draußen stärker.

OCTAVIAN

Die schöne Musik!

BARON

wieder sehr laut

Is mei Leiblied, weiß Sie das?

Winkt dem Lakaien abzugehen, Lakai geht.

OCTAVIAN

horcht auf die Musik

Da muß ma weinen.

BARON

Was?

OCTAVIAN

Weils gar so schön is.

BARON

Was, weinen? Wär nicht schlecht.
Kreuzlustig muß Sie sein, die Musik geht ins Blut.
Gspürt Sies jetzt
auf die letzt, gspürt Sies dahier,
daß Sie aus mir
kann machen alles frei, was Sie nur will?

OCTAVIAN

zurückgelehnt, wie zu sich selbst sprechend, mit unmäßiger Traurigkeit

Es is ja eh alls eins, es is ja eh alls eins,
was ein Herz auch noch so gach begehrt.

Indes der Baron ihre Hand faßt

Na was willst denn halt, so mit aller Gwalt,
geh, es is ja alls net drumi wert.

BARON

Was hat Sie? Is sehr wohl der Müh wert!

OCTAVIAN

immer gleich melancholisch

Wie die Stund hingeht, wie der Wind verweht,
so sind wir bald alle zwei dahin.
Menschen sein ma halt, richt'ns nicht mit Gwalt,
weint uns niemand nach, net dir net und net mir.

BARON

Macht Sie der Wein leicht immer so? Is ganz gewiß Ihr Mieder, das aufs Herz Ihr druckt.

Octavian mit geschlossenen Augen gibt keine Antwort.

BARON

steht auf und will ihr aufschnüren

Jetzt wirds frei mir ein bisserl heiß.

Schnell entschlossen nimmt er seine Perücke ab und sucht sich einen Platz, sie abzulegen. Indem erblickt er ein Gesicht, das sich über dem Alkoven zeigt und ihn anstarrt. Das Gesicht verschwindet gleich wieder. Er sagt sich: Kongestionen! und verscheucht sich den Schrecken, muß sich aber doch die Stirne abwischen. Sieht nun wieder die Zofe willenlos, wie mit gelösten

Gliedern, dasitzen. Das ist stärker als alles, und er nähert sich ihr zärtlich. Da meint er wieder das Gesicht Octavians ganz nahe dem seinigen zu erkennen, und er fährt abermals zurück. Mariandl rührt sich kaum. Abermals verscheucht der Baron sich den Schreck, zwingt Munterkeit in sein Gesicht zurück, da fällt sein Auge von neuem auf einen fremden Kopf, welcher aus der Wand hervorstarrt. Nun ist er maßlos geängstigt, er schreit dumpf auf, ergreift die Tischglocke und schwingt sie wie rasend.
Da, da, da, da!
Plötzlich springt das angeblich blinde Fenster auf, Annina in schwarzer Trauerkleidung erscheint und zeigt mit ausgestreckten Armen auf den Baron.

BARON

außer sich vor Angst

Da, da, da, da!

Sucht sich den Rücken zu decken.

ANNINA

Er ists! Es ist mein Mann! Er ist es!

Verschwindet.

BARON

angstvoll

Was ist denn das?

OCTAVIAN

Das Zimmer ist verhext!

Schlägt ein Kreuz.

ANNINA

gefolgt von dem Intriganten, der sie scheinbar abzuhalten sucht, vom Wirt und von drei Kellnern, stürzt zur Mitteltür herein;

sie bedient sich des böhmisch-deutschen Akzents, aber gebildeter Sprechweise

Es ist mein Mann, ich leg Beschlag auf ihn!
Gott ist mein Zeuge, Sie sind meine Zeugen!
Gerichte! Hohe Obrigkeit! Die Kaiserin
muß ihn mir wiedergeben!

BARON

zum Wirt

Was will das Weibsbild da von mir, Herr Wirt?
Was will der dort und der und der?

Zeigt nach allen Richtungen

Der Teufel frequentier sein gottverfluchtes Extrazimmer.

ANNINA

Er wagt mich zu verleugnen, ah!
Er tut, als ob er mich nicht täte kennen.

BARON

hat sich eine kalte Kompresse auf den Kopf gelegt, hält sie mit der Linken fest, geht dann dicht auf die Kellner, den Wirt, zuletzt auf Annina zu, mustert sie ganz scharf, um sich über ihre Realität klarzuwerden. Vor Annina

Is auch lebendig!

Wirft die Kompresse weg. Sehr bestimmt

Ich hab wahrhaftigen Gott das Möbel nie gesehn!

ANNINA

klagenden Tons

Aah!

BARON

zum Wirt

Debarassier Er mich und laß Er fortservieren.
Ich hab Sein Beisl heut zum letztenmal betreten.

ANNINA

als entdeckte sie erst jetzt die Gegenwart Octavians

Aah! Es ist wahr, was mir berichtet wurde,
er will ein zweites Mal heiraten, der Infame,
ein zweites unschuldiges Mädchen, so wie ich es war.

DER WIRT, DIE KELLNER

Oh, Euer Gnaden!

BARON

Bin ich in einem Narrnturm? Kreuzelement!
Schüttelt kräftig mit der Linken Valzacchi, der ihm zunächst steht
Bin ich der Baron Lerchenau oder bin ich es nicht?
Fährt mit dem Finger ins Licht
Is das ein Kerzl, is das ein Serviettl?
Schlägt mit der Serviette durch die Luft
Bin ich bei mir?

ANNINA

Ja, ja, du bist es, und so wahr als du es bist,
bin ich es auch, und du erkennst mich wohl,
Leupold Anton von Lerchenau,
bedenk, dort oben ist ein Höherer,
der deine Schlechtigkeit durchschaut und richten wird.

BARON

starrt sie fassungslos an. Für sich

Kommt mir bekannt vor.

Sieht wieder auf Octavian

Habn doppelte Gesichter, alle miteinander.

Sieht angstvoll nach den Stellen in der Wand und im Fußboden

Is was los mit mir, was Fürchterliches!

Geht wie verloren ganz nach vorne an die Rampe.

DIE KELLNER

dumpf

Die arme Frau, die arme Frau Baronin!

ANNINA

Kinder! herein! und hebts die Hände auf zu ihm!

Vier Kinder zwischen vier und zehn Jahren stürzen herein und auf Anninas Wink auf den Baron zu.

DIE KINDER

durchdringend

Papa! Papa! Papa!

ANNINA

Hörst du die Stimme deines Bluts!?

BARON

schlägt wütend mit einer Serviette, die er vom Tisch reißt, nach ihnen

Debarassier Er mich von denen da,
von der, von dem, von dem, von dem!

Zeigt nach allen Richtungen.

WIRT

im Rücken des Barons leise

Halten zu Gnaden, gehen nicht zu weit,
Könnten recht bitter-böse Folgen von der Sach gespüren.

BARON

Was? Ich was gspüren? Von dem Möbel da?
Habs nie nicht angerührt, nicht mit der Feuerzang!

ANNINA

schreit klagend auf

Aah!

WIRT

wie oben

Die Bigamie ist halt kein Gspaß – ist – haben schon die Gnad –
ein Kapitalverbrechen!

VALZACCHI

sich ebenfalls an den Baron heranschleichend

Ik rat Euer Gnadn, seien vorsicktig!
Die Sittenpolizei sein gar nit tolerant!

BARON

in Wut

Die Bigamie? Nit tolerant? Papa, Papa, Papa?

Greift sich an den Kopf

Schmeiß Er hinaus das Trauerpferd! Wer? Was? Er will nicht?
Was? Polizei! Die Lackln wolln nicht? Spielt das Gelichter
leicht alles unter einem Leder gegen meiner?
Sein wir in Frankreich? Sein wir unter die Kurutzen?
Oder in Kaiserlicher Hauptstadt? Polizei!

Reißt das Gassenfenster auf

Herauf da, Polizei! Gilt Ordnung herzustellen
und einer Standsperson zu Hilf zu eilen.

WIRT

Mein renommiertes Haus! Das muß mein Haus erleben!

Die Kinder

Papa! Papa! Papa!

Valzacchi indessen leise zu Octavian.

Octavian

leise

Ist gleich wer fort, den Faninal zu holen?

Valzacchi

Sogleich in Anfang. Wird sogleich zur Stelle sein.

Stimmen von aussen

dumpf

Die Polizei, die Polizei!

Kommissarius und zwei Wächter treten auf. Alles rangiert sich, ihnen Platz zu machen.

Valzacchi

zu Octavian leise

O weh, was macken wir?

Octavian

Verlaß Er sich auf mich und laß Ers gehn wie's geht.

Valzacchi

Zu Euer Exzellenz Befehl!

Kommissarius

scharf

Halt! Keiner rührt sich! Was ist los?
Wer hat um Hilf geschrien? Wer hat Skandal gemacht?

BARON

auf ihn zu, mit der Sicherheit des großen Herrn

Is alls in Ordnung jetzt. Bin mit Ihm wohl zufrieden.
Hab gleich verhofft, daß in der Wienerstadt alls wie am Schnürl geht.
Schaff Er mir da das Pack vom Hals; ich will in Ruh soupieren.

KOMMISSARIUS

Wer ist der Herr? Was gibt dem Herrn Befugnis?
Ist Er der Wirt?

Baron sperrt den Mund auf.

KOMMISSARIUS

scharf

Dann halt Er sich gefällig still
und wart Er, bis man Ihn vernehmen wird.

Der Baron retiriert sich etwas perplex, beginnt nach seiner Perücke zu suchen, die in dem Tumult abhanden gekommen ist und unauffindbar bleibt.

KOMMISSARIUS

nimmt Platz, die zwei Wächter nehmen hinter ihm Stellung

Wo ist der Wirt?

WIRT

devot

Mich dem Herrn Oberkommissarius schönstens zu rekommandieren.

KOMMISSARIUS

Die Wirtschaft da rekommandiert Ihn schlecht!
Bericht Er jetzt.

WIRT

Herr Oberkommissar!

KOMMISSARIUS

Ich will nicht hoffen, daß Er mir mit Leugnen kommt.

WIRT

Herr Kommissarius!

KOMMISSARIUS

Vom Anfang!

WIRT

Da hier, der Herr Baron!

KOMMISSARIUS

Der große Dicke da? Wo hat Er Sein Paruckl?

BARON

der die ganze Zeit gesucht hat

Das frag ich Ihn!

WIRT

Das ist der Herr Baron von Lerchenau!

KOMMISSARIUS

Genügt nicht.

BARON

Was?

KOMMISSARIUS

Hat Er Personen nahebei?
Die für Ihn Zeugnis geben?

BARON

Gleich bei der Hand! Da, hier mein Sekretär, ein Italiener.

VALZACCHI

wechselt mit Octavian einen Blick des Einverständnisses

Ick excusier mick. Ick weiß nix. Die Herr

kann sein Baron, kann sein auch nit. Ick weiß von nix.

BARON
außer sich
Das ist doch stark, wällischer Bruder, falscher!
Geht mit erhobener Linken auf ihn los.

KOMMISSARIUS
zum Baron scharf
Fürs erste moderier Er sich.
Wächter springt vor, hält den Baron zurück.

OCTAVIAN
der bisher ruhig rechts gestanden, tut nun, als ob er, in Verzweiflung hin- und herirrend, den Ausweg nicht fände, und das Fenster für eine Ausgangstür hält
O mein Gott, in die Erdn möcht ich sinken!
Heilige Mutter von Maria Taferl!

KOMMISSARIUS
Wer ist dort die junge Person?

BARON
Die? Niemand. Sie steht unter meiner Protektion!

KOMMISSARIUS
Er selber wird bald eine Protektion sehr nötig haben.
Wer ist das junge Ding, was macht sie hier?
Blickt um sich
Ich will nicht hoffen, daß Er ein gottverdammter Deboschierer
und Verführer ist. Da könnts Ihm schlecht ergehn.
Wie kommt Er zu dem Mädel? Antwort will ich.

OCTAVIAN

Ich geh ins Wasser!

Rennt gegen den Alkoven, wie um zu flüchten, und reißt den Vorhang auf, so daß man das Bett friedlich beleuchtet dastehen sieht.

KOMMISSARIUS

erhebt sich

Herr Wirt, was seh ich da?
Was für ein Handwerk treibt denn Er?

WIRT

verlegen

Wenn ich Personen von Stand zum Speisen oder Nachtmahl hab –

KOMMISSARIUS

Halt Er den Mund. Ich nehm Ihn später vor.

Zum Baron

Jetzt zähl ich noch bis drei, dann will ich wissen,
wie Er da zu dem jungen Bürgermädchen kommt.
Ich will nicht hoffen, daß Er sich einer falschen Aussag wird unterfangen.

Wirt und Valzacchi deuten dem Baron durch Gebärden die Gefährlichkeit der Situation und die Wichtigkeit seiner Aussage an.

BARON

winkt ihnen mit großer Sicherheit, sich auf ihn zu verlassen, er sei kein heuriger Has

Wird wohl kein Anstand sein bei Ihm, Herr Kommissar,
wenn eine Standsperson mit seiner ihm verlobten Braut
um neune abends ein Souper einnehmen tut.

Blickt um sich, die Wirkung seiner schlauen Aussage abzuwarten.

KOMMISSARIUS

Das wäre Seine Braut? Geb Er den Namen an
vom Vater und's Logis; wenn Seine Angab stimmt,
mag Er sich mit der Jungfer retirieren.

BARON

Ich bin wahrhaftig nicht gewöhnt, in dieser Weise –

KOMMISSARIUS

scharf

Mach Er die Aussag oder ich zieh andre Saiten auf.

BARON

Werd nicht manquieren. Ist die Jungfer Faninal
Sophia, Anna Barbara, eheliche Tochter
des wohlgeborenen Herrn von Faninal,
wohnhaft am Hof im eigenen Palais.

An der Tür haben sich Gasthofpersonal, andere Gäste, auch einige der Musiker aus dem anderen Zimmer neugierig angesammelt.

Herr von Faninal drängt sich durch sie durch, eilig, aufgeregt, in Hut und Mantel.

FANINAL

Zur Stell! Was wird von mir gewünscht?

Auf den Baron zu

Wie sieht Er aus?
War mir vermutend nicht, zu dieser Stunde
in ein gemeines Beisl depeschiert zu werdn!

BARON

sehr erstaunt und unangenehm berührt

Wer hat Ihn hierher depeschiert? In des Dreiteufels Namen?

FANINAL

halblaut zu ihm

Was soll mir die saudumme Frag, Herr Schwiegersohn?
Wo Er mir schier die Tür einrennen läßt mit Botschaft,
ich soll sehr schnell herbei und Ihn in einer üblen Lage soutenieren,
in die Er unverschuldterweis geraten ist!

Baron greift sich an den Kopf.

KOMMISSARIUS

Wer ist der Herr? Was schafft der Herr mit Ihm?

BARON

Nichts von Bedeutung. Is bloß ein Bekannter,
hält sich per Zufall hier im Gasthaus auf.

KOMMISSARIUS

Der Herr geb Seinen Namen an!

FANINAL

Ich bin der Edle von Faninal.

KOMMISSARIUS

Somit ist dies der Vater –

BARON

stellt sich dazwischen, deckt Octavian vor Faninals Blick, eifrig

Beileib gar nicht die Spur. Ist ein Verwandter,
ein Bruder, ein Neveu! Der wirkliche
ist noch einmal so dick!

FANINAL

Was geht hier vor? Wie sieht Er aus? Ich bin der Vater, freilich!

BARON

will ihn fort haben

Das weitere findet sich, verzieh Er sich.

FANINAL

Ich muß schon bitten –

BARON

Fahr Er heim in Teufels Namen.

FANINAL

Mein Nam und Ehr in einem solchen Händel zu melieren,
Herr Schwiegersohn!

BARON

versucht ihm den Mund zuzuhalten, zum Kommissarius

Ist eine idée fixe!
Benennt mich also nur im Gspaß!

KOMMISSARIUS

Ja, ja, genügt schon. Er erkennt demnach

Zu Faninal

in diesem Herren hier Seinen Schwiegersohn?

FANINAL

Sehr wohl! Wieso sollt ich ihn nicht erkennen?
Leicht weil er keine Haar nicht hat?

KOMMISSARIUS

zum Baron

Und Er erkennt nunmehr wohl auch in diesem Herrn
wohl ober übel Seinen Schwiegervater?

BARON

nimmt den Leuchter vom Tisch, beleuchtet sich Faninal genau

Soso, lala! Ja, ja, wird schon derselbe sein.
War heut den ganzen Abend gar nicht recht bei'nand.
Kann meinen Augen heut nicht traun. Muß Ihm sagen,
liegt hier was in der Luft, man kriegt die Kongestion davon.

KOMMISSARIUS

zu Faninal

Dagegen wird von Ihm die Vaterschaft
zu dieser Ihm verbatim zugeschobenen Tochter
geleugnet?

FANINAL

bemerkt jetzt erst Octavian

Meine Tochter? Da der Fetzen
gibt sich für meine Tochter aus?

BARON

gezwungen lächelnd

Ein Gspaß! Ein purer Mißverstand! Der Wirt
hat dem Herrn Kommissarius da was vorerzählt
von meiner Brautschaft mit der Faninalischen.

WIRT

aufgeregt

Kein Wort! Kein Wort, Herr Kommissarius! Laut eigner
Aussag –

FANINAL

außer sich

Das Weibsbild arretieren! Kommt an Pranger!
Wird ausgepeitscht! Wird eingekastelt in ein Kloster!
Ich – ich –

Baron

Fahr Er nach Haus, – auf morgen in der Früh!
Ich klär Ihm alles auf. Er weiß, was Er mir schuldig ist.

Faninal

außer sich vor Wut

Laut eigner Aussag! Meine Tochter soll herauf!
Sitzt unten in der Tragchaise! Im Galopp herauf!

Einige rückwärts gehen.

Das zahlt Er teuer! Bring Ihn vors Gericht!

Baron

Jetzt macht Er einen rechten Palawatsch
für nichts und wieder nichts! Ghört ein' Roßgeduld dazu
für einen Kavalier, Sein Schwiegersohn zu sein.

Schüttelt den Wirt

Meine Perückn will ich sehn!

Im wilden Herumfahren, um die Perücke zu suchen, faßt er einige der Kinder an und stößt sie zur Seite.

Die Kinder

automatisch

Papa! Papa! Papa!

Faninal

fährt zurück

Was ist denn das?

Baron

findet im Suchen wenigstens seinen Hut, schlägt mit dem Hut nach den Kindern

Gar nix, ein Schwindel! Kenn nit das Bagagi!
Sie sagt, daß sie verheirat' war mit mir.
Käm zu der Schand so wie der Pontius ins Credo!

Sophie kommt im Mantel, man macht ihr Platz. An der Tür

sieht man die Faninalschen Bedienten, die linke Tragstange der Sänfte haltend.
Baron sucht die Kahlheit seines Kopfes vor Sophie mit dem Hut zu beschatten.

VIELE STIMMEN

indes Sophie auf ihren Vater zugeht

Da ist die Braut! Oh, was für ein Skandal!

FANINAL

zu Sophie

Da schau dich um! Da hast du den Herrn Bräutigam!
Da die Famili von dem saubern Herrn.
Die Frau mitsamt die Kinder! Da das Weibsbild
ghört linker Hand dazu. Nein, das bist du, laut eigner Aussag.
Möchtst in die Erdn sinken, was? Ich auch!

SOPHIE

Bin herzensfroh, seh ihn mitnichten an dafür.

FANINAL

Sieht ihn nicht an dafür! Sieht ihn nicht an dafür!
Mein schöner Nam! Die ganze Wienerstadt! Die schwarze Zeitung!
Zerreißen sich die Mäuler bis hinauf
zu Kaiserlicher Antecamera! I trau mi nimmer übern Grab'n!
Kein Hund nimmt mehr ein Stückl Brot von mir.

Er ist dem Weinen nahe.

DIE KÖPFE

in der Wand und aus dem Erdboden auftauchend, dumpf

Der Skandal! Der Skandal!
Für den Herrn von Faninal!

Verschwinden wieder, man hört noch dumpf aus der Erde und den Wänden klingen

Der Skandal! Der Skandal!

FANINAL

Da! Aus dem Keller! Aus der Luft! Die ganze Wienerstadt!

Auf den Baron zu, mit geballter Faust

Oh, Er Filou! Mir wird nicht gut! Ein' Sessel!

Bediente springen hinzu, fangen ihn auf.

Sophie ist angstvoll um ihn bemüht. Wirt springt gleichfalls hinzu. Sie nehmen ihn auf und tragen ihn ins Nebenzimmer. Mehrere Kellner, den Weg weisend, die Tür öffnend, voran. Baron wird in diesem Augenblick seiner Perücke ansichtig, die wie durch Zauberhand wieder zum Vorschein gekommen ist; stürzt darauf los, stülpt sie sich auf und gibt ihr den richtigen Sitz. Mit dieser Veränderung gewinnt er seine Haltung so ziemlich wieder, begnügt sich aber, Annina und den Kindern, deren Gegenwart ihm trotz allem nicht geheuer ist, den Rücken zu kehren. Hinter Herrn von Faninal und seiner Begleitung hat sich die Tür rechts geschlossen. Wirt und Kellner kommen bald darauf leise wieder heraus, holen Medikamente, Karaffen mit Wasser und anderes, das in die Tür getragen und von Sophie in der Türspalte übernommen wird.

BARON

nunmehr mit dem alten Selbstgefühl auf den Kommissarius zu

Sind nunmehr wohl im klaren. Ich zahl, ich geh!

Zu Octavian

Ich führ Sie jetzt nach Haus.

KOMMISSARIUS

Da irrt Er sich. Mit Ihm jetzt weiter im Verhör!

Auf den Wink des Kommissarius entfernen die beiden Wächter alle übrigen Personen aus dem Zimmer, nur Annina mit den Kindern bleibt an der linken Wand stehen.

BARON

Laß Ers jetzt gut sein. War ein Gspaß. Ich sag Ihm später, wer das Mädel ist!
Geb Ihm mein Wort, i heirat sie wahrscheinlich noch einmal.
Da hinten, dort, das G'lumpert is schon stad.
Da sieht Er, wer ich bin und wer ich nicht bin!

Macht Miene, Octavian abzuführen.

OCTAVIAN

macht sich los

I geh nit mit dem Herrn!

BARON

halblaut

I heirat Sie, verhalt Sie sich mit mir.
Sie wird noch Frau Baronin, so gut gfallt Sie mir!

OCTAVIAN

Herr Kommissari, i gib was zu Protokoll!
Aber der Herr Baron darf nicht zuhörn dabei.

Auf den Wink des Kommissarius drängen die beiden Wächter den Baron nach vorne rechts.

Octavian scheint dem Kommissarius etwas zu melden, was ihn sehr überrascht.

BARON

zu den Wächtern, familiär, halblaut auf Annina hindeutend

Kenn nicht das Weibsbild dort, auf Ehr. War grad beim Essen!

Hab keine Ahnung, was sie will. Hätt sonst nicht selber um die Polizei geschrien! –

Der Kommissarius begleitet Octavian bis an den Alkoven. Octavian verschwindet hinter dem Vorhang. Der Kommissarius scheint sich zu amüsieren und ist den Spalten des Vorhangs in ungenierter Weise nahe.

BARON

sehr aufgeregt über den unerklärlichen Vorfall

Was gschieht denn dort? Ist wohl nicht möglich das! Der Lackl!
Das heißts ihr Sittenpolizei?

Er ist schwer zu halten.

Ist eine Jungfer!
Steht unter meiner Protektion. Beschwer mich,
hab da ein Wörtel dreinzureden!

Reißt sich los, will gegen das Bett hin. Sie fangen und halten ihn wieder. Aus dem Alkoven erscheinen Stück für Stück die Kleider der Mariandel. Der Kommissarius macht ein Bündel daraus.

BARON

immer aufgeregt, ringt, seine beiden Wächter loszuwerden

Muß jetzt partout zu ihr!

Sie halten ihn mühsam, während Octavians Kopf aus einer Spalte des Vorhangs hervorsieht.

WIRT

herein

Ihre Hochfürstliche Gnaden, die Frau Fürstin Feldmarschallin!

Kellner herein, reißen die Türe auf. Zuerst werden einige

Menschen in der Marschallin Livree sichtbar, rangieren sich. Marschallin tritt ein, der kleine Neger trägt ihre Schleppe.

BARON

hat sich von den Wächtern losgerissen, wischt sich den Schweiß von der Stirne, eilt auf die Marschallin zu

Bin glücklich übermaßen, hab die Gnad kaum meritiert,
schätz Dero Gegenwart hier als ein Freundstück ohne-
gleichen.

OCTAVIAN

streckt den Kopf zwischen den Vorhängen hervor

Marie Theres, wie kommt Sie her?

Marschallin regungslos, antwortet nicht, sieht sich fragend um.

KOMMISSARIUS

auf die Fürstin zu

Fürstliche Gnaden, melde mich gehorsamst
als vorstädtischer Unterkommissarius.

BARON

gleichzeitig

Er sieht, Herr Kommissar, die Durchlaucht haben selber sich
bemüht.

Ich denk, Er weiß, woran Er ist.

MARSCHALLIN

zum Kommissar; ohne den Baron zu beachten

Er kennt mich? Kenn ich Ihn nicht auch? Mir scheint beinah.

KOMMISSARIUS

Sehr wohl!

MARSCHALLIN

Dem Herrn Feldmarschall seine brave Ordonnanz gewest?

KOMMISSARIUS

Fürstliche Gnaden, zu Befehl!

Octavian steckt abermals den Kopf zwischen den Vorhängen hervor.

BARON

winkt ihm heftig, zu verschwinden, zugleich ängstlich bemüht, daß die Marschallin nichts merke. Halblaut

Bleib Sie, zum Sakra, hinten dort!

Dann hört er, wie sich Schritte der Türe rechts vorne nähern; stürzt hin, stellt sich mit dem Rücken gegen die Türe, ist zugleich, durch verbindliche Gebärden gegen die Marschallin, bestrebt, seinem Gehaben den Schein völliger Unbefangenheit zu geben.

Marschallin kommt gegen rechts, mit zuwartender Miene den Baron anblickend.

Die Türe rechts wird mit Kraft geöffnet, so daß der Baron wütend zurückzutreten genötigt ist.

OCTAVIAN

als Mann halb angekleidet, tritt zwischen den Vorhängen hervor, sobald der Baron ihm den Rücken kehrt; halblaut

War anders abgemacht! Marie Theres, ich wunder mich.

Marschallin, als hörte sie ihn nicht; den verbindlich erwartungsvollen Blick auf den Baron geheftet, der in äußerster Verlegenheit zwischen der Tür und der Marschallin seine Aufmerksamkeit teilt.

Die zwei Faninalschen Diener haben mit einiger Gewalt die Türe aufgedrückt, lassen jetzt Sophie eintreten.

Baron tritt zurück, auf dem Gipfel der Verlegenheit.

Sophie

ohne die Marschallin zu sehen, die ihr durch den Baron verdeckt ist

Hab Ihm von mei'm Herrn Vater zu vermelden!

Baron

ihr ins Wort, halblaut

Ist jetzo nicht die Zeit, Kreuzelement!
Kann Sie nicht warten, bis daß man Ihr rufen wird?
Meint Sie, daß ich Sie hier im Beisl präsentieren werd?

Will sie hinausschieben.

Zugleich tritt

Octavian

leise hervor, zur Marschallin, halblaut

Das ist die Fräulein – die – um derentwillen –

Marschallin

über die Schulter zu Octavian, halblaut

Find Ihn ein bißl empressiert, Rofrano.
Kann mir wohl denken, wer sie ist. Find sie charmant.

Octavian schlüpft zwischen die Vorhänge zurück.

Sophie

den Rücken an der Tür, so scharf, daß der Baron unwillkürlich einen Schritt zurückweicht

Er wird mich keinem Menschen auf der Welt nicht
präsentieren,
dieweilen ich mit Ihm auch nicht so viel zu schaffen hab.
Und mein Herr Vater laßt Ihm sagen: wenn Er allsoweit
die Frechheit sollte treiben, daß man Seine Nasen nur
erblicken tät auf hundert Schritt von unserm Stadtpalais,

so hätt Er sich die bösen Folgen selber zuzuschreiben,
das ist, was mein Herr Vater Ihm vermelden laßt.

BARON

außer sich, will an ihr vorbei, zur Tür hinein

He Faninal, ich muß –

SOPHIE

Er untersteh sich nicht!

Die zwei Faninalschen Diener treten hervor, halten ihn auf, schieben ihn zurück. Sophie tritt in die Tür, die sich hinter ihr schließt.

BARON

gegen die Tür, brüllend

Bin willens, alles Vorgefallene
vergeben und vergessen sein zu lassen!

MARSCHALLIN

von rückwärts an den Baron herantretend, klopft ihm auf die Schulter

Laß Er nur gut sein und verschwind Er auf eins zwei!

BARON

dreht sich um, starrt sie an

Wieso denn?

MARSCHALLIN

Wahr Er seine dignité und fahr Er ab.

BARON

sprachlos

Ich! Was?

MARSCHALLIN

Mach Er bonne mine à mauvais jeu,
so bleibt Er quasi doch noch eine Standsperson.

Der Baron starrt sie an, stumm.

Sophie ist leise wieder herausgetreten. Ihre Augen suchen Octavian.

MARSCHALLIN

zum Kommissar, der hinten rechts steht, desgleichen seine Wächter

Er sieht, Herr Kommissar,
das Ganze war halt eine Farce und weiter nichts.

KOMMISSARIUS

Genügt mir! Retirier mich ganz gehorsamst.

Tritt ab, die beiden Wächter hinter ihm.

SOPHIE

vor sich, erschrocken

Das Ganze war halt eine Farce und weiter nichts.

Die Blicke der beiden Frauen begegnen sich; Sophie macht der Marschallin einen verlegenen Knix.

BARON

zwischen Sophie und der Marschallin stehend

Bin gar nicht willens!

MARSCHALLIN

ungeduldig, stampft auf; zu Octavian

Mon cousin, bedeut Er ihn!

Kehrt dem Baron den Rücken.

OCTAVIAN

geht von rückwärts auf den Baron zu, sehr männlich

Möcht Ihn sehr bitten!

BARON

fährt herum

Wer! Was?

MARSCHALLIN

von links, wo sie nun steht

Sein' Gnaden der Herr Graf Rofrano, wer denn sonst?

BARON

nachdem er sich Octavians Gesicht scharf in der Nähe betrachtet, mit Resignation vor sich

Is schon aso! Hab gnug von dem Gesicht.
Sein doch nicht meine Augen schuld. Is schon ein Manndl.

Octavian steht frech und hochmütig da.

MARSCHALLIN

einen Schritt näher tretend

War eine wienerische Maskerad und weiter nichts.

BARON

sehr vor den Kopf geschlagen

Aha!

Für sich

Spieln alle unter einem Leder gegen meiner!

MARSCHALLIN

von oben herab

Ich hätt Ihm nicht gewunschen,
daß Er mein Mariandl in der Wirklichkeit
mir hätte debauchiert!

BARON

wie oben, vor sich hin sinnierend

Ha!

MARSCHALLIN

wie oben und ohne Octavian anzusehen

Hab jetzt einen montierten Kopf gegen die Männer –
so ganz im allgemeinen!

BARON

allmählich der Situation beikommend

Kreuzelement! Komm aus dem Staunen nicht heraus!
Mit einem ausgiebigen Blick, der von der Marschallin zu Octavian, von Octavian wieder zurück zur Marschallin wandert
Weiß bereits nicht, was ich von diesem ganzen qui pro quo
mir denken soll!

MARSCHALLIN

mit einem langen Blick, dann mit großer Sicherheit

Er ist, mein ich, ein Kavalier? Da wird Er sich halt gar nichts denken.
Das ist, was ich von Ihm erwart.

Pause

BARON

mit Verneigung und weltmännisch

Bin von so viel Finesse charmiert, kann gar nicht sagen wie.
Ein Lerchenauer war noch nie kein Spielverderber nicht.

Einen Schritt an sie herantretend

Find deliziös das ganze qui pro quo,
bedarf aber dafür nunmehro Ihrer Protektion:
Bin willens, alles Vorgefallene
vergeben und vergessen sein zu lassen.

Pause

Eh bien, darf ich den Faninal –

Er macht Miene, an die Türe rechts zu gehen.

MARSCHALLIN

ungeduldig

Er darf, Er darf in aller Still sich retirieren!

Baron aus allen Himmeln gefallen.

MARSCHALLIN

Versteht Er nicht, wenn eine Sach ein End hat?
Die ganze Brautschaft und Affär' und alles sonst,
was drum und dran hängt, ist mit dieser Stund vorbei.

SOPHIE

sehr betreten, für sich

Was drum und dran hängt, ist mit dieser Stund vorbei.

BARON

für sich, empört, halblaut

Mit dieser Stund vorbei! Mit dieser Stund vorbei!

MARSCHALLIN

scheint sich nach einem Stuhl umzusehen, Octavian springt hin, gibt ihr einen Stuhl. Marschallin setzt sich links, mit Bedeutung, für sich

Is halt vorbei.

SOPHIE

rechts, vor sich, blaß

Is halt vorbei!

Baron findet sich durchaus nicht in diese Wendung, rollt verlegen und aufgebracht die Augen.

In diesem Augenblick kommt der Mann aus der Falltür hervor. Von rechts tritt Valzacchi ein, die Verdächtigen in bescheidener

Haltung hinter ihm. Annina nimmt Witwenhaube und Schleier ab, wischt sich die Schminke weg und zeigt ihr gewöhnliches Gesicht. Dies alles zu immer gesteigertem Staunen des Barons. Der Wirt, eine lange Rechnung in der Hand, tritt zur Mitteltüre herein, hinter ihm Kellner, Musikanten, Hausknechte, Kutscher.

BARON

wie er sie alle erblickt, gibt sein Spiel verloren. Ruft schnell entschlossen

Leupold, wir gehen!

Macht der Marschallin ein tiefes, aber zorniges Kompliment. Leiblakai ergreift einen Leuchter vom Tisch und will seinem Herrn voran. Annina stellt sich frech dem Baron in den Weg. Die Kinder kommen dem Baron unter die Füße. Er schlägt mit dem Hut unter sie.

DIE KINDER

Papa! Papa! Papa!

Leiblakai hat sich den Weg gegen die Türe hin gebahnt. Baron will hinter ihm durch.

DIE KELLNER

Entschuldigen Euer Gnaden,
uns gehn die Kerzen an!

DIE MUSIKANTEN

Tafelmusik über zwei Stunden.

DIE KUTSCHER

Für die Fuhr, für die Fuhr, Rösser gschunden ham ma gnua!

DER HAUSKNECHT

Sö fürs Aufsperrn, Sö, Herr Baron.

Die Kellner

Zwei Schock Kerzen, uns gehn die Kerzen an.

Baron

im Gedränge

Platz da, zurück da, Kreuzmillion!

Die Kinder

Papa, Papa, Papa!

Baron drängt sich mit Macht durch gegen die Ausgangstür, alle dicht um ihn in einem Knäuel.

Der Hausknecht

Führag'fahrn, aussag'ruckt, Sö, Herr Baron!

Alle sind schon in der Tür, dem Lakai wird der Armleuchter entwunden.

Die Kellner

Uns gehn die Kerzen an!

Stürmen nach, der Lärm verhallt. Die zwei Faninalschen Diener sind indessen links abgetreten.

Sophie

rechts stehend, blaß

Mein Gott, es war nicht mehr als eine Farce.
Mein Gott, mein Gott!
Wie er bei ihr steht, und ich bin die leere Luft für ihn.

Octavian

hinter dem Stuhl der Marschallin, verlegen

War anders abgemacht, Marie Theres, ich wunder mich.

In höchster Verlegenheit

Befiehlt Sie, daß ich – soll ich nicht – die Jungfer – der Vater –

MARSCHALLIN

Geh Er doch schnell und tu Er, was sein Herz Ihm sagt.

OCTAVIAN

Theres, ich weiß gar nicht.

MARSCHALLIN

lacht zornig

Er ist ein rechtes Mannsbild, geh Er hin.

OCTAVIAN

Wie Sie befiehlt.

Geht hinüber.
Sophie wortlos.

OCTAVIAN

bei ihr

Eh bien, hat Sie kein freundlich Wort für mich?
Nicht einen Blick, nicht einen lieben Gruß!

SOPHIE

Verkriech mich in ein Kloster lieber heut als morgen, so jung ich bin.

Laß Er mich gehn.

OCTAVIAN

Ich laß Sie nicht.

Faßt ihre Hand.

SOPHIE

Das sagt sich leicht.

OCTAVIAN

Ich hab Sie übermäßig lieb.

Sophie

Er hat mich nicht so lieb als wie Er spricht.
Vergeß Er mich.

Octavian

Ist mir um Sie und nur um Sie!

Sophie

Vergeß Er mich.

Octavian

Seh allweil Ihr Gesicht.

Sophie

schwach abwehrend

Vergeß Er mich.

Octavian

Hab allzu lieb Ihr lieb Gesicht!

Faßt mit beiden Händen ihre beiden.

Marschallin

vor sich, gleichzeitig mit Octavian und Sophie

Heut oder morgen oder den übernächsten Tag.
Hab ich mirs denn nicht vorgesagt?
Das alles kommt halt über jede Frau.
Hab ichs denn nicht gewußt?
Hab ich nicht ein Gelübde 'tan,
daß ichs mit einem ganz gefaßten Herzen
ertragen werd . . .
Heut oder morgen oder den übernächsten Tag.
So hat halt Gott die Welt geschaffen
und anders hat ers halt nicht können machen!

Sie wischt sich die Augen, steht auf.

SOPHIE

leise

Die Fürstin da, sie ruft Ihn hin, so geh Er doch.

Octavian ist ein paar Schritte gegen die Marschallin hingegangen, steht jetzt zwischen beiden verlegen.

Pause

Sophie in der Tür, unschlüssig, ob sie gehen oder bleiben soll. Octavian in der Mitte, dreht den Kopf von einer zur andern. Marschallin sieht seine Verlegenheit; ein trauriges Lächeln huscht über ihr Gesicht.

SOPHIE

an der Tür

Ich muß hinein und fragen, wie's dem Vater geht.

OCTAVIAN

Ich muß jetzt etwas reden und mir verschlagts die Red.

MARSCHALLIN

Der Bub, wie er verlegen da in der Mitten steht.

OCTAVIAN

zu Sophie

Bleib Sie um alles hier.

Zur Marschallin

Wie, hat Sie was gesagt?

SOPHIE

zugleich mit der Marschallin, vor sich

Für nichts und wieder nichts wird sie nicht kommen sein.
Wird schon recht eine gute Freundin sein zu ihm.
Ich wollt, ich wär in meinem Kloster bliebn.
Und wüßt halt gar nichts von der ganzen Welt.

Marschallin

zugleich mit Sophie, vor sich

Hab mirs gelobt, ihn liebzuhaben in der richtigen Weis,
daß ich selbst seine Lieb zu einer andern
noch liebhab –
Hab mirs freilich nicht gedacht,
daß es so bald mir aufgelegt sollt werden.

Sie geht hinüber zu Sophie.

Octavian tritt einen Schritt zurück.

Marschallin steht vor Sophie, sieht sie prüfend, aber gütig an.

Sophie in Verlegenheit, knixt.

Marschallin

So schnell hat Sie ihn gar so lieb?

Sophie

Ich weiß nicht, was Euer Gnaden meinen mit der Frag.

Marschallin

Ihr blaß Gesicht gibt schon die rechte Antwort drauf.

Sophie

Wär gar kein Wunder, wenn ich blaß bin, Euer Gnaden.
Hab einen großen Schreck erlebt mit dem Herrn Vater.
Gar nicht zu reden vom gerechten Emportement
gegen den skandalösen Herrn Baron.

Marschallin

Red Sie nur nicht zu viel, Sie ist ja hübsch genug.
Gegen den Herrn Papa sein Übel weiß ich etwa eine Medizin.
Und für die Blässe weiß vielleicht mein Vetter da die Medizin.

OCTAVIAN

Marie Theres, wie gut Sie ist!
Marie Theres, ich weiß gar nicht –

MARSCHALLIN

mit einem undefinierbaren Ausdruck

Ich weiß auch nix.
Gar nix.

Winkt ihm zurückzubleiben.

OCTAVIAN

Marie Theres!

Marschallin bleibt in der Tür stehen. Octavian steht ihr zunächst, Sophie weiter rechts.

MARSCHALLIN

zugleich mit Octavian und Sophie, aber ohne die beiden anzusehen

Es sind die mehreren Dinge auf der Welt
so, daß sie eins nicht glauben tät,
wenn man sie möcht erzählen hören.
Alleinig wers erlebt, der glaubt daran und weiß nicht wie –
Da steht der Bub und da steh ich und mit dem fremden Mädel dort
wird er so glücklich sein, als wie halt Männer
das Glücklichsein verstehn. In Gottes Namen.

OCTAVIAN

zugleich mit der Marschallin und Sophie, erst vor sich, dann Aug in Aug mit Sophie

Es ist was kommen und ist was geschehen.
Ich möcht sie fragen: Darfs denn sein? und grad die Frag,
die spür ich, daß sie mir verboten ist.

Ich möcht sie fragen: Warum zittert was in mir, –
ist denn ein großes Unrecht gschehn? Und grad an sie
darf ich die Frag nicht tun – und dann seh ich dich an,
Sophie, und seh nur dich und spür nur dich,
Sophie, und weiß von nichts als nur: Dich hab ich lieb.

SOPHIE

zugleich mit der Marschallin und Octavian, erst vor sich, dann Aug in Aug

Mir ist wie in der Kirchn, heilig ist mir und so bang
und doch ist mir unheilig auch! Ich weiß nicht, wie mir ist.
Ich möcht mich niederknien dort vor der Frau und möcht ihr auch
was antun, denn ich spür, sie gibt mir ihn
und nimmt mir was von ihm zugleich. Weiß gar nicht wie mir ist.
Möcht alls verstehn und möcht auch nichts verstehen.
Möcht fragen und nicht fragen, wird mir heiß und kalt,
und spür nur dich und weiß nur eins: Dich hab ich lieb.

Marschallin geht leise rechts hinein, die beiden bemerken es gar nicht. Octavian ist dicht an Sophie herangetreten, einen Augenblick später liegt sie in seinen Armen.

OCTAVIAN

zugleich mit Sophie

Spür nur dich, spür nur dich allein
und daß wir beieinander sein!
Geht alls sonst wie ein Traum dahin
vor meinem Sinn!

SOPHIE

zugleich mit Octavian

Ist kein Traum, kann nicht wirklich sein,

daß wir zwei beieinander sein,
beieinand für alle Zeit
und Ewigkeit!

OCTAVIAN

ebenso

War ein Haus wo, da warst du drein,
und die Leut schicken mich hinein,
mich gradaus in die Seligkeit!
Die waren gscheit!

SOPHIE

ebenso

Kannst du lachen! Mir ist zur Stell
bang wie an der himmlischen Schwell!
Halt mich, ein schwach Ding wie ich bin,
sink dir dahin!

Sie muß sich an ihn lehnen. In diesem Augenblick öffnen die Faninalschen Lakaien die Tür und treten heraus, jeder mit einem Leuchter. Durch die Tür kommt Faninal, die Marschallin an der Hand führend. Die beiden Jungen stehen einen Augenblick verwirrt, dann machen sie ein tiefes Kompliment, das Faninal und die Marschallin erwidern.

FANINAL

tupft Sophie väterlich gutmütig auf die Wange

Sein schon aso, die jungen Leut!

Gibt dann der Marschallin die Hand und führt sie zur Mitteltür, die zugleich durch die Livree der Marschallin, darunter der kleine Neger, geöffnet wurde. Draußen hell, herinnen halbdunkel, da die beiden Diener mit den Leuchtern der Marschallin voraustreten.

Octavian und Sophie, allein im halbdunklen Zimmer.

OCTAVIAN

Spür nur dich, spür nur dich allein
und daß wir beieinander sein!
Geht alls sonst wie ein Traum dahin
vor meinem Sinn!

SOPHIE

Ist ein Traum, kann nicht wirklich sein,
daß wir zwei beieinander sein,
beieinand für alle Zeit
und Ewigkeit!

Sie sinkt an ihn hin, er küßt sie schnell. Ihr fällt, ohne daß sie es merkt, ihr Taschentuch aus der Hand. Dann laufen sie Hand in Hand hinaus. Die Bühne bleibt leer, dann geht nochmals die Mitteltür auf. Herein kommt der kleine Neger mit einer Kerze in der Hand. Sucht das Taschentuch, findet es, hebt es auf, trippelt hinaus.

Vorhang.

ANHANG

ZU »CRISTINAS HEIMREISE« ERSTER AKT

Der Erstdruck der zweiten Hälfte des ersten Aktes, der Begegnung Cristinas mit Florindo, enthält eine Episode aus der »ältesten Fassung«, die in keine der Buchausgaben übernommen wurde. Sie steht anstelle von Cristinas Lied (S. 124) und vor Cristinas Frage an Pasca »Hab ich recht?« (S. 125). Die Angaben lauteten dort u. a. »*Florindo, der natürliche Sohn eines Patriziers. Isabella, Rosaura, Sängerinnen. Monsieur Lavache, ein Gazettenschreiber. — Um die Mitte des 18. Jahrhunderts.*«

Rosaura und Isabella von rechts. Mit ihnen eine alte Frau, die Reisegepäck schleppt, sowie Lavache, der ein Hündchen an der Leine führt.

ISABELLA

vorauseilend, aufgeregt

Die Barke! Die Barke! Heda, Herr Steuermann. Beeile dich, Rosaura. Wo bleiben Sie, Lavache? Man fährt uns davon!

ROSAURA

Ja ahnt denn der Bursche nicht, wer man ist? Fliegen Sie hin, Lavache, wenn Sie ein Mann sind, und sagen Sie diesem Lümmel, daß ich heute abend in Padua die Sophonisbe zu singen habe.

Der Barkenführer winkt ihnen beruhigend zu.

ISABELLA

höhnisch

Du die Sophonisbe! Ist die Farinelli vielleicht über Nacht kontraktbrüchig geworden?

Rosaura

Ich werde sie singen, meine Beste, und wäre es auch nicht heute abend.

Lavache

zurückkommend

Seien Sie vollkommen beruhigt, meine Damen, wir haben alle Zeit. Sie sehen, auch diese guten Leute warten geduldig. *Die alte Frau schickt sich an, ihr Gepäck neben dem Gepäck der anderen abzuladen. Cristina bringt ihren Vogel in Sicherheit.*

Rosaura

zu Lavache

Leben Sie wohl, Lavache, und sagen Sie es dieser undankbaren Stadt. Sagen Sie es der ganzen Stadt!

Lavache

Ich habe es ihr gesagt. Hier bin ich gesessen und habe geschrieben bis in den grauen Morgen. Wie Keulenschläge wird es auf ihre Köpfe niedersausen.

Pasca

ärgerlich, daß der Hund sich in der Nähe des Gepäcks aufhält, zu Lavache

Das geht nicht, Herr!

Lavache

ohne sie zu bemerken

Ich habe dich ein göttliches Weib genannt, Rosaura! Ich habe dich gerächt an der Erbärmlichkeit dieses Publikums.

Pasca

Herr, Sie müssen fortgehen mit dem Hund! Das ist unser Reisegepäck dahier!

LAVACHE

Ich wollte, ich könnte ihr den Schluß vorlesen. Aber sie hat mir das Manuskript aus den Händen gerissen.

PASCA

Es geht nicht, mein Herr. Wenn Ihr Hund sich unartig aufführt, so haben wir alle Dorfhunde hinter unserem Gepäck her. Das wäre eine saubere Wirtschaft.

Lavache wechselt seinen Platz.

BARKENFÜHRER

kommt nach vorne

Wer sind die drei Personen, die ihre Plätze vorausbezahlt haben? Ein geistlicher Herr und zwei Frauenzimmer.

CRISTINA

eifrig

Das sind wir! Der geistliche Herr ist mein Onkel. Er ist gegangen, die Messe lesen. Er wird gleich zurück sein. Das hier sind unsere Sachen.

Der Barkenführer nimmt einen Teil von Cristinas Gepäck, trägt es nach rückwärts.

ISABELLA

zum Barkenführer

Hier ist mein Gepäck und das Gepäck dieser Dame. Wollen Sie sich darum kümmern, mein Lieber? Oder soll ich mich an Ihren Kameraden wenden?

LAVACHE

zu Rosaura

Ich werde es dir mit der reitenden Post nachschicken, du wirst dich schütteln!

ISABELLA

aufgeregt

Rosaura, ich möchte doch bitten – Herr Lavache, ich staune! Sie bieten uns Ihre Begleitung an, Sie stehen hier, und ich, die Dame, muß mich mit Bauernweibern um den Platz balgen, muß mir Sottisen sagen lassen!

Sie eilt wieder zu der Barke hin.

ROSAURA

Was gibt es, Isabella? Beruhige dich. Vorwärts, Lavache! Fliegen Sie hin, bedeuten Sie diese Leute, wer ich bin!

Lavache eilt nach rückwärts, wo der halbwüchsige Bursche, die alte Frau und die beiden Barkenführer heftig zu streiten begonnen haben.

Isabella hin und her eilend.

ISABELLA

Ich habe ähnliches noch nicht erlebt! Ich habe –

Florindo ohne Hut und Mantel, aber vollständig angekleidet, kommt rasch aus dem Hause heraus, läuft zu den Streitenden hin. Gleich darauf führt er den Barkenführer nach vorne seitwärts, gibt ihm Geld.

BARKENFÜHRER

Zu Befehl, Euer Gnaden!

Pasca ist nach vorne, zu Cristina, gekommen.

CRISTINA

strahlend

Nun, fährt er mit oder nicht?!

LAVACHE

tritt zu Florindo

Mein Herr, ich begreife nicht!

Grüßt

Die Barke ist öffentlich!

FLORINDO

Mag sein, für heute bleibt sie auf meinen Befehl der jungen Dame reserviert. Sie werden die Güte haben, mein Herr, mich bei den Künstlerinnen für die Störung zu entschuldigen und ihnen dies als Entschädigung zu überreichen.

Gibt ihm Geld.

LAVACHE

Mein Herr, ich weiß nicht –

FLORINDO

Nur schnell, mein Herr! Ich bin beschäftigt!

*

Dann, S. 128, nach »Cristina läuft dem Onkel entgegen«:

FLORINDO

zu Pasca in einem besonders ehrbaren bürgerlichen Ton

Hören Sie mich an, liebe Frau, oder vielmehr erklären Sie mir doch, ich bin ganz Ohr, denn Ihnen sehe ich an, daß Sie eine Menschenkennerin sind. Mit Ihnen spreche ich wie mit meiner Mutter!

Rosaura, Isabella und Lavache befinden sich rechts. Die alte Frau ist wiederum mit dem Gepäck beladen.

ROSAURA

Haben Sie ihm gesagt, wer ich bin?

Lavache

Kommen Sie, Rosaura! Jetzt, da wir seinen Namen wissen, werde ich ihn züchtigen, wie er es verdient.

Rosaura

Wenn du ein Mann wärest, brauchtest du dazu nicht seinen Namen wissen!

Lavache

Ich werde von Kaffeehaus zu Kaffeehaus gehen. Ich werde alles erfahren, was über ihn im Umlauf ist.

Rosaura

Dazu brauche ich kein Kaffeehaus! Er hat die beiden Töchter unserer Logenschließerin verführt. Zwei Zwillingsschwestern. Geschöpfe wie die Engel.

Lavache

Schurkerei ohne Beispiel! Und dergleichen duldet die Staatspolizei!

Isabella

Ich habe mich nicht zu beklagen –

Rosaura

zu Lavache

Du hättest ihm das allerdings nicht nachgemacht!

Lavache

Ich werde ihn öffentlich an den Pranger stellen!

Isabella

Ich kann mich wirklich nicht beklagen, mit mir hat er sich benommen wie ein Kavalier.

Rosaura

zu Lavache

Vor dir sind die jungen Mädchen sicher.

Lavache

Wie kommen Sie dazu, Rosaura, mich mit diesem Menschen zu vergleichen?

Rosaura

Ihn mit dir vergleichen, davor bewahre mich mein Schutzengel. Er ist ein Gott und du bist nicht wert, ihm die Füße zu küssen.

Isabella

Ich weiß nicht, was ihr wollt, ich kann mich über ihn wirklich nicht beklagen.

Rosaura

Meinst du, ich kenne ihn erst seit heute? Hundertmal ist er im Theater an mir vorübergegangen, mein Herz hat mir geschlagen, bis in den Hals hinein, wie einem sechzehnjährigen Mädchen.

Lavache

Ich glaube, Sie sollten sich in ein Kaffeehaus begeben und etwas Niederschlagendes nehmen.

Rosaura

Ich habe seinesgleichen vor mir taumeln sehen, aber habe Ofenheizer zu Königen gemacht.

Isabella

Mit mir hat er sich betragen wie ein echter Kavalier. Ich will aus der Barke heraus, er tritt auf mein Kleid, er springt zurück und sagt: Pardon, mein schönes Kind!

Lavache

wütend zu Rosaura

Ich werde mich öffentlich von dir lossagen. Ich werde meine Flugschrift einstampfen lassen. Ich werde dich in deiner ganzen Lächerlichkeit an den Pranger stellen.

Geht wütend ab.

Isabella

Warten Sie doch, Lavache! Geben Sie mir den Arm, ich wünsche nicht zum Gespött zu werden.

Eilt ihm nach. Rosaura eilt ihnen nach.

Florindo

zu Pasca

Oh, wie verkehrt angefangen. Auf diese Weise, eine Heirat! Vierzehn Tage in einer Stadt wie Venedig. Ja, wenn Sie sechs Monate hier gewesen wären.

Pasca

Wie? Gar sechs Monate. Aber wir haben doch in guten Häusern verkehrt und junge, heiratsfähige Männer genug gesehen.

Florindo

Gesehen! Nehmen Sie mich. Ich finde Ihr Fräulein zum Entzücken schön und würde mich glücklich schätzen, wenn die Frau, die Gott mir bestimmt, ihr ähnlich sähe – aber wenn Sie mir auf der Stelle 50.000 Taler hinlegen, damit ich sie von heute auf morgen heirate, sage ich danke, nehme meinen Hut und gehe. Heutzutage will ein vernünftiger Mann, bevor er eine Frau nimmt, ihren Charakter kennenlernen.

Pasca

Ei ja freilich, den Charakter, das ist schon wahr!

FLORINDO

Wo ich nicht wüßte, daß ich ernste Absichten hegen dürfte, da knüpfe ich nicht einmal ein Gespräch an. So bin ich.

PASCA

Ah, so ist der Herr!

FLORINDO

Und wenn ich schon beispielsweise von mir spreche: ich muß mich ja auch einmal verheiraten und ich suche die Richtige seit drei Jahren. Aber ich suche sie vergeblich.

PASCA

Noch vergeblich seit drei Jahren? Ah was der Herr nicht sagt!

FLORINDO

Ich habe mehrere Mädchen gekannt, die fast so hübsch waren, »fast« sage ich, wie Ihr Fräulein, und alle hatten eine gute Mitgift. Aber nachdem ich zwei oder drei Monate mit ihnen verkehrt hatte, erkannte ich, daß sie mich nicht auf die Dauer glücklich machen würden.

PASCA

Nicht glücklich machen würden!

Teresa versucht zu hören, was die beiden sprechen.

FLORINDO

schnell zu ihr

Meinen Mantel! Meinen Hut, hol ihn!

Teresa wirft vor Zorn ihre Pantoffel weg und geht widerwillig ins Haus.

FLORINDO

zu Pasca zurück, wie wenn nichts gewesen wäre

Ach und so käme man vom Hundertsten ins Tausendste. Es

gibt nichts, als kennenlernen, drei, vier Monate, ein halbes Jahr –

PASCA

Sie könnten mir schon Ihre Fragen stellen, so viel Sie wollten, da kämen wir schnell ins reine. Ich kenne das Kind, wie ich meinen Strumpf kenne, in- und auswendig. Sie hat keine Mutter seit ihrem sechsten Jahr und ich habe sie aufgezogen.

FLORINDO

Sehen Sie, das wäre mir auch wieder nicht recht. Ein Mädchen, das ich liebe, dürfte nicht durchsichtig sein wie ein Fensterglas.

PASCA

Da fehlt viel. Wo sie nicht reden will, da schweigt sie.

FLORINDO

Immerhin –

PASCA

Ich sehe, Sie sind gar ein schwieriger Herr!

FLORINDO

Das ist man sich selber schuldig, liebe Frau, wenn man ernste Absichten hat.

Folgt das Gespräch Florindos mit dem Pfarrer (S. 131).

*

Statt der kurzen Reden der beiden (S. 133) hieß es zuerst nach »unmöglich erfüllen kann«, vor »Wie, Herr Pfarrer? Wo ich Sie . . .«):

DER PFARRER

lächelnd

Die Logik, mein Herr, ist sicher die feinste und bestechendste

Erfindung des menschlichen Gehirns und man vermöchte ihr wirklich nichts entgegenzusetzen –

FLORINDO

Nun also, Herr Pfarrer, nun also!

DER PFARRER

Woferne nur das, was wir in den Begriffen so reinlich und handlich scheiden, auch in der Wirklichkeit geschieden wäre. Da haben Sie mich nun in die Enge getrieben mit Ihren Gegensätzen Ordnung und Unordnung. Wie aber, wenn die beiden ganz unmerklich ineinander übergingen und es nur auf ein bißchen Takt ankäme, immer auf ein bißchen Gefühl.

FLORINDO

Sie sind ein Weiser, Herr Pfarrer, ich bin glücklich, daß ich Ihnen begegnet bin.

DER PFARRER

Nein, mein Herr. Aber ich sage Ihnen, die Ordnung und die Unordnung in den menschlichen Dingen sind nicht geschieden und sie lassen sich nicht die eine rechts, die andere links auseinanderstellen.

FLORINDO

Ebenso wie die Tugend und das Laster. Oh weh, habe ich das vor Ihnen sagen dürfen?

DER PFARRER

Ich wäre ein erbärmlicher Seelenhirt, wenn ich das nicht zu begreifen gelernt hätte.

In der »neuen« Fassung von 1910 endet die Komödie nach Florindos Worten »Der Herr mit den Kopfschmerzen bin ich« (unsere S. 199), mit den folgenden Szenen:

CRISTINA

entzieht sich Pasca

Laß jetzt. Soll das sein, wie's will. Zwei Minuten hab ich noch, die will ich ihn für mich haben.

Sie nimmt seine Hand.

FLORINDO

nachdem er sie zärtlich angesehen

Du bist eine reiche Erbin, und ich komme mit nichts zu dir. Weißt du, was ich bin? Ein Tagedieb. Ein Lump. Ein Spieler.

Cristina legt ihm schnell die Hand auf den Mund.

Florindo zieht die Hand sanft fort.

Ich habe zu ihr gesagt, ich hätte ein Amt. Es ist nicht wahr.

Pasca schlägt die Hände zusammen.

Ich wollte mir einen braven, bürgerlichen Anschein geben, daß ihr solltet Zutrauen haben und meine Gesellschaft annehmen. Meinst du, ich hätte nicht noch viel ärgere Lügen vorgebracht, um mich bei dir einzunisten? Meinst du, es wäre mir darauf angekommen?

CRISTINA

Du hast ja jetzt auch ein Amt. Wo ich die Wirtin bin, bist du der Wirt und Postmeister dazu. Du bist der Herr, wo ich die Frau bin. Weil du mich aber zur Frau gemacht hast, so hast du dich selber zum Herrn gemacht und bist dein eigener Herr.

Florindo umfängt sie, sie küssen sich.

PASCA

wischt sich die Augen

Dazu hat man sie mit Sorgen großgezogen.

CRISTINA

an seinem Hals in Tränen

Schreib mir, sooft die Post geht, und überhole den letzten Brief. Lesen kann ich ja! Mein Gott! Daß ich nicht schreiben kann! In wieviel Tagen kannst du zurück sein? sag!

PASCA

faßt sie an

Bis er kommt, ist er da. Ihn muß es treiben.

CRISTINA

reißt sich los

O Gott!

Sie geht nach links ab mit Pasca.

FLORINDO

weinend

Pasca, dir vertraue ich sie an! Gib mir acht auf meine Frau!

Pedro kommt die Treppe herab, spähend. Florindo wendet ihm den Rücken, geht schnell in sein Zimmer, schließt die Tür. Pedro enttäuscht, lauscht nach links hin, huscht dann wieder nach oben.

Eine kleine Weile bleibt die Bühne leer, es wird vollends hell. Der Hausknecht kommt von der Küchenstiege, klappt die Enden des Eßtisches auf, stellt Teller hin.

FLORINDO

öffnet seine Zimmertür, ruft ihm zu

Ich reise diesen Morgen! Sag es dem Wirt.

Hausknecht bleibt stumm.

FLORINDO

Ich reise ab. Das Zimmer kann vergeben werden.

HAUSKNECHT

ohne ihn anzusehen

Gewiß, es ist Ersatz für Sie auf dem Wege.

FLORINDO

tritt heraus

Was?

HAUSKNECHT

Ich sage: es wird nicht schwer fallen, Ihren Abgang zu ersetzen.

Florindo geht gegen die Treppe. Hausknecht stellt einiges für das Frühstück auf den Tisch links vorn.

AGATHE

das Küchenmädchen, kommt von links die Küchenstiege herauf, läuft Florindo nach

Herr Florindo!

Florindo wendet sich ihr zu.

AGATHE

Nur ob Sie mit dem Salat zufrieden waren?

Florindo küßt seine Finger.

AGATHE

Und war die Dame, wenn ich fragen darf, ebenfalls zufrieden?

FLORINDO

Ich muß mich für die Dame und für mich erkenntlich zeigen.

Will ihr Geld geben.

AGATHE

Nein, nein, nein, so wars nicht gemeint.

Läuft ab.

Pedro kommt wieder die Treppe herab.

Florindo ist im Begriff, hinunterzugehen.

PEDRO

von oben, sich verbeugend

Ich sage: der Herr Florindo und ein Stück Frau jede Nacht, das ist eine Wenigkeit. Vielleicht zwei Stück Frau jede Nacht.

FLORINDO

ärgerlich, bleibt stehen

Halt deinen Mund. Was solls?

PEDRO

Oh, nachher Sie sind immer böse. Die vorige Nacht war dieselbe Sache. Der arme Pedro macht Ihnen nur seine Glückwünsche.

FLORINDO

Es ist gut, aber ich habe jetzt keine Zeit.

Will hinunter.

PEDRO

hält ihn

Sie wollen Ihrem Freund nicht helfen. Ich weiß ja, in Europa ist alles vielmals umständlich vorgeschrieben.

FLORINDO

Das ist es. Adieu!

PEDRO

Ich sehe, es ist mir ohne Sie nicht möglich, die schöne Witwenfrau achtungsvoll zu heiraten. Und das ist mein liebenswürdiger Wunsch. Sie haben mich verstanden? In ebensolcher Weise, genau so wie Sie heute und gestern geheiratet haben Ihre achtenswerten unterschiedlichen Freundinnen.

FLORINDO

Wir sprechen noch darüber.

Geht.

STIMME DES KAPITÄNS

von oben

Pedro!

PEDRO

angstvoll

Wann?

Florindo ist schon unten.

STIMME DES KAPITÄNS

Pedro!

Pedro läuft hinauf.

Pasca von links aus dem Gang, scheint Florindo zu suchen, ihr Gesicht ist sorgenvoll.

HAUSKNECHT

war zur Küchenstiege hingegangen, tritt nun wieder herein, sieht sie an

Wen suchen Sie jetzt wiederum?

PASCA

sieht ihn an

Ach Sie sind es, der mich vorhin –

HAUSKNECHT

Ja, ich bin es, der Sie vorhin – Wessen Zimmer suchen Sie diesmal?

Pasca

Ich? Gar niemand. Ich wollte nach dem Herrn Pfarrer sehen.

Hausknecht

Der Herr Pfarrer ist hier nicht vorhanden, wie Sie bemerken werden. Der Schiffskapitän befindet sich dort oben. Die als Mensch verkleidete Bestie treibt sich hier auf der Treppe herum. Der dickwanstige geschniegelte Bediente ist unten und nährt sich. Welchen von diesen wünschen Sie?

Pasca

Ich kenne ja alle die Leute gar nicht.

Hausknecht

Ah, was das schon für ein zartes Hindernis bildet!

Pasca

Wie beliebt?

Hausknecht

Man hat doch vielleicht schon zuweilen aus dem Stegreif eine Bekanntschaft gemacht. Oder nicht? Und da ists dann zum Staunen, wie schnell das Menschengeschlecht auf dem Punkt anlangt, wo sich eins vor dem andern aber schon gar nicht mehr ekelt. Ich wenigstens staune anhaltend darüber. Ich denke, es ist wohl mein gutes Recht, zu staunen, wenn ich zu staunen Lust habe.

Fixiert sie.

Pasca sieht ihn von der Seite an.

Kapitän kommt die Treppe herab, geht zu dem Tisch links vorn, nimmt Platz.

WIRTSSOHN

kommt eilfertig auf ihn zu

Guten Morgen, mein Herr! Wünschen Sie Ihr Zimmer zu behalten, mein Herr, oder befehlen Sie eine Fahrgelegenheit?

KAPITÄN

freundlich

Muß ich Ihnen das sogleich sagen?

WIRTSSOHN

Es wäre allerdings sehr erwünscht, mein Herr, wenn es Sie nicht inkommodiert. Wir haben sehr viele Anfragen.

KAPITÄN

Ich habe hier einen Bekannten, mit dem wünsche ich noch vorher zu sprechen.

WIRTSSOHN

Da müssen Sie sich beeilen, mein Herr. Der Herr Florindo fahren in der nächsten halben Stunde nach Venedig zurück.

KAPITÄN

Wie?

WIRTSSOHN

Sehr wohl, ich bitte momentan um Vergebung.

Er will ab gegen die Treppe, woselbst mehrere Gepäcke hinuntertragen. Er kreuzt sich rückwärts mit Pedro, der dem Kapitän ein Glas Wasser sowie seine Pfeife bringt.

Kapitän zündet sich seine Pfeife an, indem kommt der Hausknecht wieder nach vorn.

HAUSKNECHT

zum Kapitän in seiner gewöhnlichen Art, indem er ihn eine

Weile angesehen, das heißt, nicht sein Gesicht, sondern seine Schuhe ärgerlich fixiert hat

Sie wissen also nicht, ob Sie abreisen oder ob Sie hierbleiben wollen.

Schüttelt den Kopf

Und sonst wünschen Sie nichts? Es ist gut.

Geht wieder.

KAPITÄN

Ein tüchtiger Kerl allstunds! Pst!

HAUSKNECHT

über die Schulter

Meinen Sie mich oder die Katze dort?

KAPITÄN

Da.

Gibt ihm Geld.

Hausknecht läßt das Geldstück prüfend auf den Tisch fallen; da der Klang gut ist, nimmt er es achselzuckend, geht nach links ab.

KAPITÄN

Die Pfeife brennt nicht, Pedro!

Pedro ist ihm behilflich.

FLORINDO

kommt die Treppe herauf, auf den Kapitän zu

Ich muß mich von Ihnen verabschieden, Kapitän!

Pedro verzieht sich unauffällig nach links hin.

KAPITÄN

Was? Ich hatte gehofft, wir würden noch ein Stück Weges

miteinander machen. So gehen Sie nach Venedig zurück mit Ihrer schönen Freundin?

FLORINDO

Nein, wir trennen uns. Natürlich nur für den Augenblick.

KAPITÄN

Das muß Ihnen hart sein, Herr, und der jungen Dame auch.

FLORINDO

Wir haben diese Nacht, ich will sagen diesen Morgen, unseren Entschluß geändert. Es sind gewisse Familienangelegenheiten dazwischengetreten, gewisse Rücksichten. Meine Braut fährt jetzt mit dem Onkel in ihr Dorf zurück. In einer kurzen Zeit natürlich bin ich wieder bei ihr. Und Sie, Kapitän, wohin führt Ihr Weg?

Kapitän winkt mit der Hand die Richtung landeinwärts.

Sie haben gewiß Anverwandte und Freundschaft?

KAPITÄN

Keine Seele, Herr. Wenn ich mich morgen in den Mantel da wickle und mein Gesicht gegen die Wand kehre, so erben die Hochgebietenden in Venedig von ihrem unwürdigen Untertan Tomaso ihre acht- bis neuntausend holländische Dukaten! Das tun sie, Herr!

FLORINDO

Das wäre beklagenswert. Sie müssen heiraten, Kapitän. Sie müssen Kinder haben.

KAPITÄN

Das bin ich willens, Herr, so habe ich Ihnen gestern gesagt.

Florindo wirft einen Blick nach rechts hin, wo man jemand auf der Treppe gehen hört.

Sehen Sie, Herr! Wenn es keine Zudringlichkeit ist, das zu sagen, ich war mir gestern abends verhoffend, daß Sie und das schöne Fräulein, Ihre Braut, alle zusammen würden da hinauf gefahren sein in die Dörfer und daß ich da einen Anschluß würde gefunden haben.

Florindo verbindlich bedauernd, ohne Worte.

Item, dem ist nicht so. Unter so veränderten Umständen denke ich zunächst einmal hier im Gasthaus eine kleine Zeit abzuwarten. Sollte Ihr Weg Sie in einiger Zeit hier vorbeiführen, so bitte ich, nach mir zu fragen. Es könnte sein, Sie fänden mich noch hier.

Florindo hört ihm nicht zu, denn rechts ist der fremde alte Herr, unterstützt von der jungen Unbekannten und dem Bedienten, die Treppe heruntergekommen. Sie sind stehengeblieben, der Bediente hat ihnen Florindo gezeigt. Florindo verneigt sich.

KAPITÄN

Ich sehe, Sie haben noch anderweitige Bekanntschaft.

FLORINDO

Es sind die sonderbarsten Leute von der Welt. Das Mädchen ist sechzehn Jahre alt – haben Sie sie gesehen? Sie hat zuweilen einen Blick, man könnte glauben, sie wäre aus einer andern Welt.

KAPITÄN

Ich bewundere Sie, daß Sie in Ihrer Lage noch Augen für ein anderes Frauenzimmer haben.

FLORINDO

Die Leute haben mir anbieten lassen, die Postchaise mit ihnen zu teilen. Hätte ich ablehnen sollen? Soll ich allein hinunterfahren, wo mir auch in Gesellschaft öde genug ums Herz sein wird?

Sieht abermals hin nach der Gruppe. Der alte Herr, vom Herabsteigen der Treppe ermüdet, hat auf einem Sessel Platz genommen.

Mitten zwischen den Menschen wie aus einer anderen Welt! Kapitän, welch unendliche Verschiedenheit in den Frauen! Um das auszukosten sind an fünfzehn, wenns hochkommt, zwanzig Jahre gegeben! Ein Augenblick!

KAPITÄN

mit einem Blick

Ich bewundere Sie, Herr.

Florindo beachtet ihn nicht, eilt hin, unterhält sich verbindlich. Hausknecht von links herein mit Gepäckstücken, zuoberst der Vogelbauer.

KAPITÄN

Pst!

HAUSKNECHT

Ich habe wenig Zeit.

KAPITÄN

So viel Zeit wirst du wohl haben, um dir hinters Ohr zu schreiben, daß ich fürs nächste hier zu bleiben gedenke und das Zimmer für mich und meinen Bedienten bis auf weiteres behalte.

HAUSKNECHT

Es ist gut.

Geht.

KAPITÄN

lacht

Das ist ein so netter, ordentlicher Kerl, als mir je einer auf Reisen begegnet ist.

Florindo kommt wieder. Der alte Herr hat sich erhoben, von dem Wirtssohn und dem Diener unterstützt. Sie gehen die Treppe herab, das junge Mädchen folgt.

FLORINDO
zum Kapitän
Kapitän, es drückt mir das Herz zusammen, wenn ich das arme Mädchen vor mir sehe, wie sie da mutterseelenallein landeinwärts fährt.

KAPITÄN
Das Mädchen dort soll landeinwärts fahren?

FLORINDO
Nicht die Fremde. Ich spreche von Cristina. Sie ist eine von denen, die man nicht allein lassen darf mit ihrem Herzen.

KAPITÄN
Sie müssen das wissen, Herr, verdamm mich Gott.
Florindo sieht ihn an, versteht.

KAPITÄN
Herr, ich wundere mich, daß Sie das Mädchen jetzt wieder allein lassen wollen so auf einmal. Es geht mich wohl nichts an, und Sie mögen Geschäfte haben, jedennoch –

FLORINDO
Ja wohl. Das arme Mädchen hat einsame Tage vor sich.

KAPITÄN
Doch nur, bis Sie wieder zurückkommen.

FLORINDO
mit Bedeutung
Bis ich wieder zurückkomme.

Kapitän

sieht ihn an, Blick gegen Blick

Das ist der Entschluß, den Sie diesen Morgen gefaßt haben? Sie sind des Teufels, Herr, das ist, was Sie sind!

Florindo

Kapitän, fahren Sie doch mit ihr hinauf ins Dorf, Kapitän. Tun Sie mir die Liebe, Kapitän. Sie haben Dinge erlebt, die der Mühe wert sind. Erzählen Sie ihr von Ihrer Gefangenschaft, von Ihrer Flucht, von den siebzig Nächten im Walde! Sie werden keine undankbare Zuhörerin finden. Es ist ein ernstes, gefühlvolles Mädchen.

Kapitän

Herr, ich weiß nicht, was Sie wollen, Herr! Ich weiß nicht, was Sie sich denken, Herr, verdamm mich Gott. Ich bin keine Gesellschaft, Herr.

Florindo

Ich habe ihr von Ihnen gesprochen –

Kapitän

Ein alter Kerl bin ich, ein alter Matros bin ich, das ist, was ich bin, Herr. Überhaupt, Herr –

Florindo

Nicht überhaupt. Sie achtet Sie. Sie sagte mir gestern: Den Mann möchte ich kennenlernen.

Kapitän

Herr, ein solches Mädchen hat andere Gedanken im Kopf. Ein junges Weib, Herr, verträgt in einer solchen Stunde keine Gesellschaft.

FLORINDO

Sie waren schon einmal ein junges Weib, daß Sie es so genau wissen.

KAPITÄN

Herr, Sie sind des Teufels, Herr. Das ist es, was Sie sind. Was hat Ihnen das Mädchen getan, daß Sie ihr so mitspielen?

FLORINDO

Ein Engel ist das Mädchen, und ich bin es nicht wert, in diesem Leben noch einmal die Spitze ihres kleinen Fingers zu berühren.

KAPITÄN

Das fühlen Sie und wollen sie trotzdem hinterrücks im Stich lassen?

FLORINDO

Konnten Sie, wenn es darauf ankam, auf der Brücke stehen und Kurs halten, obwohl Ihnen das Fieber die Knochen rüttelte? So verstehe ich zu respektieren, was dem Mädchen nottut, obwohl ich lieber meine Arme um sie schlingen und sie behalten möchte. Das mögen Sie mir glauben, Herr.

Die letzten Worte leiser, weil Romeo nahe herangekommen ist.

ROMEO

steht schon seit einer Weile rückwärts, hat sich mehrmals verneigt. Tritt jetzt unter Verbeugungen zu Florindo

Wenn ich imstande wäre, Ihnen zu schildern, wie meine Töchter die Nachricht von Ihrer Ankunft aufgenommen haben, Worte vermögen es nicht.

Pedro tritt von links her, von der Küchenstiege auf.

KAPITÄN

tritt ein paar Schritte näher zu Florindo

Herr, mir scheint, Sie haben wiederum verdammt recht mit

allem was Sie sagen, Herr, aber was das betrifft: ich bin keine Gesellschaft für die Dame, Herr. Ich weiß meinen Platz, Herr.

FLORINDO

Oh, ganz wie Sie wollen, Kapitän.

ROMEO

Diese Seligkeit! Wie, er ist da? riefen sie alle drei wie aus einem Munde. Dieser deliziöse Herr Florindo! Vater, bring uns zu ihm, wir müssen ihm unsere Erkenntlichkeit bezeugen. Wir müssen ihn unserer immerwährenden Liebe versichern. Meine Tochter Annunziata, die vorige Woche Zwillingen das Leben geschenkt hat, war kaum zu beruhigen.

Florindo gibt ihm Geld

KAPITÄN

rechts, zu sich selber sprechend

Wie ich will – Wie ich will. Das ist wieder eine von den verdammten spitzfindigen Redensarten, mit denen der Bursch einen an die Wand zu drücken weiß. Wie ich will!

Romeo tritt ab unter Verbeugungen.

Pasca tritt auf von links.

PEDRO

springt zu Florindo

Ich bitte hochachtend, meine sehr wichtige Sache nicht zu vergessen.

Springt wieder weg.

PASCA

leise zu Florindo

Wir warten auf Sie. Wir begreifen gar nicht, daß Sie nicht kommen, uns und dem Onkel Adieu zu sagen.

FLORINDO

Adieu sagen! Pasca! Daß es hat sein müssen! O weh, Pasca! Aber wenn es sein muß, dann auch jäh, wie ein Schnitt mit dem Messer. Wie ist ihr denn?

PASCA

Sie nimmt sich zusammen.

FLORINDO

vor sich, ganz in seinem Schmerz

Sie nimmt sich zusammen.

BEDIENTER

von unten, eilig

Es eilt, mein Herr, meine Herrschaft läßt sehr bitten.

PASCA

erstaunt

Gesellschaft haben Sie auch schon?

FLORINDO

Jetzt hinein und wieder heraus und in den Wagen.

Preßt sich die Hände auf die Augen

Und Pasca, auch ihr sollt mir nicht allein bergauf fahren. Ich will es nicht haben. Gräßlich ist Einsamkeit. Ein Mensch fällt in Verzweiflung, wenn er einsam ist. Mein Freund hier, der Kapitän Tomaso, wird euch begleiten.

PASCA

halblaut

Was soll denn das?

FLORINDO

leise, aber heftig

Was denn? Was denn? Es ist sein Weg, und es ist ihm ein

Vergnügen, Cristina Gesellschaft zu leisten. Willst du ihr das bißchen Zerstreuung nicht gönnen? Sollen die Traurigen sich mit Gewalt noch trauriger machen, ja? Das nenne ich sündhaft.

PASCA

zögernd

Es wird meinem Fräulein ja sicherlich eine Ehre sein, wir haben ja früher schon eine Begegnung miteinander gehabt.

Zu Florindo

Was wollen Sie denn damit?

KAPITÄN

Ja, das ist wahr, verdamm mich Gott.

Lacht

Trotzdem, Herr – das geht nicht, Herr.

PASCA

mit wachsendem Mißtrauen zu Florindo, halblaut

Nun sehen Sie ja, – was haben Sie denn nur im Sinn, Herr Florindo?

FLORINDO

nur zum Kapitän

Was denn? wo alles in Ordnung ist.

KAPITÄN

Die Dame würde sich bedanken, einen Menschen, den sie nicht kennt –

FLORINDO

Kennen, kennen! Wenn ich nur die Ziererei nicht hören müßte! Hab ich vielleicht gestern um die Zeit das Mädchen gekannt? Nun, Pasca!

PASCA

Gestern um die Zeit, da wird die Bekanntschaft akkurat eine halbe Stunde alt gewesen sein.

KAPITÄN

sehr erstaunt

Wie, Herr, gestern haben Sie Bekanntschaft gemacht?

PASCA

verlegen

Aber das war doch wieder ganz was anderes.

FLORINDO

Was ist da groß zu erstaunen? Wollt ihr das wirklich mit der Elle abmessen? Waren wir beide nicht Freunde in der ersten Viertelstunde, Kapitän? Pasca, laß dir gesagt sein: hier steht ein Mann, ein ganzer Mann, oder vielmehr ich brauche es dir nicht erst zu sagen, denn für was hätte ein Frauenzimmer Augen im Kopfe, wenn sie das nicht erkennen täte –

Pedro ist sehr geschmeichelt über das seinem Herrn erteilte Lob.

Sie ist eine Witwe, die liebe Pasca. Ich will wetten, daß ihr Seliger ein guter Mann war, denn das ist den Frauen gegeben, daß sie sich blindlings an die guten Männer zu halten wissen. Aber bleibt mir vom Leibe mit Kennen und Kennenlernen. Man kennt sich auf den ersten Blick, und wer dem Schicksal mit Mißtrauen und Tiftelei was abdingen will, der ist ein engherziger Lump! – Zeig mir einen Mann und eine Frau, die einander wert sind: wie sie zusammengekommen sind, danach will ich nicht fragen. Aber daß sie beieinanderzubleiben vermögen, das ist wundervoll. Das geht über die gemeinen Kräfte. Das ist ein Mysterium – kaum zu fassen ist es. – Und darum bitte ich mir Respekt aus davor, so wie ich ihn selber im Leibe habe.

PASCA

Wahrhaftig, in dem Sinne habe ich den Herrn Pfarrer auch schon predigen hören! Daß es vorwitzig ist, wenn eines meint, es müßte gar so mit eigenem Verstand sich den richtigen Lebensgefährten herausfinden. Aber was soll uns denn das jetzt? Darüber sind wir doch hinaus.

FLORINDO

zum Kapitän

Also –

KAPITÄN

Wie, Sie bleiben bei Ihrem Einfall, Herr?

PASCA

zupft Florindo am Ärmel

Was wollen Sie denn mit der Einladung? Der Wagen ist ja überhaupt viel zu klein.

FLORINDO

nur zum Kapitän

Merken Sie: Der Wagen ist klein, und man kann Ihnen darin keinen Platz anbieten, aber Sie fahren hinterher. Auf den Stationen leisten Sie meiner Freundin Gesellschaft.

KAPITÄN

Ja, wenn ich denn wirklich – Herr! Darf ich denn die Erlaubnis der Dame voraussetzen?

FLORINDO

Das dürfen Sie, das nehme ich auf mich.

Pedro freut sich.

Kapitän

Dann will ich gerne neben dem Wagen der Dame reiten, Herr. Das will ich, so wahr ich ein alter Seemann bin, Herr. Sie soll ein berittenes Gefolge haben wie eine Standesperson.

Florindo sieht vor sich hin, ohne ihn zu hören.

Posthorn einmal hell von unten.

Pasca

zu Florindo

Was haben Sie denn nur im Sinn? Woran denken Sie denn jetzt?

Florindo

Jetzt denke ich Abschied zu nehmen von dem Mädchen.

Schnell ab nach links. Pasca hinter ihm.

Kapitän

sehr vergnügt zu Pedro

Lauf! Sie sollen auf der Stelle ein Reitpferd satteln für mich, für dich einen Maulesel, wenn sie es nicht haben, sollen sie es schaffen.

Pedro

sehr erfreut

Mein Freund! Nummer eins geschickter Ansprecher.

Kapitän

Vorwärts.

Pedro läuft ab.

Kapitän ruft

He! Pst! Den Hausknecht! Das brave, tüchtige Faktotum hierher!

Hausknecht

kommt, zwei Taschen in der Hand

Was wünschen Sie? Wollen Sie mir vielleicht noch einmal

sagen, daß Sie bis auf weiteres hierbleiben und Ihr Zimmer behalten wollen? Das weiß ich bereits. Sie haben es mir vor fünf Minuten mitgeteilt.

Florindo kommt eilig von links, Cristina mit ihm; sie hängt an seinem Hals. Er macht sich schmerzlich los, läuft die Treppe hinunter.

KAPITÄN

zum Hausknecht

Und jetzt teile ich dir mit, daß ich in fünf Minuten abreisen werde.

HAUSKNECHT

stellt seine Taschen nieder

Das muß man sagen, Sie sind immer entschlossen, Herr, Sie wissen nur nicht, zu was.

Cristina bleibt oben auf der Treppe stehen. Sieht hinab übers Geländer gebeugt. Kapitän sieht hin, wird ganz still, vergißt den Hausknecht.

HAUSKNECHT

Sie fahren also nach Venedig zurück. Es ist gut. Ich werde Ihr Gepäck auf die Chaise von Nummer zehn aufladen lassen.

KAPITÄN

Im Gegenteil, ich fahre mit dem Herrn Abbate und der jungen Dame, die gestern in Gesellschaft des Herrn Florindo angekommen sind, hinauf ins Gebirg –

HAUSKNECHT

grimmig

Eine Wirtschaft!

Kapitän

– während Herr Florindo mit dem fremden alten Herrn hinunter nach Venedig fährt.

Hausknecht

Sie fahren mit Nummer sieben

Zeigt nach links

hinauf, während er

Zeigt nach rückwärts

mit Nummer dreizehn

Zeigt nach oben

hinunterfährt. Das übertrifft meine Erwartungen.

Eilt ab mit seinen Taschen.

Kapitän sieht ihm gutgelaunt nach.

Cristina steht noch immer übers Treppengeländer gebeugt, einem nachsehend, der längst fort ist.

Vorhang fällt sehr schnell.

ZU CASANOVA-PLÄNEN

I. Bild

Beginn ohne Ouvertüre, Milieuexposition. Cristinas Abschied. *Heiterer Schluß*, wenn Casanova ins Boot gesprungen, nimmt das Orchester eine Art lustigen Dialogs auf, den es als Zwischenspiel bis zu Beginn des II. Bildes fortführt.

II. Bild

kann so beginnen, daß es als unmittelbare Fortsetzung des inzwischen vom Orchester geführten Gespräches anhebt, etwa mit einer Konklusion: Und also ...
Sentimentaler Schluß: Casanovas Abschied, *oder besser* heiter, liebestrunkener Schluß: *auf baldiges frohes Wiedersehen.*
Schluß des II. Aktes: Leidenschaftlich schmerzlicher Verzicht des Mädchens.

Beginn des *III. Aktes:* festliche Hochzeitsmusik.
Zwischenspiel: Casanovas Traum.
Schluß: sentimental, Casanovas Verzicht mit einem lachenden, einem weinenden Auge. Poetischer Schluß.

Ensemble, d. h. Zusammensingen von mehreren Personen, in Momenten, wo eine drastische Situation ein Durcheinanderschreien oder eine poetische Situation zwanglos lyrische Selbstgespräche einzelner Personen zuläßt.
Z. B. der Moment der Überraschung, wo Casanova den neuen Bräutigam vorstellt. Quartett: das Mädchen, Casanova, der Bräutigam, der Oheim. Einflechten von Liedern: z. B. im ersten Anfang ein Gondellied. Poetischer Hochzeitstoast, gebracht von Casanova. Ballett.
Siehe Ensembles in »Figaro« von Mozart. II. Finale »Entführung« von Mozart. Quartett »Rigoletto« IV. Akt von Verdi. Quartett »Othello« II. Akt von Verdi.

EIN ENTWURF

I. Das Haus des Geronte. Geronte erwartet Schwiegersohn aus gutem Landadel. Sophie mit hübschem Faublas. Erzählt Verheiratung. Sie wundert sich, daß es ihn ärgert. Ankunft des Pourceaugnac und ältliche Tanten, Tiere und wunderbares Gepäck (Ehebett). Intrigante bestellt. Marquise. Stelldichein für die Nacht mit Faublas, worüber Faublas nicht so rückhaltlos erfreut. Sophie bittet um Befreiung. Die Intriganten.

II. Schlafzimmer der Marquise. Liebesnacht. Morgen. Dank. Pourceaugnac gemeldet. Faublas bleibt im Travesti. Faublas so ähnlich: ja, alles natürliche Kinder von Adeligen. Friseur, Dienerschaft usw. imponieren Pourceaugnac. Dieser geht. Während Marquise frisiert wird, proponiert P. der Zofe ein Souper. P. geizig (umständlich besprochen wo das Souper). P. geht. Intrigant kommt und sagt, wie es zu machen.

III. Gasthauszimmer. Probe der Statisten. Faublas Stiefel unterm Kleid. Das Souper. Verhaftung. Geronte kompromittiert vor der Hofgesellschaft. Die Marquise dazu. Geronte will ins Brautgemach. Faublas im Travesti meldet sich. Marquise bestätigt, daß er ein Mann.

ZUM »ROSENKAVALIER«

Der Text des Opernbuches für Richard Strauß ist kürzer als der der »Komödie für Musik«; einiges ist umgestellt, im einzelnen einiges verschieden. An zwei Stellen ist der Text der Musik zuliebe erweitert.

Im ersten Akt, gegen Ende der langen Rede des Ochs, nach den Worten »Und welche – da gilts« (S. 286), heißt es nun: »*Auf Octavian zu, der schon früher das Servierbrett an den Frühstückstisch zurückgestellt und sich während des Vorhergehenden dem Baron belustigt links vorne genähert hat*«, und, gleich darauf, vor den Worten der Marschallin: »*Octavian platzt lachend heraus*«, und nach »Laß Er mir doch das Kind!«:

BARON

sehr ungeniert zu Octavian

Weiß mich ins engste Versteck zu bequemen,
weiß im Alkoven galant mich zu nehmen.
Hätte Verwendung für tausend Gestalten,
tausend Jungfern festzuhalten.
Wäre mir keine zu junge, zu herbe,
keine zu niedrige, keine zu derbe!
Tät mich für keinem Versteck nicht schämen,
seh ich was Liebs: ich muß mirs nehmen.

OCTAVIAN

sofort wieder in seiner Rolle

Na, zu dem Herrn, da ging i net,
da hätt i an Respekt,
na, was mir da passieren könnt,
da wär i gar zu g'schreckt.
I waß net, was er meint,
i waß net, was er will.
Aber was z'viel is, das is zuviel.

Na, was mir da passieren könnt.
Das is ja net zum Sagen,
zu so an Herrn da ging i net,
mir tats die Red verschlagen.
Da tät sich unsereins mutwillig schaden.

Zur Marschallin

I hab so an Angst vor ihm, Fürstliche Gnaden.

MARSCHALLIN

Nein, Er agiert mir gar zu gut!
Er ist ein Rechter! Er ist der Wahre!
Laß Er mir dort das Kind!
Er ist ganz, was die andern dreiviertel sind.
Wie ich ihn seh so, so seh ich hübsch viele.
Das sind halt die Spiele, die euch konvenieren!
Und wir, Herr Gott! Wir leiden den Schaden,
wir leiden den Spott,
und wir habens halt auch net anders verdient.
Und jetzt sakerlot,

Mit gespielter Strenge

jetzt laß Er das Kind!

*

Im zweiten Akt endet das Gespräch zwischen Octavian und Sophie, in dem sie ihn um Hilfe bittet, nach den Worten »und bleiben, was Sie ist!« (S. 331) mit folgendem Duett:

Sophie nimmt seine Hand, er küßt sie schnell auf den Mund.

OCTAVIAN

indem er sie, die sich an ihn schmiegt, in den Armen hält, zärtlich
Mit Ihren Augen voller Tränen
kommt Sie zu mir, damit Sie sich beklagt.

Vor Angst muß Sie sich an mich lehnen,
Ihr armes Herz ist ganz verzagt.
Und ich muß jetzt als Ihren Freund mich zeigen
und weiß noch gar nicht, wie!
Mir ist so selig, so eigen,
daß ich dich halten darf:
Gib Antwort, aber gib sie nur mit Schweigen:
Bist du von selber so zu mir gekommen?
Ja oder nein? Ja oder nein?
Du mußt es nicht mit Worten sagen –
Hast du es gern getan?
Sag, oder nur aus Not?
Aus Not so alles zu mir hergetragen,
dein Herz, dein liebliches Gesicht?
Sag, ist dir nicht, daß irgendwo
in irgendeinem schönen Traum
das einmal schon so war?
Spürst dus wie ich?
Sag: spürst dus so wie ich?

SOPHIE

Ich möchte mich bei Ihm verstecken
und nichts mehr wissen von der Welt.
Wenn Er mich so in Seinen Armen hält,
kann mich nichts Häßliches erschrecken.
Da bleiben möcht ich, da!
Nur schweigen, und was mir auch gescheh,
geborgen wie der Vogel in den Zweigen,
stillstehn und spüren: Er ist in der Näh!
Mir müßte angst und bang im Herzen sein,
statt dessen fühl ich Freud und Seligkeit
und keine Pein,
ich könnt es nicht mit Worten sagen!

Hab ich was Unrechtes getan?
Ich war halt in der Not!
Da war Er mir nah!
Da war es Sein Gesicht,
Sein' Augen jung und licht,
auf das ich mich gericht',
Sein liebes Gesicht –
Er muß mir Seinen Schutz vergönnen,
was Er will, werd ich können.
Bleib Er nur bei mir.
Er muß mir Seinen Schutz vergönnen –
Bleib Er nur bei mir.

Aus den Kaminen in den rückwärtigen Ecken sind links Valzacchi, rechts Annina lautlos spähend herausgegeglitten.

*

Ganz kurz vor dem Ende des zweiten Akts (S. 351) heißt es im Opernbuch:

Annina geht ab, nicht ohne mit einer drohenden Gebärde hinter des Barons Rücken angezeigt zu haben, daß sie sich bald für seinen Geiz rächen werde.

»DER ROSENKAVALIER«
ERSTE FASSUNG DES ZWEITEN AKTS

Saal bei Herrn von Faninal. Mitteltüre nach dem Vorsaal. Türen links und rechts. Rechts auch ein großes Fenster. Zu beiden Seiten der Mitteltüre Stühle an der Wand. In den Ecken jederseits eine kleine unsichtbare Tür.

HERR VON FANINAL
im Begriffe von Sophie Abschied zu nehmen
Ein ernster Tag, ein großer Tag!
Ein Ehrentag, ein heiliger Tag!
Sophie küßt ihm die Hand.

MARIANNE LEITMETZERIN, *die Duenna*
Der Josef fahrt vor, mit der neuen Kaross,
[hat himmelblaue Vorhäng,
vier Apfelschimmel sind dran].

HAUSHOFMEISTER
nicht ohne Vertraulichkeit
Ist höchste Zeit, daß Euer Gnaden fahren.
Der hochadelige Bräutigamsvater,
sagt die Schicklichkeit,
muß ausgefahren sein,
bevor der silberne Rosenkavalier vorfahrt.
[Wär nicht geziemend,
daß sie sich vor der Tür begegneten.]
Lakaien öffnen die Tür.

FANINAL
In Gottesnamen. Wenn ich wiederkomm,
so führ ich deinen Herrn Zukünftigen bei der Hand.

Marianne

Den edlen und gestrengen Herrn auf Lerchenau!
[Kaiserlicher Majestät Kämmerer
und Landrechts-Beisitzer in Unter-Österreich!]

Faninal geht.

Sophie vorgehend, allein, indessen Marianne am Fenster.

Marianne

am Fenster

Jetzt steigt er ein. Der Xaver und der Anton springen hinten auf.
Der Stallpag' reicht dem Josef seine Peitschn.
Alle Fenster sind voller Leut.

Sophie

vorne allein

In dieser feierlichen Stunde der Prüfung,
da du mich, o mein Schöpfer, über mein Verdienst erhöhen
und in den heiligen Ehestand führen willst,

Sie hat große Mühe, gesammelt zu bleiben

opfere ich dir in Demut – in Demut – mein Herz auf.
Die Demut in mir zu erwecken,
muß ich mich – demütigen –

Marianne

sehr aufgeregt

Die halbe Stadt ist auf die Füß.
Aus dem Seminari schaun die Hochwürdigen von die Balkoner.
Ein alter Mann sitzt oben auf der Latern.

Sophie

sammelt sich mühsam

Demütigen und recht bedenken: die Sünde, die Schuld, die
Niedrigkeit,

die Verlassenheit, die Anfechtung!
Die Mutter ist tot, und ich bin ganz allein.
Für mich selber steh ich ein.
Aber die Ehe ist ein heiliger Stand.

MARIANNE
wie oben

Er kommt, er kommt in zwei Karossen.
Die erste ist vierspännig, die ist leer. In der zweiten,
sechsspännigen,
sitzt er selber, der Rosenkavalier.

SOPHIE
wie oben

Ich will mich niemals meines neuen Standes überheben –
Die Stimmen der Lauffer zu dreien, vor Octavians Wagen unten auf der Gasse: Rofrano! Rofrano!
– mich überheben.
Sie hält es nicht aus
Was rufen denn die?

MARIANNE

Den Namen vom Rosenkavalier und alle Namen
von deiner neuen, fürstlich'n und gräflich'n Verwandtschaft
rufens aus.
Jetzt rangieren sich die Bedienten.
Die Lakaien springen rückwärts ab!
Die Stimmen der Lauffer zu dreien näher: Rofrano! Rofrano!

SOPHIE

Werden sie mein' Bräutigam sein' Namen
auch so ausrufen, wenn er angefahren kommt!?
Die Stimmen der Lauffer dicht unter dem Fenster: Rofrano!
Rofrano! Rofrano!

Marianne

Sie reißen den Schlag auf! Er steigt aus!
Ganz in Silberstück' ist er ang'legt, von Kopf bis Fuß.
Wie ein heiliger Engel schaut er aus.

Sie schließt eilig das Fenster.

Sophie

Herrgott im Himmel, ja.
Ich weiß, der Stolz ist eine schwere Sünd.
Aber jetzt kann ich mich nicht demütigen.
Jetzt gehts halt nicht!
Denn das ist ja so schön, so schön!

Lakaien haben schnell die Mitteltüre aufgetan. Herein tritt Octavian, ganz in Weiß und Silber, mit bloßem Kopf, die silberne Rose in der Hand. Hinter ihm seine Dienerschaft in seinen Farben: Weiß mit Blaßgrün. Die Lakaien, die Haiducken, mit krummen ungarischen Säbeln an der Seite, die Lauffer in weißem sämischem Leder mit grünen Straußenfedern. Dicht hinter Octavian ein Neger, der Octavians Hut, und ein anderer Lakai, der das Saffianfutteral für die silberne Rose in beiden Händen fröhlich trägt. Dahinter die Faninalsche Livree.
Octavian, die Rose in der Rechten, geht mit adeligem Anstand auf sie zu, aber sein Knabengesicht ist von einer Schüchternheit gespannt und gerötet. – Sophie ist vor Aufregung über seine Erscheinung und die Zeremonie leichenblaß. Sie stehen einander gegenüber.

Octavian

nach einem kleinen Stocken, indem sie einander wechselweise durch ihre Verlegenheit und Schönheit noch verwirrter machen
Mir ist die Ehre widerfahren,
daß ich der hoch- und wohlgeborenen Jungfer Braut,

in meines Herrn Vetters,
dessen zu Lerchenau Namen,
die Rose seiner Liebe überreichen darf.

SOPHIE

nimmt die Rose

Ich bin Euer Liebden sehr verbunden.
Ich bin Euer Liebden in aller Ewigkeit verbunden. –

Eine Pause der Verwirrung

SOPHIE

indem sie an der Rose riecht

Hat einen starken Geruch. Wie Rosen, wie lebendige.

OCTAVIAN

Ja, ist ein Tropfen persischen Rosenöls darein getan.

SOPHIE

Wie himmlische, nicht irdische, wie Rosen
vom hochheiligen Paradies. Ist Ihm nicht auch?

Octavian neigt sich über die Rose, die sie ihm hinhält; dann richtet er sich wie betäubt auf und sieht auf ihren Mund.

SOPHIE

Ist wie ein Gruß vom Himmel.
Ist bereits zu stark, daß mans ertragen kann.
Zieht einen nach, als lägen Stricke um das Herz.
Wo war ich schon einmal
und war so selig!

OCTAVIAN

zugleich mit ihr wie unbewußt und leiser als sie

Wo war ich schon einmal
und war so selig?

Sophie

Dahin muß ich zurück und wärs mein Tod.
Wo soll ich hin,
daß ich so selig werd?
Dort muß ich hin und müßt ich sterben auf dem Weg.

Octavian

die ersten Worte zugleich mit ihren letzten, dann allein
Ich war ein Bub,
wars gestern oder wars vor einer Ewigkeit.
Da hab ich die noch nicht gekannt.
Die hab ich nicht gekannt?
Die hab ich nicht gekannt.
Wer ist denn die?
Wie kommt sie denn zu mir?
Wer bin denn ich? Wie komm ich denn zu ihr?
Wär ich kein Mann, die Sinne möchten mir vergehn.
Aber ich halt sie fest, ich halt sie fest.
Das ist ein seliger, seliger Augenblick,
den will ich nie vergessen bis an meinen Tod.

Indessen hat sich die Livree Octavians links rückwärts rangiert, die Faninalschen Bedienten mit dem Haushofmeister rechts. Der Lakai Octavians übergibt das Futteral an Marianne. Sophie schüttelt ihre Versunkenheit ab und reicht die Rose der Marianne, die sie ins Futteral schließt. Der Lakai mit dem Hut tritt von rückwärts an Octavian heran und reicht ihm den Hut. Die Livree Octavians tritt ab, während gleichzeitig die Faninalschen Bedienten drei Stühle in die Mitte tragen, zwei für Octavian und Sophie, einen rück- und seitwärts für die Duenna. Zugleich trägt der Faninalsche Haushofmeister das Futteral mit der Rose durch die Türe rechts ab. Sofort treten auch die Faninalschen Bedienten durch die Mitteltüre ab. Sophie und Octavian stehen einan-

der gegenüber, einigermaßen zur gemeinen Welt zurückgekehrt, aber befangen. Auf eine Handbewegung Sophies nehmen sie beide Platz, desgleichen die Duenna, im gleichen Augenblick, wo der Haushofmeister unsichtbar die Türe rechts von außen schließt.

SOPHIE

Ich kenn Ihn schon recht wohl, mon Cousin.

OCTAVIAN

Sie kennt mich, ma Cousine?

SOPHIE

Ja, aus dem Buch, wo die Stammbäumer drin sind.
Dem Ehrenspiegel Österreichs.
Das nehm ich immer abends mit ins Bett
und such mir meine künftige Verwandtschaft drin zusammen.

OCTAVIAN

Tut Sie das, ma Cousine?

SOPHIE

Ich weiß, wie alt Euer Liebden sind:
siebzehn Jahr und zwei Monat.
Ich weiß alle Ihre Taufnamen: Octavian Maria Ehrenreich
Bonaventura Fernand Hyazinth.

OCTAVIAN

So gut weiß ich sie selber nicht einmal.

SOPHIE

Ich weiß noch was.

Errötet.

Octavian

Was weiß Sie noch, sag Sie mirs, ma Cousine.

Sophie

ohne ihn anzusehen

Quin-quin.

Octavian

lacht

Weiß Sie den Namen auch?

Sophie

So nennen Ihn halt seine guten Freund
und schöne Damen, denk ich mir,
mit denen er recht gut ist.

Kleine Pause

Sophie

mit Naivität

Ich freu mich aufs Heiraten! Freut Er sich auch darauf?
Oder hat Er leicht noch gar nicht dran gedacht, mon Cousin?
Denk Er: Ist doch was andres als der ledige Stand.

Octavian

leise, während sie spricht

Wie schön sie ist.

Sophie

Freilich, Er ist ein Mann, da ist Er, was Er bleibt.
Ich aber brauch erst einen Mann, daß ich was bin.
Dafür bin ich dem Mann dann auch gar sehr verschuldet.

Octavian

wie oben

Mein Gott, wie schön und gut sie ist.
Sie macht mich ganz verwirrt.

SOPHIE

Und werd ihm keine Schand nicht machen
und meinem Rang und Vortritt.
Täte eine, die sich besser dünkt als ich,
ihn mir bestreiten
bei einer Kindstauf oder Leich,
so will ich, wenn es sein muß, mit Ohrfeigen ihr beweisen,
daß ich die vornehmere bin
und lieber alles hinnehme
wie Kränkung oder Ungebühr.

OCTAVIAN

lebhaft

Wie kann Sie denn nur denken,
daß man Ihr mit Ungebühr begegnen wird,
da Sie doch immerdar wird die Schönste sein.

SOPHIE

Lacht Er mich aus, mon Cousin?

OCTAVIAN

Wie, glaubt Sie das von mir?

SOPHIE

Er darf mich auch auslachen, wenn Er will.
Von Ihm laß ich mir alles gern geschehen,
weil mir noch nie ein junger Kavalier,
von Nähen oder Weiten, also wohl gefallen hat wie Er.
Jetzt aber kommt mein Herr Zukünftiger.

Die Türe rückwärts geht auf. Alle drei stehen auf und treten nach rechts. Faninal führt den Baron zeremoniös über die Schwelle und auf Sophie zu, indem er ihm den Vortritt läßt. Die

Lerchenausche Livree folgt auf Schritt und Tritt: zuerst der Almosenier mit dem Sohn und Leibkammerdiener. Dann folgt der Leibjäger mit einem ähnlichen Lümmel, der ein Pflaster über der eingeschlagenen Nase trägt, und noch zwei von der gleichen Sorte, vom Rübenacker her in die Livree gesteckt. Alle tragen, wie ihr Herr, Myrtensträußchen. Die Faninalschen Bedienten bleiben im Hintergrund.

FANINAL

Ich präsentiere Euer Gnaden dero Zukünftige.

DER BARON

macht die Reverenz, dann zu Faninal

Deliziös! Mach Ihm mein Kompliment.

Er küßt Sophie die Hand, langsam, gleichsam prüfend

Ein feines Handgelenk. Darauf halt ich gar viel.
Ist unter Bürgerlichen eine seltene Distinktion.

OCTAVIAN

halblaut

Es wird mir heiß und kalt.

FANINAL

Gestatten, daß ich die getreue Jungfer
Marianne Leitmetzerin –

Mariannen präsentierend, die dreimal tief knixt.

DER BARON

indem er unwillig abwinkt

Laß Er das weg.
[Will er mir leicht auch die Kuchelpartie Stuck für Stuck präsentieren?]
Begrüß Er jetzt mit mir meinen Herrn Rosenkavalier.

Er tritt mit Faninal auf Octavian zu, unter Reverenz, die Octavian erwidert. Das Lerchenausche Gefolge kommt endlich zum Stillstand, nachdem es Sophie fast umgestoßen, und retiriert sich um ein paar Schritte.

SOPHIE

mit Marianne, rechtsstehend, halblaut

Was sind das für Manieren? Ist das leicht ein Roßtäuscher
und kommt ihm vor, er hätt mich eingekauft?

MARIANNE

ebenso

Ein Kavalier hat halt ein ungezwungenes,
leutseliges Betragen.
Sag dir vor, wer er ist
und zu was er dich macht,
so werden dir die Faxen gleich vergehn.

BARON

während des Aufführens zu Faninal

Ist gar zum Staunen, wie der junge Herr jemand gewissem ähnlich sieht.
Hat ein Bastardl, recht ein sauberes, zur Schwester.

Plump vertraulich

Ist kein Geheimnis unter Personen von Stand.
Habs aus der Fürstin eigenem Mund,
und da der Faninal gehört ja sozusagen jetzo
zu der Verwandtschaft.
Mach dir doch kein Dépit, Cousin Rofrano,
daß dein Herr Vater ein Streichmacher war.
Befindet sich dabei in guter Kompagnie, der selige Herr Marchese.
Ich selber exkludier mich nicht.

Seh, Liebden, schau dir dort den Langen an,
den blonden, hinten dort.
Ich will ihn nicht mit Fingern weisen,
aber er sticht wohl hervor,
durch eine adelige Contenance.
Ist aber ein ganz besonderer Kerl,
sagt nichts, weil ich der Vater bin,
hats aber faustdick hinter den Ohren.

SOPHIE
währenddessen
Jetzt läßt er mich so stehn, der grobe Ding!
Und das ist mein Zukünftiger.
Und blattersteppig ist er auch, mein Gott!

MARIANNE
Na, wenn er dir von vorn nicht gfallt, du Jungfer Hochmut,
so schau ihn dir von rückwärts an,
da wirst was sehn, was dir schon gfallen wird.

SOPHIE
Möcht wissen, was ich da schon sehn werd.

MARIANNE
ihr nachspottend
Möcht wissen, was sie da schon sehn wird.
Daß es ein kaiserlicher Kämmerer ist,
den dir dein Schutzpatron
als Herrn Gemahl spendiert hat.
Das kannst sehn mit einem Blick.
Der Haushofmeister tritt verbindlich auf die Lerchenauschen Leute zu und führt sie ab. Desgleichen tritt die Faninalsche Livree ab, bis auf zwei, welche Wein und Süßigkeiten servieren.

FANINAL

zum Baron

Belieben jetzt vielleicht – ist ein alter Tokaier.

Octavian und Baron bedienen sich.

DER BARON

Brav, Faninal, Er weiß, was sich gehört.
Serviert einen alten Tokaier zu einem jungen Mädel.
Ich bin mit Ihm zufrieden.

Zu Octavian

Muß denen Bagatelladeligen immer zeigen,
daß nicht für unseresgleichen sich ansehen dürfen,
muß immer was von Herablassung dabei sein.

OCTAVIAN

Ich muß Deine Liebden sehr bewundern.
Hast wahrhaft große Weltmanieren.
Könntst einen Ambassadeur vorstellen heut wie morgen.

DER BARON

Ich hol mir jetzt das Mädel her.
Soll uns Konversation vormachen,
daß ich seh, wie sie beschlagen ist.

Geht hinüber, nimmt Sophie bei der Hand, führt sie mit sich. Setzt sich, will sie halb auf seinen Schoß ziehen. Sophie bleibt stehen.

BARON

Eh bien, nun plauder Sie uns eins, mir und dem Vetter Taverl.
Sag Sie heraus, auf was Sie sich am meisten freut.
Wird Sie recht umkutschieren auf die Schlösser?
Wo mag Sie hin zuerst?
Nach Bruck? Nach Stettendorf, nach Petronell?

Gibt kein hochgräfliches Geschloß, das ihr
als meiner Frau nicht täte offenstehn.

Sophie entzieht ihm ihre Hand.

FANINAL

nachdem er Octavian den zweiten Stuhl zum Setzen angeboten hat, der aber stehen bleibt

Wie ist mir denn? Da sitzt ein Lerchenau
und karessiert in Ehrbarkeit mein Sopherl, als wär sie ihm schon angetraut.
Und da steht ein Rofrano! Grad als müßts so sein.
Wie ist mir denn? Ein Graf Rofrano, sonsten nix.
Der Bruder vom Marchese Obersttruchseß.

BARON

zu Sophie

Soll Ihre eigenen Pferd im Stall stehn habn, Parole d'honneur!
Wie, oder werdn Hund Ihr lieber sein?
Ist Sie eine Hundsnärrin?
Ich kauf Ihr: kleine oder große? Solche
die aufgerichtet größer sind als Sie,

Mit Pantomime

wie? oder hat Sie Gusto auf die kleinen?

FANINAL

Wär nur die Mauer da von Glas,
daß alle bürgerlichen Neidhammeln von Wien uns könnten
en famille beisammen sitzen sehn.
Dafür wollt ich mein Lerchenfelder Eckhaus geben, meiner Seel.

BARON

Kleinwinzige? Die Ihr am Schuhband kiefeln,
ja, solchene? Crabasto, Pam, Bellino?!

Sophie tritt zurück, da er anfängt, das Spiel der Hunde zu agieren.

BARON

Spielt Sie das Stummerl? Sacrebleu!
Da muß ich auch Taubstummsprach probieren.

OCTAVIAN

zornig

Das ist ein Kerl, dem möcht ich wo begegnen
mit meinem Degen da,
wo ihn kein Wachter schrein hört.
Ja, das ist alles, was ich möcht.
Indessen ist der Notar mit seinem Schreiber eingetreten. Eingeführt durch Faninals Haushofmeister. Dieser meldet ihn dem Herrn von Faninal leise. Faninal auf und zum Notar nach rückwärts hin, mit dem er spricht.

SOPHIE

Die Sprach versteh ich nicht.

BARON

Wär Ihr leicht präferabel, daß man gegen Ihr
den Zeremonienmeister sollt hervortun?
Gefällt Ihr recht ein pitzliches Getue
mit »mill Pardon« und »Dévotion«
und »geh da weg« und »hab Respekt«?

SOPHIE

Wahrhaftig und ja gefiele mir das besser.

BARON

lachend

Mir auch nicht! Da sieht Sie! Mir auch ganz und gar nicht!

Bin einer biederen offenherzigen Galanterie recht zugetan.

Indem er sich nach rückwärts dreht, um von dem servierenden Diener noch mehr Konfekt zu nehmen, und dabei den Notar sieht.

Eilig

Da gibts Geschäfter jetzt,
muß mich dispensieren,
bin dort von Wichtigkeit. Indessen
der Vetter Taverl leistet Ihr Gesellschaft.

FANINAL

mit dem Notar, dahinter der Schreiber, sind an der linken Seite halb gegen den Vordergrund gekommen

Wenns jetzt belieben tät, Herr Schwiegersohn.

BARON

Natürlich wirds belieben.

Im Vorbeigehen zu Octavian, den er vertraulich anfaßt

Hab nichts dawider,
wenn du ihr willst Augerln machen, Vetter,
jetzt oder künftighin.
Ist noch ein rechter Rühr-nicht-an.
Betrachts als förderlich, je mehr sie dégourdiert wird!
Ganz wie bei einem jungen, ungerittnen Pferd.
Kommt alls dem Angetrauten letzterdings zugute,
wofern er sich sein ehelich Privilegium
zu Nutz zu machen weiß.

Er geht nach links. Der Diener, der den Notar einließ, hat indessen die Türe links geöffnet. Faninal und der Notar schicken sich an, hineinzugehen. Der Baron mißt Faninal mit dem Blick und bedeutet ihm, drei Schritte Distanz zu nehmen. Faninal tritt devot zurück. Der Baron nimmt den Vortritt, vergewissert sich, daß Faninal drei Schritte Abstand hat, und geht gravitätisch durch die Türe links ab. Faninal hinter ihm, dann der Notar, dahinter der Schreiber. Der Bediente schließt die Türe links und geht ab, läßt aber die Flügeltüre nach dem Vorsaal offen. Der servierende Diener ist ebenfalls abgegangen. Sophie, verwirrt und beschämt, setzt sich verlegen wieder nieder und lädt Octavian zum Sitzen ein. Die Duenna setzt sich gleichfalls seit- und rückwärts.

SOPHIE

Ist recht ein familiärer Mann, Sein Vetter, mein Herr Bräutigam.
Man muß ihn wohl erst besser kennen. Er weiß sicherlich was Gutes von ihm zu sagen.

OCTAVIAN

Nenn ihn Vetter aus Höflichkeit.
Ist nicht weit her mit der Verwandtschaft, Gott sei Lob und Dank!
Hab ihn mein Leben vor dem gestrigen Tag nicht gesehn.

SOPHIE

nachdenklich

Ah so, Er kennt ihn nicht.
Er heirat' ihn halt auch nicht.

OCTAVIAN

springt auf

Wird Sie das Mannsbild heiraten, ma Cousine?

SOPHIE

steht

Ists Ihm nicht recht?

Octavian

Oh, wie Sie will. Sie muß wohl wissen, was Sie will.

Sophie

zutraulich

Mir scheint, es ist Ihm doch nicht recht.

Octavian

heftig errötend

Oh, pardonier Sie mich, was gehts mich an?

Sophie

Möcht um die Welt nichts tun, was Ihm mißfiele.
Möcht Ihm erklären, wenn es Ihm beliebt –
Ich muß den Herrn Baron heiraten, ja ich muß.
Ihn, oder einen andern Kavalier.

Octavian

Ja, warum muß Sie denn?

Sophie

Und den da hat der Vater ausgesucht,
und ließ ich diesen stehn,
so tät mich schwerlich dann ein anderer nehmen.

Octavian

Sie muß? Ja warum muß Sie denn?

Sophie

zutraulich

Weiß halt so gar nicht, ob Er mich verstehn wird.
Ich bin recht ein gewöhnlichs Ding, ein Mädel, wie andere Mädel sind.

Und hab doch einen großen Stolz und Hochmut
und ekelt mich, was niedrig ist und häßlich und gemein.

Ganz leise

Und spür doch, daß ich seiner mich nicht allein erwehren tät.
Muß mir noch was zu Hilfe kommen,
daß ich mich fühl, wie am geweihten Ort.
Einmal für allemal.

[OCTAVIAN

Ist Ihr denn was geschehn?

SOPHIE

unbefangen

Geschehn, wie meint Er das?
Ich weiß halt, daß es Böses, Häßliches und Sündigs gibt.
Und daß es ein Gewalt hat auch über mich.
Oh ja, die hat es schon und möcht mich drunterkriegn.]

OCTAVIAN

Und in dem Lerchenau sein' Arm da meint Sie,
wird Sie sich fühlen als wie am geweihten Ort?

SOPHIE

Was schaut Er so?
Eine Freiherrliche Gnaden werd ich sein.
Ist das leicht was Gerings?

[OCTAVIAN

Ich wünsch Ihr alles Gute.

SOPHIE

Er hört mir nicht mit gutem Willen zu, das tut mir weh von Ihm.

Octavian

Ich hör Ihr zu, Sophie!

Sophie

Im Kloster war ein Lehrer für Clavicimbal,
war häßlich und recht ein gemeiner Mensch, der brachte seine Finger
immer so lange nicht weiter von den meinigen,
und wollt mir auch zudringlich und kurios in meine Augen sehn.

Octavian
lebhaft

Daß er mir in die Hände käm, solch ein Filou!

Sophie

Ist nicht um den, jedoch
warum nahm er sich das mit mir heraus?
Wär ich ein Grafenkind gwest, er hätt sichs nicht getraut!
Geschieht nur zum Exempel, daß ich von dem Menschen red!
War auch ein altes Weib, das schlich um mich herum,
wollt mir ein Brieferl zustecken von einem Kavalier.

Octavian

Und hat Sie das genommen?

Sophie

Nein, genommen hab ichs nicht,
aber meine Finger haben mir danach gebrannt,
und leichtlich hätts können geschehn, daß ichs genommen hätt.
Sehr leise
Denkt Er jetzt schlecht von mir?

Octavian

Ist Sie ein Kind, daß Sie das glaubt?

SOPHIE

Wie? Wenn ich Ihm das eingesteh – versteht Er mich denn nicht?
Ich konnte keine von den Starken und Erhabenen sein,
an denen die Versuchung und die Niedrigkeit der Welt
abgleitet, gleich wie Wasser an dem Marmorstein.]

OCTAVIAN

Und darum heirat' Sie den Lerchenau?

SOPHIE

unbefangen

Der hoh Adel ist eine Welt für sich,
das hab ich wohl begriffen.
Wer dorten dazu gehört, ist abgetrennt von allem Häßlichen.
Er hat den Anstand, daß er, was gemein und schlecht und niedrig ist,
mit einem Handwink kann abtun von sich.
Und es muß sich demütig retirieren, wo er geht und steht.
Darum verlangts mich zu den selbigen zu gehören,
für Leben und für Sterben.

OCTAVIAN

Weiß Sie denn auch, was das heißt, eines Mannes Frau werden?
Ist noch was anders, als daß die Lakais
ausrufen werden: Ihre Freiherrliche Gnaden!
wenn Sie wo eintritt. Ist auch noch was anders dabei.

SOPHIE

Werd meinen ehelichen Pflichten mit Gottes Hilfe Genüge tun, und meinem Mann keinen Anlaß niemals nicht zu einer Klage geben.

Quer durch den Vorsaal flüchten einige von den Mägden des Hauses, denen die Lerchenauschen Bedienten auf den Fersen sind. Der Leiblakei und der mit dem Pflaster auf der Nase jagen einem hübschen jungen Mädchen nach und bringen sie, hart an der Schwelle zum Salon, bedenklich in die Enge.

DER FANINALSCHE HAUSHOFMEISTER

kommt verstört hereingelaufen, die Duenna zu Hilfe holen

Die Lerchenauschen sind voller Branntwein gesoffen
und gehen aufs Gesinde los. Zwanzigmal ärger
als Türken und Krowoten!

DIE DUENNA

Hol Er unsre Leut, wo sind denn die?

Läuft ab mit Haushofmeister. Gleichzeitig kommt auch Faninal gelaufen und drängt die Lerchenau von ihrer Beute ab. Duenna labt ein vor Schreck halb ohnmächtiges Mädchen mit ihrem Riechfläschchen.

OCTAVIAN

Ach, schlag der Teufel drein!

SOPHIE

ohne sich nach dem, was draußen vorgeht, umzusehen

Wie? Was erzürnt Ihn so?

OCTAVIAN

Da seh Sie doch,
Ihres Herrn Liebsten Leut, was das für welche sind!
Die Teufel die, die passen recht zu ihm!

Sophie

Warum ist Er so blaß, was ist Ihm denn?

Octavian

entschlossen

Seh Sie mir in die Augen! Hat Sie mich ein wenig lieb?
Hat Sie ein wenig Zutraun?

Sophie

Zu niemand auf der Welt so viel als wie zu Ihm.

Octavian

leise und eindringlich

Laß Sie den Lerchenauer ungeheirat'.

Sophie

ausbrechend

Mein Gott! Ja! Ja! Nur daß Er mir halt hilft.

Octavian

Erst muß Sie selber sich helfen!
Dann hilf ich Ihr auch!
Tu Sie das erste für mich,
dann tu ich was für Sie.

Sophie

Was ist denn das, was ich zuerst muß tun?

Octavian

Das wird Sie wohl wissen.

Sophie

Und was ist das, was Er für mich will tun?
Nein, sag Er mirs!

Octavian

Weiß jetzt noch nicht. Werds wissen,
sobald wir soweit sind.

Sophie

ergreift seine Hand

Bleib Er bei mir,
dann kann ich alles, was Er will.

Octavian

Mein Herz und Seel wird bei Ihr bleiben, wo Sie geht und steht.

Aus den geheimen Türen in den rückwärtigen Ecken sind links Valzacchi, rechts Annina lautlos spähend herausgetreten. Lautlos schleichen sie näher.

Sophie

Sag Er das noch einmal! Oh noch einmal!
Ich hab im Leben so was Schönes nicht gehört!
Oh, sag Ers noch einmal.

Octavian

schnell

Ich hab Sie recht vom Herzen lieb.

Sophie nimmt seine Hand, beugt sich darüber, küßt sie schnell, ehe er sie ihr entziehen kann; er will ihren Mund küssen. In diesem Augenblick sind die Italiener nach vorne gekommen, indem sie die Lehnsessel als Deckung benutzen, um sich einzuschleichen. Jetzt springen sie vor. Annina packt Sophie, Valzacchi faßt Octavian.

Valzacchi und Annina

zu zweien, schreiend

Herr Baron von Lerchenau! Herr Baron von Lerchenau!

Octavian springt zur Seite nach rechts.

VALZACCHI

der Mühe hat ihn zu halten, atemlos zu Annina

Lauf und 'ole Seine Gnade!
Snell, nur snell. Ik muß halten diese 'erre!

ANNINA

Laß ich die Fräulein aus, lauft sie mir weg.

ZU ZWEIEN

Herr Baron von Lerchenau!
Herr Baron von Lerchenau!
Kommen 'er zu sehn die Fräulein Braut
mit ein junge Kavalier, kommen eilig, kommen hier!

Sophie hält sich die Ohren zu.

Octavian schüttelt energisch Valzacchi ab, fährt mit der Hand in die Tasche, wie nach einer Waffe zu suchen. Valzacchi springt zurück, packt Sophie an. Octavian zieht einen Beutel hervor, schüttelt ihn. Das Gold klingt. Valzacchis Gesicht verwandelt sich, er springt hinüber. Annina ist mit einem Sprung, Sophie freilassend, an Valzacchis Seite. Octavian lacht hell über sie, hält ihnen die Börse hoch. Sie zögern einen Augenblick. Er macht Miene, sie wieder einzustecken. Sie beteuern, daß sie seine ergebensten Diener sind.

SOPHIE

währenddessen

Der Duft von seinem Haar kommt bis zu mir geflogen!
Das Blut in seinen Schläfen kann ich spüren.
Den Hauch seiner Stimme
atme ich ein,
sein Lächeln geht
in mich hinein!

Der Schreiber

tritt aus der Türe rechts

Die hoch- und wohlgeborene Jungfer Braut
sind jetzo zu der Unterschrift gewunschen.

Valzacchi und Annina sind blitzschnell hinter den zwei Stühlen verschwunden. Octavian ergreift mit geschwinder Unbefangenheit seinen Hut, der am Boden liegt.

Sophie

fährt auf, noch halb im Traum

Was, was war?

Schreiber

Die Fräulein sind gewunschen vom Herrn Vater.

Sophie

Ich soll was tun? Ja, alles auf der Welt!
Was kann denn mir geschehn, wenn der mich gern hat!

Sie taucht den Blick in den Octavians, der sie grüßt. Einen Augenblick steht sie, als wollte sie zu ihm hinüberlaufen. Dann besinnt sie sich, geht dem Schreiber voraus, der ihr folgt und die Türe links hinter sich schließt. Octavian tut einen Pfiff, die Italiener kommen hinter den Stühlen hervor. Octavian hat sich gesetzt, sie stehen vor ihm.

Die ganze Szene in gedämpftem Ton.

Valzacchi und Annina

Zu Euer Exzellenz Befehl.

Valzacchi

Mit Leib und Leben!

Annina

Ebenso!

OCTAVIAN

Ah, solche seids ihr. Na, ihr seids die rechten! Ich trau euch nicht.

Valzacchi und Annina beteuernde Gebärde

Aber ich zahl euch halt – solangs mir passen wird.
Das Weitere werden wir ja sehn.
Aufs erste werds ihr mir behilflich sein –

VALZACCHI UND ANNINA

Zu allem auf der Welt.

OCTAVIAN

– den Herrn Baron –

VALZACCHI

eifrig

– su räumen aus die Weg.

OCTAVIAN

Ich will ihm nicht ans Leben. Ist mir reichlich genug,
wenn er müßt unverrichter Sach sich retirieren,
und würd nie nichts aus dieser Heirat.

ANNINA

eifrig

Oh, das trifft mein Onkel gut!
Dazu ist er der rechte Mann. Er bringt, halten zu Gnaden,
wie nix einen Gescheiten in den Narrenturm und einen Heiligen an den Galgen.

OCTAVIAN

Wär mir allzu grob!
Will nur, daß er blamiert ist und der Herr von Faninal

sich recht bekreuzigt und den Schwiegersohn zum Teufel wünscht.

VALZACCHI

eifrig

Das sei nit swer. Dazu seien sie die ricktige Person.
Sie seien geübt, ein Mannsbild su verführen.
Die 'err Baron slafen 'ier in Haus.
Man wird sie finde 'eut in seine Slafgemach,
in unsweideutige Gestalt. Ik werde make.

OCTAVIAN

In diesem Haus wird nichts gemacht.

VALZACCHI

Peccato!

Schlägt sich die Stirne, suchend

Eine Scandal! eine Scandal!

Nach kurzem Nachdenken triumphierend

Ick 'ab! Die 'err barone Lerkenau –

OCTAVIAN

erstaunt

Er war verheirat'?

VALZACCHI

No! scusi pur – – Ik make eine Vorslak:
'ier die verlassene Gemalin,
Annina drapiert sich blitzschnell mit einem Spitzentuch als »Verlassene«
sie kommt, erwischt die infidele sposo beim souper
in eine galante 'aus, ein öffentlike Gast'aus –

OCTAVIAN

Was macht das, wenns nicht wahr ist.

VALZACCHI

Was nutzen? Eine Scandal, per Bacco, nutzen immer,
bedenk die charactère von die signore Faninal.
Eine Scandal! sie sinken in die Erd!
die 'eirat sein beim Teufel!

Reibt sich heftig die Stirn

Erlaub – mir fehlt – ick muß – die Plan sein nit complet!

Triumphierend

Mariandl! das sein die Person!
das sein grade, was wir brauken!
Mariandl!

Zu Annina

ti ricordi, eh? la cameriera,
in die er sein verliebt,

Zu Octavian

eine Kammersofel,
Ihr Gnaden lassen nur – ik werde maken!

OCTAVIAN

lacht

Laß Er die aus dem Spiel, die kriegt Er nicht dazu!

VALZACCHI

Ik die nit kriegen? ik nit kriegen eine Kammersofel?

OCTAVIAN

Pst! sei Er jetzo still! die rücken ihre Stühl.

Valzacchi und Annina springen nach rückwärts.

Wart's auf mich, unten bei der nächsten Ecken.

Sie sind draußen, Octavian allein

Nein, nein.
Ich will das Mannsbild nicht mit ihr zusammen sehn.
Da geh ich lieber fort. Adieu Sophie!

Schöne Sophie! Liebe Sophie!

Er reißt sich los und geht.
Gleich darauf wird die Türe links geöffnet.

SOPHIE

tritt schnell heraus, wie sie das Zimmer leer sieht, ist sie enttäuscht. Seufzt leise

Er ist nimmer da.

BARON

tritt aus der Türe links. Für sich

Ich leist ihr noch ein Weil Gesellschaft.
Ist bis zum Mittagessen, kalkulier ich, noch ein Stündl Zeit.

[SOPHIE

sieht einen Dukaten am Boden liegen, hebt ihn schnell auf, küßt ihn

Du bist von ihm.

BARON

ebendort für sich

Ei, ist Sie so aufs Geld? Daß ich das weiß, ist gut.
Da muß mir der Bankierer eine Halbscheit
allzeit auf Conto separato führen.

SOPHIE

hält den Dukaten in der Hand versteckt. Für sich

Aus seiner Hand ist der gekommen.
Den will ich versteckt, wo keiner ihn weiß,
an einem Seidenfaden tragen unter meinem Hals.]
Faninal und der Notar treten aus der Türe links, nachher der Schreiber.

FANINAL

Belieben nun Herr Schwiegersohn vielleichten?

BARON

abwinkend

Laß Er mich jetzt ein Weil allein mit Seiner Tochter.

FANINAL

Weiß nicht, warum die Jungfer nicht zur Stell ist.

BARON

Brauch nicht das Möbel, laß Er nur.

FANINAL

Wär ihre Schuldigkeit.

BARON

ungeduldig

Schon gut, auf Wiedersehn.

FANINAL

mit Reverenz

Recommandier mich!

BARON

Ja, wollt Ihm eins noch sagen:
Er nimmt den Schwiegersohn ein bißchen oft in Mund.
Sei Er da sparsam.
Die Leut zerreißen sich das Maul.

Mit Grandezza

Daß Er mit mir liiert ist, weiß heut in Wien jedes Kind.
Bis hinauf zu Kaiserlicher Majestät.
Laß Er sich ohne Tuerei an Seinem Glück genügen.
Der Notar hat rückwärts gewartet. Faninal tritt zu ihm und führt ihn zur Mitteltüre ab. Schreiber folgt. Ein Lakai tritt zur Mitteltür ein, gegen das Zimmer links, kommt bald nachher wieder heraus, mit dem Tokaier und Backwerk, die er abtragen will.

SOPHIE

Wohin geht denn der Vater? Ich muß schaun –

BARON

Ganz überflüssig, komm Sie doch ein wenig her.
Zu Ihrem Bräutigam.

Setzt sich, winkt sie zu sich.

SOPHIE

Der Nam paßt recht verdreht auf Ihn, haha.

BARON

Mir konveniert er gut. Muß doch die Hand recht einmal küssen,
die's eben hat bekräftigt mit ihrem Namenszug.

Sieht den Diener, der den Konfekt abservieren will, winkt ihn zu sich.

SOPHIE

entzieht ihm sogleich ihre Hand

Wie, wegen derer Unterschrift? Wo denkt Er hin!

BARON

Seh, wo ich hindenk! Komm Sie, nehm Sie da ein Stückel mit mir,
dann will ich Ihr erzählen, wo ich hindenk.

Will ihr von dem Konfekt in Mund stecken.

SOPHIE

Ei, laß Er doch. Wir sind nicht so vertraut.

BARON

Müssens halt werden.

SOPHIE

macht sich energisch los

Ich geh und laß Ihn hier alleinig sitzen.

BARON

zum Diener

Pack Er sich fort.

Der Diener geht.

Laß Sie die Flausen nun. Gehört doch jetzo mir.
Geht alles gut. Sei Sie gut. Geht alles wie am Schnürl.

SOPHIE

Wie meint Er das, daß ich Ihm jetzt gehör?

BARON

lacht

Mit Haut und Haar.

SOPHIE

Wegen mein' Namen leicht, auf dem Fetzen Papier?
Kann sein, der kost mein Vater ein Stück Geld
und mich halt vierzehn Tag, wo ich kein gutes Leben hab,
mehr aber nicht. Muß lachen über Ihn.
Habs just getan, habs unterschrieben,
weil ich schnell wieder aus der Kammer wollt draußen sein.
Ist so gut, wie wenn ichs nicht hätt unterschriebn.
Drauf kann Er Gift nehmen.
Wär noch schöner,
wenn das viel ausmachen sollt!
Was schaut Er mich so an?

BARON

Ist Sie ein rechter Kaprizen-Schädel.

Steigt Ihr das Blut gar in die Wangen,
daß man sich die Hände verbrennt?

SOPHIE
wütend, stampft auf

Laß Er die Händ davon!

BARON

Geht mir nichts darüber.
Könnte mich mit Schmachterei und Zärtlichkeit
nicht halb so glücklich machen, glaub Sie mir.

SOPHIE

Ich denk nicht dran, daß ich Ihn glücklich machen wollt.

BARON

Sie wird es tun, ob Sie dran wird denken oder nicht.

SOPHIE
wütend

Ja.

BARON

Glücklich.

SOPHIE
wie oben

Ja.

BARON

Sehr glücklich!

SOPHIE
wie oben

Jetzt trag Er sein Gesicht mir aus dem Weg!
Was ist denn Er zu mir? Das möcht ich wissen!

BARON

Wird kommen über Nacht,
daß Sie ganz sanft
wird wissen, was ich zu Ihr bin!

SOPHIE

wie oben

Er ist der Niemand. Hört Er, was eins redt?
Für mich ist Er der Niemand!

BARON

indem er sie bei der Hand erwischt und, unbekümmert um ihren Widerstand, sich dem Vergnügen hingibt, das Liedchen zu singen, das ihm einfällt

»Lalalalala, wie ich dein Alles werde sein!
Mit mir, mit mir keine Kammer dir zu klein.
Ohne mich, ohne mich jede Stunde dir so bang.
Mit mir, mit mir keine Nacht dir zu lang.«

Sophie entreißt sich ihm, schlägt das Kreuz gegen ihn. Indes er sozusagen mit Zartgefühl seine Strophe exekutiert, entwischt sie ihm durch die Türe rechts, die sie zuschlägt.

BARON

ohne ihr nach zu wollen. Er hat keine Eile

»Mit mir, mit mir keine Nacht dir zu lang.«
Wahrhaftig und ja, ich hab ein Lerchenausches Glück.
Gibt doch nichts auf der Welt, was mich so enflammiert
und also vehement verjüngt als wie ein rechter Trotz.

Annina kommt durch die Mitteltüre hereingeschlichen, einen Brief in der Hand. Geheimnisvoll auf den Baron zu.

BARON

Für mich?

ANNINA

Von der Bewußten.

BARON

Wer soll da gemeint sein?

ANNINA

Nur eigenhändig, insgeheim zu übergeben.

BARON

setzt sich

Zeig Sie den Wisch.

Öffnet den Brief, hält ihn weit von sich weg, sucht in der Tasche nach seiner Brille

Find meine Brille nicht, kann Sie Geschriebnes lesen?
Da.

ANNINA

liest

»Herr Kavalier! Den morigen Abend hätt' i frei.
Sie habn mir schon gfalln, nur gschamt
hab i mi vor der Fürstli Gnaden,
weil i noch gar so jung bin. Das bewußte Mariandel,
Kammerzofel und Verliebte.
Wenn der Herr Kavalier den Nam nit schon vergessen hat.
I wart auf Antwort!«

BARON

»Sie wart' auf Antwort.«
Geht alles recht am Schnürl, so wie zu Haus,
und hat noch einen anderen Schick dazu.
Ich hab halt schon einmal ein Lerchenausches Glück.
Komm Sie nach Tisch, geb Ihr die Antwort nachher schriftlich.

Annina

Ganz zu Befehl, Herr Kavalier. Vergessen nicht der Botin?

Streckt die Hand hin.

Baron

vor sich

»Ohne mich, ohne mich jede Stunde dir so bang.«

Annina

Vergessen nicht die Botin, Euer Gnaden!

Baron

der sich gesetzt hat, ohne sich umzuwenden

Schon gut.

Valzacchi ist eilig zur Mitteltür eingetreten, kommt unter Verneigungen nach vorne.

Baron

tut, als sähe er ihn nicht

Das später! Alls auf einmal. Dann zum Schluß.

Er schenkt sich nochmals ein. Tut behaglich einen Schluck.

Vor sich

»Mit mir, mit mir keine Nacht dir zu lang.«

Die beiden Italiener nunmehr zu beiden Seiten des Barons, dringlicher.

Annina

Wir sind zu Diensten von früh bis spät:
wenn Euer Gnaden die Einsicht hätten,
daß Euer Gnaden für uns etwas täten!
Wir sind zu Diensten von früh bis spät.
Aber Belohnung noch so kleine
seh ich keine!

VALZACCHI

Jede Stund in die fürstlike 'aus
wir spionieren die Jungfer aus:
jede Sritt die Jungfer sie tut,
jede Fenster die Jungfer sie steht,
wir sind da!
Aber Belohnung nok so kleine
wir sehen keine!

Baron vor sich, als sähe und hörte er sie nicht.

ANNINA

ihm näher rückend

Müssen leider jetzt schon stören!

VALZACCHI

desgleichen

Will die Gnade uns nit 'ören?

BARON

Hab jetzt keine Münz bei mir! habts ihr verstanden?

VALZACCHI

noch näher

Peccato molto! sundig sehr für eine Cavalier!

ANNINA

desgleichen, mit schmeichelnd zudringlichem Griff nach der Stelle, wo mutmaßlich die Börse steckt

Möcht wetten, daß der Herr ein gspicktes Börserl hat!

BARON

aufspringend

Hand von der Butten! wällische Bagagi!

VALZACCHI

zurücktretend, aber ohne alle Katzenfreundlichkeit, ziemlich drohend

Will Ihre Gnade
seine Stimm – überheben . . .

ANNINA

ebenso

– da werdn Euer Gnaden
nix Guts nicht erleben!

VALZACCHI

Wir haben keine Grund
Ihre Gnade zu schonen . . .

ANNINA

Wenn er mit Beschimpfung
die Dienste will lohnen!

BARON

Was, keck sein auch noch, ah! das möcht ich sehn.
Er tut einen gellenden Pfiff nach Bauernart, indem er zwei Finger in den Mund steckt.

VALZACCHI

frech

Was sehen?

ANNINA

ebenso

Was sehen?

VALZACCHI

ebenso

Was sehen?

ANNINA

ebenso

Was sehen?

VALZACCHI

ebenso

Was sehen?

ANNINA

ebenso

Was sehen?

Vier Kerls von der Lerchenauschen Livree springen zur Mitteltür herein.

VALZACCHI

schreiend

Ihr Gnade wird bereuen . . .

Bricht jäh ab, wie ihn von hinten einer derb anfaßt.

ANNINA

ebenso

– daß der Lohn für unsre Treuen . . .

BARON

munter

Man dreh mir das Gesindel da fix dort zur Tür hinaus!

Es geschieht, wobei sich die Balgerei zu einem grotesken kleinen Ballet »un pas de coups de pieds au cul« entwickelt.

VALZACCHI

sich wehrend, drohend

Ihre Gnade wird bereuen!

ANNINA

ebenso

Euer Gnaden werdn sich schaden!

VALZACCHI

ebenso

Von Ducaten ganze Rollen
wird die Gnade geben wollen,
daß Sie diese eine Stunde
ungeschehen maken kunnte!

BARON

behaglich

»Ohne mich, ohne mich jede Stunde dir so bang!«

ANNINA

zu den Lakaien, die daran sind, sie hinauszudrehen

Fort, du Bestie! Weg, du Flegel,
sonst verspürst du meine Nägel!

VALZACCHI

schon in der Tür

Ihre Gnade wird bereuen!

ANNINA

desgleichen

Eure Gnaden werden sich schaden!

BARON

mit allem Behagen, indem er sich nochmals eingießt

»Mit mir, mit mir keine Nacht dir zu lang!«

Unterdessen fällt der Vorhang.

ANMERKUNG

Aus der »ältesten Fassung« von »Cristinas Heimreise« (wohl 1907), in der noch nicht der Kapitän, sondern ein junger Mensch, Carlo, neben oder gegen Florindo stand – aus dieser Fassung hat Hofmannsthal den ersten Akt und eine Szene des zweiten veröffentlicht, d. h. »Florindo und die Unbekannte« und die zweite Hälfte des ersten Aktes (wie sie, um eine Episode gekürzt, die nie wieder aufgenommen wurde – vgl. unsere S. 401-410 –, in den beiden Buchfassungen von 1910 steht), schließlich »Die Begegnung mit Carlo«. Er hat Jahre später diesen ersten Akt fast unverändert als »Florindo« drukken lassen.
Die Buchausgabe des Lustspiels wurde nach wenigen Aufführungen durch die »neue veränderte Fassung« ersetzt, die, auch im einzelnen stark gekürzt, mit Florindos Abschied endet, also den Schlußakt streicht (und die zweite Hälfte des bisherigen zweiten Aktes, die Morgenszenen im Gasthof, zu einem eigenen Akt macht).
Unsere Ausgabe bringt die erste der beiden Fassungen und im Anhang (S. 412ff) den nicht nur in der Reihenfolge der Szenen verschiedenen Schluß des zweiten (bzw. dritten) Akts.

In der Buchausgabe des »Rosenkavalier« (vgl. S. 436) heißt es: »Ich widme diese Komödie dem Grafen Harry Keßler, dessen Mitarbeit sie so viel verdankt.«
Der Text der italienischen Arie (S. 293, 296) ist aus Molières »Bourgeois gentilhomme« übernommen.
Wir erinnern an Hofmannsthals Aufsätze »Ungeschriebenes Nachwort zum Rosenkavalier« und »Zum Geleit«, in »Prosa III« und »Prosa IV«, und vor allem an den Briefwechsel mit Richard Strauss, bearbeitet von Willi Schuh, Atlantis, 1954.

Wir verdanken Willi Schuh die »Cristina«-Skizze für Richard Strauss, den Entwurf, der auf den »Rosenkavalier« hindeutet, und die Erstfassung des zweiten Aktes der Oper. Die eingeklammerten Stellen in dieser, S. 440ff, waren nicht für die Vertonung gedacht.

BIBLIOGRAPHIE

Florindo und die Unbekannte. »Süddeutsche Monatshefte« 1909; zusammen mit der – in der »Österreichischen Rundschau« 1909 veröffentlichten – zweiten Hälfte des ersten Akts von »Cristinas Heimreise« in *Florindo*, Komödie in zwei Szenen, Avalun-Druck 1923.

Die Begegnung mit Carlo. »Hyperion« 1909.

Cristinas Heimreise. S. Fischer 1910; neue veränderte Ausgabe ebenda 1910.

Zu Casanova-Plänen. »Neue Zürcher Zeitung« 1954.

[Ein Entwurf.] Willi Schuh, Die Entstehung des Rosenkavalier, »Trivium« 1951.

Der Rosenkavalier. S. Fischer 1911; das Libretto: Adolf Fürstner 1911. Erste Fassung des zweiten Akts, »Die Neue Rundschau« 1953.

INHALT

DATE DUE
